CB129086

Luar em Odessa

Janet Skeslien Charles

Luar em Odessa

Tradução de
Fabiana Colasanti

EDITORA RECORD
RIO DE JANEIRO • SÃO PAULO
2011

CIP-Brasil. Catalogação na fonte
Sindicato Nacional dos Editores de Livros, RJ.

Charles, Janet Skeslien
C435l Luar em Odessa / Janet Skeslien Charles; tradução de Fabiana Colasanti. - Rio de Janeiro: Record, 2011.

Tradução de: Moonlight in Odessa
ISBN 978-85-01-08558-0

1. Romance americano. I. Colasanti, Fabiana. II. Título.

10-4910 CDD: 813
CDU: 821.111(73)-3

TÍTULO ORIGINAL EM INGLÊS:
Moonlight in Odessa

Copyright © Janet Skelien Charles, 2009

Editoração eletrônica: Abreu's System

Texto revisado segundo o novo Acordo Ortográfico da Língua Portuguesa.

Todos os direitos reservados. Proibida a reprodução, no todo ou em parte, através de quaisquer meios. Os direitos morais do autor foram assegurados.

Direitos exclusivos de publicação em língua portuguesa somente para o Brasil adquiridos pela
EDITORA RECORD LTDA.
Rua Argentina, 171 – Rio de Janeiro, RJ – 20921-380 – Tel.: 2585-2000,
que se reserva a propriedade literária desta tradução.

Impresso no Brasil

ISBN: 978-85-01-08558-0

CÓPIA NÃO AUTORIZADA É CRIME
ABDR
ASSOCIAÇÃO BRASILEIRA DE DIREITOS REPROGRÁFICOS
RESPEITE O DIREITO AUTORAL
EDITORA AFILIADA

Seja um leitor preferencial Record.
Cadastre-se e receba informações sobre nossos lançamentos e nossas promoções.

Atendimento e venda direta ao leitor:
mdireto@record.com.br ou (21) 2585-2002.

Para minha irmã, Kathy Skeslien

"A linguagem... permanece sendo uma transação altamente ambígua, uma areia movediça, um trampolim, uma piscina congelada que pode ceder debaixo de você... a qualquer momento."

Harold Pinter

Parte I

Casamento por encomenda não é um fenômeno novo
— é uma parte inseparável da história da América
do Norte e da colonização dos Estados Unidos.

— de um relatório de 1999 para o
Congresso de Organizações de Arranjos
de Casamento Internacionais

Capítulo 1

O Sr. Harmon estava me enlouquecendo havia seis meses, três semanas e dois dias. De segunda a sexta, das 9 às 17 horas. Ele chegava a cronometrar quando eu ia buscar nosso copo de café matinal. Melhor tempo: 56 segundos. Um recorde recém-estabelecido. Pior tempo: sete minutos e 48 segundos. Eu mesma tive que preparar o café, apesar de ele insistir que eu havia perdido tempo flertando com um segurança. Talvez, mas eu também estava esperando o café ficar pronto. Eu sempre tinha que ficar com um olho no meu trabalho e o outro no Sr. Harmon. Se ele não estava vindo sorrateiro por trás de mim, estava ouvindo minhas conversas ao telefone. Se não estava olhando por cima do meu ombro (e pelo decote da minha blusa), estava sentado à sua mesa planejando como colocar as mãos em mim. Mas, até agora, eu havia sido mais rápida.

Essas irritações não eram nada comparadas à sua última maquinação. Um mês antes, ele finalmente concordara em mandar instalar internet no meu computador. Na verdade, fora obrigado a isso pela sede da empresa, em Haifa. Eu estava doida para começar a navegar (apesar de não saber o que *era* exatamente), mas o Sr. Harmon sempre encontrava um jeito de interromper a conexão. Hoje eu me permiti sentir um pouquinho de esperança. Finalmente seria conectada ao resto do mundo,

vez. O terceiro técnico de informática que chamei chegou com roupas estilo ucranianas de mais ou menos 1996 — calça jeans cuidadosamente passada que cobria seu umbigo e jaqueta de couro marrom — e se apresentou com o sorriso fácil dos homens que ainda moram com a mãe. Ele se sentou um pouco perto demais enquanto explicava como me conectar; afastei minha cadeira um pouco para o lado, pois sabia que aquela aproximação excessiva não agradaria o Sr. Harmon. Eu via flashes de seu blazer escuro enquanto ele andava de um lado para o outro em seu escritório, nos encarando.

— Daria, venha aquiii! — ele berrou.

As sobrancelhas do técnico se ergueram, eu revirei os olhos e pedi licença.

— Aquele homem está dando em cima de você — disse o Sr. Harmon.

Verdade. Mas em Odessa todo mundo brinca e dá em cima de todo mundo. É o nosso jeito. Mesmo que eu fosse uma aposentada com olhos esbugalhados e cabelo ralo, o técnico teria piscado e feito as mesmas piadas. *Quatro fontes entram em um bar. O barman diz: "Saiam daqui! Aqui não é lugar para o seu tipo."* Ou, enquanto ele dava tapinhas na parte de cima do monitor, como em uma criança desobediente: *Tenha cuidado com este negócio. Com computadores você comete mais erros do que com qualquer outra invenção na história, com a exceção, provavelmente, de Kalashnikovs e vodca.*

— Ele só está fazendo o trabalho dele. — Apontei para o homem, que rediscava o número de acesso pela décima vez. Tudo exige tempo na Ucrânia. E dinheiro. Se o Sr. Harmon não ignorasse este último, nós estaríamos entre os primeiros escritórios com internet em toda Odessa.

— Não gosto dele — disse o Sr. Harmon.

— O senhor não precisa gostar. Em vinte minutos, ele terá terminado e nós nunca mais veremos o homem de novo.

— Dispense-o. E não pague! Ele não fez o trabalho.

— Por favor, não me faça dispensar mais um — sussurrei.

— Não discuta, Daria.

Com o rosto vermelho, voltei para minha mesa e falei em russo:

— Sinto muito. Você tem que ir.

O técnico pareceu chateado.

— O velho está com ciúmes, não é?

Eu assenti. Era difícil estar à mercê dos desejos inconstantes dos ocidentais. Eles tinham o poder, nós tínhamos o desespero.

— Levei mais de uma hora para chegar aqui — ele disse. — Você sabe como é. Preciso deste trabalho. A minha mãe... os remédios dela.

— Eu sei. Sinto muito.

— O que estão cochichando aí? — o Sr. Harmon gritou. — Falem em inglês!

Peguei algum dinheiro na minha bolsa e tentei pagá-lo. Ele recusou as notas e me convidou para tomar um drinque. Sua bravata odessana estava de volta. Somos muito bons em disfarçá-la. Sentindo o olhar intenso do Sr. Harmon entre os meus ombros, balancei a cabeça.

— Vá. Antes que ele chame os seguranças.

Essa não era a primeira vez que o Sr. Harmon dispensava um homem por falar comigo. Eu já tentara encontrar uma mulher para o trabalho, mas simplesmente não havia nenhuma. Tentei encontrar um velhinho inofensivo, mas em Odessa só os jovens entendem alguma coisa de computador. Sempre que eu contratava um, o Sr. Harmon ficava rondando a minha mesa, farejando e rosnando como um buldogue para os homens bonitos — ainda que substituíveis —, para garantir que não estavam me cobiçando, o osso dele.

O único a quem ele não podia fazer objeção era Vladimir Stanislávski, um homem tão assustador que o Sr. Harmon não ousava dizer uma palavra. Afinal, ele sabia que a última pessoa que fora rude com o gângster havia ido parar numa sala de emergência em Viena.

Suspirei. Será que *algum dia* eu teria internet?

Nenhum dos outros empregadores em potencial com quem eu fizera entrevista chegara perto de igualar o salário que a firma do Sr. Harmon, uma empresa israelense de transportes marítimos, ofereceu: 300 dólares por mês, quando a média era de apenas 30.

Durante a entrevista para essa vaga, eu chegara a pensar que o Sr. Harmon era bonito. Diferente. Melhor. Traços prateados em suas têmporas faziam com que parecesse erudito. Ele usava um terno de corte fino. Era mais baixo do que eu, mas a maioria das pessoas é. Tinha bigode e era um tanto robusto, mas ainda assim, quando seu rosto se abria em um sorriso largo, ele quase não parecia mais velho que eu, apesar de que, como diretor, eu sabia que devia estar com uns 40 anos. O Sr. Harmon certamente era mais interessante do que os patrões ucranianos. Era viajado. Falava inglês e hebraico. Seus dedos eram longos e elegantes; seus dentes, perfeitos. Tinha um cheiro fresco e limpo como um prado. E — mais importante — era estrangeiro.

Enquanto ele falava sobre o emprego, acariciei discretamente o couro macio da cadeira da sala de reuniões e admirei tudo no aposento — a pintura acetinada, as luzes fortes, o chique telefone sem fio. Parecia que havíamos saído da sinistra e escura antiga União Soviética e chegado a Wall Street. O Sr. Harmon olhava para mim e parecia saborear cada palavra que saía da minha boca. Ele até me convidou para almoçar bem ali na sala de reuniões. Uma mulher de meia-idade entrou apressada e colocou uma bela refeição em cima de uma toalha de linho branco. Eu nunca provara queijo francês antes. O Brie derreteu na minha boca. E o vinho! Depois que terminamos a primeira garrafa, eu a peguei e coloquei no chão, já que garrafa vazia em cima da mesa dá azar. Quando ele abriu a segunda, percebi que a rolha era de verdade, não só uma tampa de plástico, como as dos nossos vinhos. A comida era muito boa, mas o melhor era o homus. Parecia um raio de sol — dourado, quente e luminoso. Fechei os olhos e senti-o deslizar pela garganta.

— É o azeite de oliva — ele disse, me observando. — Vocês não têm isso em Odessa, eu creio. Trazemos toda essa comida nos nossos navios. Se você trabalhasse aqui, poderia comer essas coisas todos os dias.

Para não sorrir, esfreguei os dedos no queixo como se estivesse considerando cuidadosamente se queria o emprego. Se Boba, minha avó, estivesse ali, ela teria agarrado minhas mãos e as colocado em meu colo.

— Temos filiais no mundo inteiro — ele continuou. — Alemanha, Estados Unidos. Não tem motivo para uma garota inteligente como você ter que ficar no mesmo lugar a vida toda...

Estados Unidos! Eu não podia acreditar. Sorri e rapidamente levei a mão à boca.

— Falar inglês o dia inteiro... seria o meu sonho.

— O seu inglês é impecável — ele disse. — Estudou na Inglaterra?

Neguei com a cabeça. Ninguém neste país ia a lugar algum. Ele não sabia disso? Tudo que precisávamos saber era aprendido aqui. Ele não podia imaginar as dificuldades que enfrentáramos nas aulas de Maria Pavlovna. Era uma professora difícil. Seu cabelo cinza e ralo preso em um coque apertado só fazia com que seus olhos de inseto e os lábios finos ficassem mais proeminentes. Ela era a única odessana que eu conhecera que nunca sorria ou contava piadas. Mas nós aprendemos com ela. Ela amedrontava até os piores e maiores meninos. Tínhamos que decorar textos e recitá-los na frente da turma. Quando cometíamos um erro, Maria Pavlovna batia com seu metro de madeira na mesa. Se errássemos de novo, temíamos que ela batesse na parte de trás de nossas coxas. Ela botava para tocar discos com exercícios de pronúncia várias vezes seguidas. *Though. Thought. Bough. Bought.*[1] Uma vez, quando eu não havia pronunciado o som do "ou" corretamente, ela agarrou meu maxilar e puxou meu lábio até sair o som que queria.

Ela mantinha um metrônomo na mesa e nós recitávamos os verbos irregulares ao som de um tique-taque que parecia mais rápido a cada dia. Tique-taque, tique-taque. Tiquetaquetique. Taquetiquetaque. *Arise-arose-arisen,*[2] *begin-began-begun,*[3] *break-broke-broken,*[4] *burst-burst-burst*[5] e *cut-cut-cut*[6] (nossos favoritos, porque não mudavam), *eat-ate-eaten,*[7] *fight-fought-fought,*[8] *get-got-got,*[9] etc. etc. etc. Anos depois, o barulho de um relógio ainda me deixava nervosa de uma maneira insuportável, e, quando isso acontecia, eu não conseguia parar de recitar mentalmente essa sua lista de cem verbos irregulares de modo aleatório.

---

[1] Palavras com grafia similar e pronúncia diferente. (*N. da T.*)
[2] Surgir-surgiu-surgido. (*N. da T.*)
[3] Começar-começou-começado. (*N. da T.*)
[4] Quebrar-quebrou-quebrado. (*N. da T.*)
[5] Estourar-estourou-estourado. (*N. da T.*)
[6] Cortar-cortou-cortado. (*N. da T.*)
[7] Comer-comeu-comido. (*N. da T.*)
[8] Brigar-brigou-brigado. (*N. da T.*)
[9] Conseguir-conseguiu-conseguido. (*N. da T.*)

Drink-drank-drunk.[1] Meus pensamentos começaram a girar e eu coloquei o copo de vinho na mesa.

— Não fizemos viagens para o exterior — eu expliquei. — Mas tivemos professores rigorosos.

Ele franziu o cenho, o que me fez pensar que talvez também conhecesse algo sobre disciplina escolar.

— As outras candidatas que entrevistei mal conseguiam dizer "olá".

Eu vira a garota que ele "entrevistara" antes de mim. Onde ele a havia encontrado? Num cassino?

A mulher voltou com café espresso. Inalei o vapor que subia da xícara de porcelana branca. Tinha um cheiro tão bom, tão rico e maravilhoso que, mesmo eu já estando satisfeita, fiquei com água na boca. O Sr. Harmon me deu um pequeno pedaço de chocolate amargo. Eu aceitei com reservas. É claro que tínhamos esses luxos em Odessa, o Sr. Harmon estava errado em dizer que não. Mas pessoas como eu — 98 por cento da população — não podiam comprá-los. Torcendo para que ele não percebesse, enfiei o chocolate na bolsa para poder dividi-lo com Boba.

— Já tomou champanhe, minha querida?

Neguei, balançando a cabeça. Quando ele chamou a mulher de volta à sala com duas estaladas de dedo e pediu que ela trouxesse a garrafa, não pude acreditar em minha sorte. Esperem só até eu contar a Olga e Boba que tomei champanhe, champanhe de verdade! Da França! Na minha família, nós só tomávamos *champagnskoye*, e apenas uma vez por ano, para comemorar o Ano-Novo. "Uma gota de *champagnskoye* doce deixa a vida doce." É isso que dizemos em Odessa. Todo mundo sabe que, se você não beber *champagnskoye* no dia 31 de dezembro, o ano vai ser um desastre. Perguntem a Boba, se não acreditam em mim. A única vez que não entramos o Ano-Novo com *champagnskoye* foi o ano em que minha mãe morreu.

Ele serviu o champanhe. As bolhas reluziam como *brillianti* minúsculos. Diamantes.

[1] Beber-bebeu-bebido. (*N. da T.*)

Batemos os copos um no outro e ele propôs um brinde.

— A uma significativa... parceria.

Isso significava que eu tinha conseguido o emprego?

Ele observou enquanto eu dava meu primeiro gole. Era amargo. Eu queria tossir, mas segurei. Ele esticou a mão e eu coloquei a minha sobre a dele, sentindo que nosso encontro era o destino. Sentindo que, depois de tanto sofrimento e perda, algo bom finalmente ia acontecer. Então ele piscou e disse:

— É claro que dormir comigo é a melhor parte desse emprego.

Puxei a mão para longe. Ele fez parecer uma piada, mas estava falando sério. De repente, ele parecia uma morsa com um casaco vermelho escuro — que fez questão de dizer que era Versace. Os fios prateados em suas têmporas se tornaram borrões opacos de cinza. Ele era igual aos outros homens, só que com dentes mais brilhantes e perfume chique. Ficamos olhando um para o outro. O único som na sala era o tique-taque de um relógio. *Weep-wept-wept.*[1] *Win-won-won.*[2] *Withdraw-withdrew-withdrawn.*[3] *Pare!* Sacudi a cabeça. *Pense!* Além de pegar café para ele e traduzir seus documentos, seria eu capaz de dormir com ele? Eu poderia fazer *isso* como trabalho? A ideia de suas mãos carnudas me tocando fizeram minha pele se arrepiar — sou vegetariana. Por trás dos óculos escuros, ele me observava com olhos negros e quentes, esperando que eu me decidisse.

Ele viera de Israel e se acostumara rapidamente a ser tratado como VIP. Muitos homens ocidentais vinham para a antiga União Soviética por causa da influência que tinham aqui. Em casa, eram invisíveis e mal conseguiam viver com o dinheiro que ganhavam. Aqui, eram considerados ricos e tinham apartamentos grandes, cozinheiras, moças para fazer faxina e muitas outras "moças" (para os odessanos, todo lugar de Tel Aviv a Tóquio é considerado Ocidente; a geografia não é ditada pela bússola, e sim pela abundância).

---

[1] Chorar-chorou-chorado. (*N. da T.*)

[2] Vencer-venceu-vencido. (*N. da T.*)

[3] Retirar-retirou-retirado. (*N. da T.*)

Pensei em minhas amigas. Em Olga, que tinha três filhos mas não tinha marido, nem emprego, nem dinheiro. Em Valeria, a professora que ia trabalhar todo dia mas não recebia salário, como a maioria dos funcionários do governo. Em Maria, formada pelo Conservatório, mas que recentemente se tornara garçonete e tinha que usar uma saia minúscula no trabalho. Pensei em mais dez, vinte outras. Eu não queria acabar como minhas amigas, sem opções e sem dinheiro. Maria, com sua voz linda, era maltratada por seu patrão e pelos frequentadores do bar. Se eu aceitasse esse emprego, pelo menos seria assediada por um só homem.

Eu havia me formado na universidade seis meses antes e ainda não encontrara um emprego de horário integral. Precisava sustentar a mim e a minha Boba, que cuida de mim desde que eu tinha 10 anos. Nossa situação era terrível — a pensão de Boba era de apenas 20 dólares por mês (a Ucrânia havia declarado sua independência em 1991; cinco anos depois, nossa moeda ainda era instável, e por isso usávamos dólares). Eu não deveria ter ficado surpresa com a proposta dele — não fora a primeira. Só não a esperava de um ocidental. Talvez Boba estivesse certa. Talvez nós fôssemos amaldiçoadas. Olhei para o Sr. Harmon novamente.

Xadrez. Há uma razão para a antiga União Soviética ter mais campeões mundiais do que qualquer outro país. Xadrez é estratégia, persistência, sagacidade e capacidade de olhar mais para o futuro do que o oponente. A sede de sangue de acabar com os outros, um de cada vez. Xadrez é cada um por si. Criar armadilhas e evitá-las. É firmeza mental. E sacrifício. Em Odessa, a vida é xadrez. Ataques. Contra-ataques. Blefes. Conhecer seu adversário e ficar um passo à frente dele.

Aceitei o emprego.

Uma hora depois da entrevista, me vi perambulando pelo centro da cidade com as pernas bambas. O que eu havia feito? Se ao menos pudesse me dar ao luxo de sentar em um café e tomar um chá, só o tempo de organizar meus pensamentos... Minha casa parecia tão distante. Eu me vi andando na direção do mar, na direção de Jane. Ela era tão positiva, tão encorajadora — diferente de todas as pessoas que eu conhecia. Os odessanos eram fatalistas e pessimistas. Sempre que eu falava em viajar, meus amigos diziam "Acorde! Existe um motivo para chamarem de sonho americano". As amigas da minha Boba sacudiam a cabeça para mim e diziam "Sonho de açúcar", a forma odessana de dizer que coisas boas são para os outros. Com Jane, eu podia falar sobre meus sonhos e esperanças, e ela me fazia acreditar que todos se tornariam realidade. Seu apartamento no centro da cidade, a apenas três quarteirões do mar, era um refúgio, um paraíso. Pé-direito alto, piso de parquê, uma sacada com parreiras. Ela tinha sua própria cozinha, seu próprio espaço. Ninguém da nossa idade morava sozinho. Talvez seja mais fácil ser otimista quando se tem tanto.

Uma *americanka* que viera realizar o que ela chamava de "serviço comunitário", Jane tentara ensinar aos alunos odessanos algo sobre democracia. Ela vivia como se nunca tivesse aprendido o significado da palavra "não". Usava calça comprida para ir à escola. Era como se não soubesse que isso era contra as regras para as mulheres — até para as professoras. Eu a vira ganhar uma discussão aos berros com um burocrata *e* dar um soco em um policial corrupto! Eu tinha um caderno de palavras e frases que ela havia me ensinado. Sensacional. Legal. Merda. Que se dane. É mais fácil pedir perdão do que pedir permissão. Vai com tudo. Vai em frente. O vocabulário dela era tão exótico quanto seu cabelo ruivo. E as histórias que contava... Eu adorava ouvir sobre os Estados Unidos. Até suas impressões sobre Odessa eram interessantes para mim. Nesta cidade de sombras, famosa por seus tons de cinza, Jane só via preto e branco. Ela fazia a vida parecer muito... descomplicada.

Deslizei rapidamente para dentro do pátio e entrei no prédio dela na ponta dos pés, mas a *babushka* no primeiro andar me ouviu mesmo assim e abriu uma fresta da porta.

Em Odessa, tem sempre alguém observando.

— Vai ver Janna? — ela perguntou.

— *Da* — eu respondi, apesar de não ser da conta dela.

— Bem, não fique muito tempo. Ela precisa descansar. A coitadinha passou o dia inteiro fazendo as malas.

Eu não precisava ser lembrada de que minha querida amiga estava voltando para casa. Subi até o terceiro andar. Jane abriu a porta antes que eu pudesse bater.

— Como foi a entrevista? — perguntou, e me puxou para dentro.

— Consegui o emprego.

— Sensacional! — ela falou, e me deu um abraço apertado. Colocou a chaleira no fogo e nos sentamos à mesa. Ah, a pura alegria em seu rosto, ah, a forma como disse "Eu estava muito preocupada com você e eu estava indo embora e senti como se a estivesse abandonando totalmente. Mas agora sei que vai ficar bem".

— Vou sentir saudades — falei, olhando para a sala repleta de pilhas de roupas e livros: seus dois anos em Odessa reduzidos a duas malas — Você é tão diferente das minhas outras amigas.

— Amigas. — Ela fungou. — Sei que elas não fazem por mal, mas não dê ouvidos a elas, principalmente àquela Olga. Não dê ouvidos a ninguém.

— Você tem razão...

— "Nada do que faço tem importância. Não arrisque nada e não vai perder nada" — ela disse, imitando os refrões odessanos fatalistas. — Não. Não deixe os desgraçados a colocarem para baixo. Precisa acreditar em si mesma, não em suas superstições odessanas, nem nas maldições da sua Boba ou no destino. Em si mesma. Você é mais forte do que pensa que é.

— Não tenho tanta certeza.

— Acredite. Eu teria morrido sem você. Estava tão sozinha e assustada quando cheguei aqui, mas você ligava todas as noites, me ajudou a aprender russo, me ensinou tudo o que eu precisava saber sobre os homens odessanos...

Nós rimos.

Ela acariciou meu rosto.

— Meu Deus, o que eu teria feito sem você? Vou sentir sua falta. Mas agora sei que vai ficar bem. Tem um bom emprego. Não, um ótimo emprego. Vai falar inglês o dia inteiro, seu sonho.

— Acha que o meu inglês é bom o bastante?

— Claro que é. Você fala melhor do que a maioria dos nativos. Seu vocabulário é melhor do que o meu. Você dominou o idioma. Sabe até diferenças entre o inglês britânico e o americano. Estou lhe dizendo, você sabe mais do que eu. Lembra-se de como meus colegas ficaram decepcionados quando souberam que eu era "só uma americana", como eles dizem? Quando ficaram decepcionados por eu não falar "inglês de verdade", quem me ajudou a aprender o vocabulário?

Senti prazer com os elogios dela. E decidi testá-la.

— O que é um "*flat*"?

— Um apartamento — ela respondeu de volta.

— *Queue!*

— Uma fila. Ou fazer fila. — Ela apertou minha mão. — O que eu teria feito sem você?

Ficamos sentadas em silêncio, e a dúvida voltou.

— Mas e quanto ao meu sotaque?

— Quantas vezes vou ter que te dizer? Todo mundo tem sotaque. Eu tenho sotaque. Dá para ver na hora que sou americana. Os ingleses têm sotaque. Os canadenses têm sotaque. O seu é quase imperceptível; e, quanto aos nova-iorquinos, não se pode dizer o mesmo!

Eu ri. Ela sabia como tranquilizar uma pessoa.

— Meu Deus! Pense bem. Você vai ganhar um salário enorme. Provavelmente vai estar dirigindo o lugar dentro de um ano. Estou tão orgulhosa de você!

Então como eu podia contar a verdade? Que nada em Odessa é inteiramente bom. Que esse contrato tinha um custo. Para empregos que pagavam muito bem, os candidatos pagavam uma propina, que os odessanos chamavam de "investimento". E com esse cargo, meu investimento seria mais pessoal e doloroso do que para a maioria.

Capítulo 2

NAQUELE PRIMEIRO DIA, FUI PARA o trabalho tomada por grande agitação. Quando? E como? No escritório? Ou em algum hotel? Imediatamente ou depois do almoço? Como essas coisas acontecem? Como eu poderia dissuadi-lo? É aquele período do mês. Aquele período do ano. Não me sinto muito bem. Vamos nos conhecer. Poderia levar anos...

Sentei-me à minha mesa, tensa, com ouvidos atentos, esperando o Sr. Harmon dar o bote, pronta para lutar contra ele com palavras ou atos. Mas ele nem quis transar comigo. Disse que não gostava dos meus dentes (eu tomara o cuidado de não sorrir durante a entrevista. A esposa de Napoleão, Josefina, também tinha dentes ruins. Mas, tirando o fato de ter sido casada com um ditador assassino, ela teve sorte. Nasceu em uma época em que leques eram um acessório popular. Ela segurava um na frente da boca quando sorria. Quando o Sr. Harmon me convocou ao seu escritório, eu me imaginei segurando seu ventilador na frente do rosto e comecei a rir).

Como muitos odessanos durante o tempo soviético, minha avó teve que escolher entre luxos como comprar comida e ir ao dentista (filosoficamente, o sistema de saúde na antiga União Soviética era gratuito. Na prática, no entanto, as coisas eram ligeiramente diferentes. Você tinha que levar um presente para o médico. Sem presente, sem tratamento. Sem presente, sem futuro). Meus dentes não eram perfeitos, mas pelo menos eu nunca havia passado fome. Fiquei surpresa quando o Sr. Harmon disse que pagaria para consertar meu sorriso. Eu recusei, ele insistiu. Eu recusei, ele insistiu. Eu recusei, ele insistiu. Então descobri que ele estava falando sério e marquei uma consulta. Pela primeira vez na vida fui ao dentista, que me pediu para sentar na cadeira de couro cinza e puxou uma luz por sobre o meu rosto. Para fugir da claridade, virei a cabeça e vi um ameaçador arsenal de brocas, ganchos e alicates na mesa ao lado dele. Desviei o olhar e vi que, na pia, havia sangue seco e cuspe. (Em Odessa, a prefeitura "economizava" água desligando-a durante o dia.)

Cerrei os dentes.

— Abra — ele disse.

Eu não conseguia. Não queria que ele visse meus dentes pretos.

— Não é que eu não goste de uma mulher de boca fechada — ele brincou —, mas tenho um trabalho a fazer.

Eu sorri. Ele franziu a testa e falou:

— É pior do que eu pensava.

— Posso voltar amanhã? — perguntei, mal abrindo a boca.

— Que diferença vai fazer um dia?

Voltei na tarde seguinte e me sentei na cadeira. O dentista botou a luz sobre meus olhos. Eu me levantei — sabia o que ele ia fazer. Só não sabia se conseguiria ir em frente com aquilo.

— Hoje não é o dia? — ele perguntou, escondendo bastante bem a irritação.

Foi preciso mais uma consulta antes que eu me sentisse confortável naquela cadeira com a luz brilhando sobre meu rosto, destacando minha maior imperfeição. Eu passara a vida escondendo meus dentes, nunca sorria sem a mão na frente dos lábios. Era difícil para mim abrir a boca.

— Pronto, pronto — ele murmurou. — Não é tão ruim. Seus dentes são tortos e pretos. Logo você vai ter dentes brancos e retos.

Ele prometeu que o processo levaria menos de um mês. Mas, quanto mais cedo eu tivesse dentes lindos, mais cedo o Sr. Harmon ficaria interessado, então eu disse ao dentista para não ter pressa. Só essa tática me deu quatro meses. Eu estava feliz em ter um sorriso bonito. Apesar de ter ficado triste quando o dentista arrancou todos os meus dentes.

Adorei aqueles primeiros dias: eu trabalhava em inglês, a língua internacional, e me comunicava com nossas filiais no mundo inteiro. Quando criança, eu aprendera ditados, músicas e sonetos em inglês, mas nunca pensei que um dia precisaria do idioma e que esse conhecimento seria útil: nós, odessanos, vivíamos no mar Negro, mas estávamos encurralados pela antiga União Soviética. O inglês fora meu passatempo, minha paixão, meu consolo. Eu amava tudo que dizia respeito ao idioma. Lia o dicionário de inglês da mesma forma que as freiras leem salmos. Ansiava por novas palavras da forma como os líderes russos ansiavam por poder. Amava a alquimia do inglês, a maneira como um "t" e um "h" se uniam para formar um som completamente diferente. *Thistle.*[1] *Thunder.*[2] Adorava a forma como falar inglês me fazia sentir. Inteligente. Sofisticada. Estrangeira. Melhor.

Eu adorava atender o telefone em inglês. Adorava passar a mão pelo monitor do meu computador. Tudo no escritório era da melhor qualidade. Qualidade que eu e a maioria dos odessanos jamais havíamos visto — até mesmo nossas lâmpadas tinham uma luz esquálida e triste. Eu me sentia orgulhosa em fazer parte de uma empresa que importava aquecedores, máquinas de lavar e aparelhos de videocassete do Ocidente. Eu gostava de falar em inglês com o capitão do navio enquanto os marinheiros descarregavam os grandes contêineres de metal repletos de nossos anseios. O Sr. Harmon tirou uma foto minha no timão, e o capitão tirou uma de nós dois juntos. Nem me importei por o Sr. Harmon ter passado a mão pela minha cintura. Na Ucrânia, tirar uma foto sua era algo muito especial. A maioria das pessoas não possuía uma câmera. Nem tínhamos filme colorido até os anos 1980.

Era um desafio passar nossos produtos pela alfândega, mas logo aprendi a lidar com os agentes — quem poderia culpá-los por quererem provar a comida, assistir aos filmes ou usar as roupas que nossa empresa trazia para Odessa? Descobri que, quando eu oferecia amostras, nossos produtos passavam rapidamente pela alfândega. Essa troca parecia totalmente razoável. Afinal, nos correios paga-se mais por uma entrega de primeira classe.

---

[1] Cardo. (*N. da T.*)

[2] Trovão. (*N. da T.*)

Admito que fui seduzida pelas canetas de alta qualidade, pelo telefone preto sem fio e pelo material de escritório impecável, tão diferente do nosso papel grosso e cinza. O quadro branco e as canetas na sala de reuniões e os pacotes coloridos de post-its me pareciam espetaculares. No primeiro mês, coloquei post-its cor-de-rosa-néon nos documentos para lembrar ao Sr. Harmon onde ele tinha que assinar e a data prevista para a chegada dos carregamentos. Esses sinais me fizeram perceber o quanto as coisas eram melhores e mais bonitas no Ocidente, e eu ansiava descobrir aquele mundo. Esperava que meu novo emprego fosse um passo na direção certa.

Nosso escritório não era no mar Negro. O Sr. Kessler, diretor da empresa em Haifa, considerava o aluguel na região portuária "uma extorsão" e, em vez disso, alugou um prédio sem atrativos especiais no centro da cidade, na movimentada Soviet Army Street, onde carros e bondes vermelhos desbotados brigavam por espaço, ciganos pediam esmola em frente à igreja ortodoxa azul com domos dourados e moças que vendiam buquês gritavam para os transeuntes. A fachada simples do nosso escritório escondia o interior luxuoso, apesar de a presença de um segurança peludo dar uma pista da nossa prosperidade. Perto da entrada havia uma cozinha de última geração utilizada nos intervalos para o café. A geladeira era cheia de vodca finlandesa, chocolate alemão e queijo francês. No final do longo corredor com paredes brancas e brilhantes ficava minha mesa de trabalho. O escritório espaçoso do Sr. Harmon, com sua grande mesa preta coberta de aparelhos caros, ficava atrás da porta à minha direita; a sala de reuniões, com a mesa comprida e lustrosa e as cadeiras de couro, à esquerda.

Comprei uma palmeirinha e a coloquei ao lado da janela. Às vezes, sonhava acordada com a Califórnia. Praias de areia; água salgada e quente rolando por cima do meu corpo; o sol suave em minha pele. Não haveria gente me olhando e pensando em dinheiro, lascívia ou se eu era ucraniana ou judia. Eu era apenas eu mesma, sozinha, anônima em uma praia. Olhei para a palmeirinha e suspirei. As barras de metal estragavam totalmente o efeito. Como era um escritório israelense, as janelas eram cobertas por barras de aço e seguranças ficavam de vigia 24 horas por dia, apesar da taxa de proteção que pagávamos aos Stanislávskis.

Eu sempre fora uma boa funcionária. Não faltava nem um dia, nem quando estava sem dentes, com buracos na boca. Só mantinha a cabeça sempre abaixada, como se os documentos na minha mesa fossem fascinantes. Meu cabelo se enrolava em volta do meu rosto para esconder meus lábios enrugados em volta da minha gengiva, procurando pelo dente que faltava. Eu chegava cedo ao escritório e não saía até a última pessoa ter ido embora, à noite. Durante essas semanas, o Sr. Harmon pegava o café para nós — eu me recusava a me aventurar até a cozinha.

Eu não era perfeita para o cargo de secretária, uma vez que meu diploma era de engenharia mecânica. Ainda assim, aprendi a fazer um café excelente e a digitar. Aprimorei meu inglês e estudei hebraico. O Sr. Harmon me pediu para que eu lhe ensinasse russo, mas, depois de três lições, percebi que alguns cachorros velhos só conseguem latir ou uivar.

Depois que minhas dentaduras ficaram prontas, o Sr. Harmon começou a me perseguir. Ele já havia percebido que propostas não eram a melhor forma de conquistar o corpo de uma moça, então tentou outra abordagem: sutileza. À tarde, quando a prefeitura cortava a eletricidade, eu e ele nos sentávamos na sala de reuniões — ele à cabeceira da mesa, eu do seu lado direito. Tomávamos café frio e esperávamos os computadores e o fax voltarem a funcionar.

— Não podemos subornar alguém? — ele perguntou.

Assenti, em aprovação. Ele finalmente pensava como um odessano.

— Teríamos que pagar a pelo menos três pessoas na companhia elétrica, o que custaria aproximadamente 400 dólares por mês.

— Que extorsão!

— O preço de se fazer negócios em Odessa — corrigi.

— É a mesma coisa — ele resmungou. — Talvez eu pudesse trazer um gerador.

Ele bebeu o restante de seu café e ficamos ali sentados em um silêncio informal por um instante.

— Eu nunca saio à noite — ele disse.

— Nem mesmo para a ópera ou a *philharmonia*?

— Não.

Eu não podia acreditar. A maioria das pessoas vem a Odessa por causa do entretenimento — o balé, as praias, os concertos, os cafés, os cassinos, as boates...

— O senhor não tem uma boa *compania*?

— O quê?

— É como dizemos "círculo de amigos" em russo. Muitos odessanos adorariam ser seus amigos. As garotas do escritório com certeza têm sido... simpáticas. — Os odessanos nem sempre falam diretamente. Temos um certo código. "Distraída" significa "maluca". "Direta" significa "grossa". "Simpática" significa "vadia".

— É verdade — ele disse. — Mas quando elas se aglomeram ao meu redor, eu sei o que querem. — O Sr. Harmon esfregou os dedos para indicar dinheiro.

Dei de ombros, a forma odessana de dizer nada e, ao mesmo tempo, tudo. Esperava parecer compreensiva, mas por dentro fiquei imaginando por que ele não aceitava a oferta óbvia de uma delas.

Ele disse que, por ser incapaz de confiar em qualquer um, ficava sentado sozinho em seu apartamento, um estrangeiro longe dos amigos e da família. Quando me convidou para o balé, é claro que eu fui. Sentia pena dele. E eu adorava ir ao nosso teatro, o terceiro mais bonito do mundo depois de Roma e Praga. Nos sentamos em um camarote privativo. Ele puxou sua cadeira dourada mais para perto da minha, me dizendo que não conseguia enxergar. Cheguei cada vez mais perto da beirada do camarote. *Leave-left-left.*[1] A testa dele brilhava de suor. Ele ficou olhando para mim, não para o palco. Eu sabia o que ele estava pensando e sabia o que ele queria, mas fiquei sentada, tornozelos cruzados, joelhos bem juntos, coluna reta, exatamente a 5 centímetros do encosto de veludo vermelho; queixo ligeiramente levantado, lábios travados em um ligeiro sorriso; olhos fixos no palco. Dentes cerrados, coração acelerado, estômago se revirando, cérebro repreendendo, "Idiota! Nunca baixe a sua guarda! Tudo em Odessa tem um preço". Após a apresentação,

---

[1] Sair-saiu-saído. (*N. da T.*)

as pessoas à nossa volta falavam e riam, mas nós ficamos em silêncio. Com uma voz rouca, o Sr. Harmon disse:

— Venha para casa comigo.

Fingi não ouvir. Agradeci a ele e me despedi, e então deslizei pela multidão em frente ao teatro, descendo os 192 degraus de granito da Escadaria Potemkin até o ponto de ônibus, na região portuária.

Eu não podia me dar ao luxo de ficar indignada. Não podia me dar ao luxo de ofendê-lo. Não podia me dar ao luxo de perder o emprego. Lembrei-me daqueles seis meses de procura — duas entrevistas por dia e frases do tipo "Talvez eu seja antiquado, mas nesses tempos difíceis, em que as condições são tão duras, preciso dar o emprego para um homem com família, para um provedor". A pensão de Boba mal pagava seu remédio para o coração, que dirá nossa comida e as contas. Não tínhamos dinheiro para comprar velas, e quando cortavam a eletricidade no começo da noite ficávamos sentadas no escuro na cozinha, porque era um pouco mais quente do que o restante do apartamento. Na hora de dormir, íamos pelo tato até o banheiro para lavar o rosto, e voltávamos para a sala de estar/quarto de dormir para vestir nossos pijamas e transformar o sofá em cama.

Eu tinha que fazer tudo o que fosse possível para manter meu emprego, e isso significava deixar o Sr. Harmon sempre satisfeito. Encontrei uma jovem professora universitária com cabelo grande e seios maiores ainda para tentar ensinar a ele um pouco do nosso idioma. Quando ele não demonstrou interesse nela, dediquei-me a contratar uma diarista curvilínea, dizendo a ela para se demorar no escritório dele e que, se ela jogasse bem suas cartas, teria uma conta bancária generosa. Mas o Sr. Harmon não tinha interesse em pôquer. Para mantê-lo a distância, usei uma mistura cuidadosa de geografia, negação e culpa. Eu fazia tudo para sempre haver algo entre nós. Quando ele começava a chegar perto demais com aquele olhar, eu me levantava e ia até o lado oposto da sala de reuniões. Circulávamos a mesa lentamente — ambos fingindo que aquilo era perfeitamente normal — umas cinco vezes antes de ele desistir. Vendo que nunca venceria uma prova de resistência, o Sr. Harmon mudou de tática e me cortejava com homus e *baba ganoush*, assim como com uma lanterna/rádio à pilha para os apagões noturnos. Pediu para chamá-lo de David, mas eu evitava fazer isso. Quando ele ficava perto demais de mim, eu o olhava com os olhos arregalados e dizia "O senhor é como um pai para mim". Ele cerrava os punhos e voltava a passos largos para o escritório. Eu suspirava e esperava conseguir mais um mês.

Depois de algum tempo, ele colocou à vista fotos de nós dois. Em um de nossos navios. Em frente ao teatro, com clientes. Seu braço escorregando pelo meu ombro, sua mão pousada perto do meu seio. Todo mundo no escritório olhava as fotos e presumia que eu fosse amante dele. Ele ficou feliz — os homens o respeitavam mais e me respeitavam menos, as mulheres ou sentiam inveja ou admiravam meu bom-senso. Por algum tempo, ele pareceu satisfeito e parou de me perseguir, como se os boatos sobre nosso envolvimento fossem o suficiente. Eu me ressentia do fato de os colegas pensarem em mim como a reserva particular dele ou que eu havia sido contratada não para traduzir os documentos mais importantes, estritamente confidenciais, mas para dormir com o chefe, porém gostei desse período de trégua. Não ficávamos mais andando em círculos cautelosamente, tentando ganhar a dianteira. Um padrão fixo surgiu: quando ficávamos sentados na penumbra da sala de reuniões esperando a eletricidade voltar, realmente conversávamos.

— É aniversário da minha filha semana que vem.

Olhei para ele, surpresa.

— O senhor tem uma filha?

— Uma filha. Uma ex-esposa. Uma ex-casa. Um ex-cachorro.

— Quantos anos ela tem?

— Dezoito. Não sei o que comprar para ela. — Ele suspirou. — Ela me odeia.

Eu sorri.

— Existe alguém mais rigoroso ou mais intimidante do que uma garota de 18 anos zangada?

— Você passou por essa fase?

— Nós todos não passamos? Como ela é? Do que gosta?

Ele olhou para mim e suas mãos se agitaram de forma impotente, como se o que estivesse tentando transmitir fosse demais para ele. Finalmente, ele se decidiu por:

— Ela é totalmente diferente de você.

— Pode ser mais preciso?

— Bem, você é muito centrada e ela... ela não é. Ela tem dificuldades na escola, vive em luta contra o próprio peso. Pinta o cabelo de preto e escuta bandas punk que me dão impulsos suicidas.

— Minha Boba diria que a música é um grito de socorro. Escreva, mesmo que sua filha não escreva em resposta. Telefone, mesmo que ela não diga muita coisa. Faça-a saber que o senhor a ama. Ligue para a melhor amiga dela. Ela vai saber exatamente o que sua filha quer de aniversário.

— Tem razão — ele disse.

— Essas palavras soam tão bem vindas do senhor.

Ele riu.

Olhei para meu relógio. O tempo vai dizer, minha Boba sempre dizia. O tempo vai dizer.

— Eu nunca quis isso — ele falou, apontando para a mesa preta da sala de reuniões, para o quadro branco.

Board, bored.[1]

— Eu sei, eu sei. O senhor odeia Odessa.

— Não, não odeio, e não era isso que eu queria dizer. Eu queria ser escritor, estudar poesia. Não ligava para negócios.

Know, no.[2]

— Então por que está aqui?

Here, hear.[3]

— Família.

Essa única palavra dizia muito.

— Eu também queria estudar inglês. Mas Boba dizia "Quem vai pagar a você para ficar em uma esquina e recitar Shakespeare? Ninguém.

[1] Quadro, entediado; palavras com pronúncia parecida em inglês. (*N. da T.*)

[2] Saber, não; palavras com pronúncia parecida em inglês. (*N. da T.*)

[3] Aqui, ouvir; palavras com pronúncia parecida em inglês. (*N. da T.*)

Inglês não é uma carreira, é um passatempo. Você vai estudar engenharia ou contabilidade: algo com possibilidade de futuro".

— Isso a chateou? — ele perguntou.

— Por que me chatearia? — Eu dei de ombros. — Ela estava pensando no meu bem-estar.

— Você é uma pessoa muito melhor do que eu. Depois de anos de terapia, ainda não cheguei no nível em que você está. Eu odiava que meu pai tentasse me controlar. Odiei-o por ter me obrigado a cursar administração. Por ter me obrigado...

— Por ter obrigado o senhor a quê?

— Não tem importância.

Bite-bit-biten.[1] O tom estranho de raiva em sua voz me deixava nervosa, e levei os dedos à boca, por hábito.

— Você não precisa mais fazer isso — ele falou, ainda parecendo irritado.

Coloquei a mão no colo. Ele não disse mais nada. Eu queria preencher esse silêncio estranho, banir a raiva súbita dele, então falei de Odessa:

— Se o senhor ama poesia, deveria ler Anna Akhmátova. Ela nasceu em Odessa, sabe. Ou Babel. Também nativo de Odessa. Quem o senhor estudou?

Ele me disse que se formara em administração e literatura. Não sabia a sorte que tinha. Na Ucrânia, só se estuda uma coisa. As matérias são escolhidas para você e não há opção. Ele me contou sobre seus escritores favoritos: Hemingway, Steinbeck, McCullers. Fiquei aliviada com essa conversa sobre escritores, esse ponto em comum que havíamos encontrado. Ele poderia ter sido mais agressivo, ou ter me demitido por eu não ter consentido com os critérios que ele expusera durante a entrevista. Outros homens na posição dele teriam feito isso. Em vez disso, ele esperou e não se desvirtuou, apesar de eu constantemente colocar obstáculos voluptuosos em seu caminho.

Vita e Vera, duas secretárias encrenqueiras que pareciam saber tudo, disseram que o Sr. Harmon fora enviado a Odessa como castigo por ter errado muitas ordens de expedição em Haifa. Quando meus

---

[1] Morder-mordeu-mordido. (*N. da T.*)

colegas repetiam esse boato e perguntaram se ele era tão incompetente quanto parecia, eu os lembrava rispidamente que Vita e Vera não sabiam, elas simplesmente inventavam. Desde que ele não me forçasse, eu permanecia fiel a ele. Mas, por dentro, eu reconhecia que o Sr. Harmon ainda não conseguia fazer muita coisa sem minha ajuda. Ele nem sabia como fazer três cópias dos livros — uma cópia correta para os contadores e cópias falsas para os Stanislávskis (mostrando 50 por cento dos nossos lucros) e para o governo (mostrando apenas 25 por cento). O que haviam ensinado a ele na faculdade de administração?

Como sempre, antes de o Sr. Harmon chegar, eu fazia café, entrando e saindo da cozinha antes que Vita e Vera aparecessem. Mas naquele dia, quando comecei a coar o café, eu as ouvi cacarejando no corredor. Até agora, elas haviam feito três garotas pedirem demissão — ou serem demitidas — por causa de suas fofocas maldosas, e eu não queria ser mais uma de suas vítimas. *Run-ran-run.*[1] Quando elas entraram na cozinha, olharam para mim como se eu fosse uma mancha na parede. Como de hábito, as duas estavam usando maquiagem demais e roupa de menos. Boba nunca me deixaria sair do apartamento usando uma saia tão justa como uma pele de salsicha em volta de pedaços embolotados de carne. Essas garotas haviam gastado mais tempo se maquiando do que estudando. Elas mal falavam inglês e não tinham conhecimento algum de informática. Não era preciso pensar muito para saber por que haviam sido contratadas — a mesma razão pela qual eu fora.

Vera me perguntou:

— O que você faz?

— Perdão?

— O que você faz na cama? — Vera perguntou. — Nós queremos saber.

— Eu durmo. — Engoli o resto do meu café e tentei sair, mas elas bloquearam a porta.

— Como ganhou tanto dinheiro? — Vita pressionou. — Por que ganha tantos presentes?

[1] Correr-correu-corrido. (*N. da T.*)

— Com certeza, não sei. — Talvez fosse grosseria pensar nessas garotas como prostitutas, mas era ingenuidade *não* pensar nelas dessa forma. Eu não me sentia culpada pelos meus pensamentos pouco caridosos, já que elas também me consideravam uma vadia. Uma vadia superior, aliás.

— Você parece uma vaca frígida, mas deve estar fazendo alguma coisa certa. — Vera me encarou, como se pudesse de alguma forma decifrar meus truques. — Você lambe? Você gosta? — ela continuou, tentando me constranger. E conseguiu, apesar de eu jamais demonstrar isso a elas. Respirei fundo e me forcei a não ficar vermelha como um borche.

— Sobre o que vocês dois conversam? — Vita perguntou.

— Ele faz você vestir fantasia? Amarra você? Ele te dá uma lingerie só para poder arrancá-la do seu corpinho rígido? — Vera perguntou, passando os dedos pelo meu tórax. Eu afastei a mão dela com um tapa.

Enquanto eu descia o corredor, ouvi Vita perguntar baixinho:

— O Sr. Harmon te ama?

A pergunta dela me fez parar. Amar? Ele me mimava com bugigangas e me tratava como um objeto precioso quando não estava me protegendo de forma ciumenta dos olhares de qualquer outro macho em nosso escritório. Ele me perseguia até ficar tonto, como um cão correndo atrás do próprio rabo. Essa não era minha ideia de amor. Seria a dele?

Eu ansiava por amor. Por paixão. Por êxtase. Eu sabia o que as palavras queriam dizer, mas não qual era a *sensação*. Amor. Seria dançar à luz da lua com uma música que só duas pessoas escutam? Seria lavar meias e descascar batatas? Seria sexo? Seria delicado? Quais eram os ingredientes exatos? Como se faz para que ele cresça? Como você o destrói? Quanto tempo tem que sofrer quando ele acaba? Eu havia lido romances russos repletos de beleza e angústia. Descobrira romances norte-americanos com seus finais felizes. Mas nada na minha vida era igual àquilo. Amor. Boba dizia que o amor era cego, surdo e burro — na maioria das vezes, burro. Ela também dizia que o minuto em que uma mulher se apaixona era o minuto em que os problemas começam. E que as mulheres na nossa família eram amaldiçoadas. Mas isso não me impedia de ansiar. Eu queria um marido. Queria segurar um recém-nascido em meu seio. Queria uma família de verdade — do tipo que nunca tive. Do tipo com uma mãe *e* um pai.

A pergunta de Vita me amoleceu. É claro que eu queria ter amigas no escritório. É claro que odiava que elas sentissem inveja. Voltei para o vão da porta da cozinha e admiti:

— Eu não dormi com o Sr. Harmon. — E então acrescentei: — Minha avó diz que com sexo se consegue um jantar e uma noite na ópera, mas ao se dizer não para o sexo ganhamos respeito ou, na pior das hipóteses, uma aliança de casamento.

Vera riu amargamente; Vita ainda não entendia, a pobre coitada. Algumas mulheres nunca entendem. É claro que elas espalharam o que eu tinha dito. Cinquenta e um minutos depois, quando o Sr. Harmon percebeu que havia passado de garanhão a piada do escritório, ele ficou zangado. Muito zangado.

Tarde da noite, depois que seus três filhos haviam adormecido, minha vizinha Olga, uma artista, descia para fazer um lanche rápido — ela não podia ficar muito tempo, já que não ousava deixar seus filhinhos sozinhos. Olga e eu estudamos juntas por um ano do ensino fundamental; eu era a melhor da turma; ela, a pior. Passamos juntas por bons e maus momentos. Nossos pais nos abandonaram. Fomos colocadas na pior turma porque nenhuma das duas podia se dar ao luxo de subornar os professores. Nós duas queríamos estudar balé, então juntamos dinheiro para comprar um par de sapatilhas de cetim. Mais tarde, a professora de dança disse que meu corpo fora feito para jogar pingue-pongue, não para dançar. Meus pés continuaram crescendo; Olga ficou com as sapatilhas.

No ensino médio, Olga era tão popular que não tinha tempo para estudar. Eu escrevia seus trabalhos e a deixava copiar meus problemas de matemática com prazer. Em troca, ela me contava tudo sobre seus encontros românticos, incluindo seu rendez-vous com o professor de geometria (naquele semestre ela não precisou copiar meu dever de matemática). Olga, mignon e bonita, sentava no colo dos meninos, rindo enquanto eles acariciavam seu traseiro curvilíneo. Eu era a pessoa mais alta da escola e tão magra que os meninos me chamavam de "palito de fósforo com cabelo crespo". Olga se apaixonava com a mesma frequência com que chovia. Eu ainda não havia me apaixonado — nem mesmo uma vez.

Cinco anos depois, ela era a única colega de turma que tinha tempo para mim. Apesar de Odessa ser uma cidade bastante equilibrada, existe uma grande divisão: o casamento. Os rapazes são mimados pelas mães e esperam ser servidos por suas esposas. Era isso que eu via quando ia visitar meus amigos na adolescência: os homens vão para o trabalho, depois voltam para casa e leem o jornal com os pés para cima. As mulheres vão para o trabalho, voltam para casa e trabalham mais um pouco. O casamento toma todo o tempo.

E agora minhas antigas colegas de colégio passavam suas noites e seus fins de semana cuidando de seus maridos: cozinhando banquetes caseiros diários; colocando os legumes e frutos do seu trabalho em vidros de conserva; lavando roupas e lençóis à mão, e passando todos os itens — até mesmo toalhas e roupas íntimas — como uma boa esposa devia fazer. Em Odessa, a noite das mulheres não existe para as casadas.

Olga, apesar de seus três filhos pequenos, era como eu — nunca havia se casado. É claro que dizia que era divorciada para que as pessoas não pensassem que havia algo errado com ela.

Como sempre, Olga estava usando seu robe transparente de algodão e nossas sapatilhas de balé surradas. Havia tinta azul em sua bochecha e um pouco em seu cabelo louro. Ela carregava o pequeno Ivan, que estava encasacado como um esquimó siberiano.

— Olga, entre. Pelo amor de Deus, coma alguma coisa.

Nós entramos na cozinha, o território da minha avó. O linóleo laranja das paredes e do chão era de má qualidade, mas imaculado. Boba esfregava as superfícies com sua mistura especial de água sanitária e limão tantas vezes que elas tinham cor de tangerina. Puxei um banquinho que estava debaixo da mesa e fiz com que Olga se sentasse. Servi um prato de homus, pimentões vermelhos recheados de feta e pão *lavash*.

Peguei Ivan no colo.

— Ele está quente — falei, e gentilmente retirei o suéter e o gorro que Boba havia tricotado para ele para eu poder tocar em sua pele macia.

— Juro, você está apaixonada por esse menino — Olga disse.

Ela parecia se forçar a comer devagar, para que eu não soubesse — ou não mencionasse — que aquela era a primeira refeição que ela fazia no dia.

— Eu fico tão envolvida com meu trabalho que esqueço do tempo — ela falou.

No meu aniversário, Olga sempre me dava uma pequena pintura abstrata. Ela era talentosa, mas a maioria das pessoas lutava para sobreviver e ninguém podia mais comprar arte. Princípios também eram muito caros. Enquanto ela terminava de comer, despejei água do purificador na chaleira elétrica (ambos presentes do Sr. Harmon). A chaleira era mais fácil de usar do que o fogão à gás, e a água filtrada tinha um gosto muito melhor, apesar de ainda termos que fervê-la para matar as bactérias. Olga perguntou sobre meu dia, e eu então lhe contei sobre o Sr. Harmon, Vita e Vera.

— Acorde! — Olga gritou. — Tudo o que você come é graças ao Sr. Harmon. Tudo o que você tem, até o seu papel higiênico chique, vem dele. Você sabe o que ele quer, só pague a ele! Está sendo mal-educada. Ele fez mais esforços para seduzi-la do que todos os meus namorados juntos!

Devo dizer que Odessa inteira sabe o quanto Olga é fácil.

— Qual é o problema? — Olga continuou. — Se um estrangeiro rico me cortejasse, eu ficaria felicíssima. — Olga bateu com o prato na pia, virou-se e disse: — Você simplesmente não sabe a sorte que tem.

Eu sabia. Boba havia me ensinado a procurar momentos — ou segundos — de encanto. Ela sempre me lembrava de que tínhamos sorte por morarmos em um apartamento de um cômodo, quando tanta gente morava em *kommunalkas*, apartamentos comunitários. Dizia que tínhamos sorte de termos o suficiente para comer e me mandou dar moedas para aposentados que pediam esmolas nas ruas e alimentar Olga, que mal podia sustentar seus três filhos (diferentemente da maioria das mulheres, Olga tinha o coração mole demais para abortar. Eu nunca vira outra mulher russa ou ucraniana com três filhos).

Olga abriu a porta da frente e arrancou Ivan dos meus braços.

— Você deve uma noite ao Sr. Harmon. Afinal, aceitou o emprego sabendo da exigência. Pague.

A porta bateu na minha cara.

Talvez ela estivesse certa. Afinal, eu aceitara o emprego e as condições.

Pensei no que Olga dissera e decidi perguntar a Jane. Depois que o Sr. Harmon foi embora, telefonei para ela nos Estados Unidos e expliquei que uma "amiga" estava tendo problemas com o patrão. Apesar de ela me surpreender às vezes com suas análises inquietantes, Jane era tão obtusa que não conseguia ver através de uma folha de plástico-bolha (outro presente do Sr. Harmon). Dessa vez não foi diferente. Jane disse "Isso é assédio! É contra a lei o patrão dela exigir favores sexuais", como se as leis do mundo civilizado valessem aqui.

Eu ri com essa expressão, favores sexuais. Um favor é um ato de gentileza ou ajuda. Não era um favor, era uma forma de dominação econômica que muitos homens ocidentais aplicavam em Odessa. Mas os norte-americanos não são precisos em seus idioma. Jane podia conhecer alguém e, cinco minutos depois, chamá-lo de amigo. Para mim, essa mesma pessoa permaneceria sendo um conhecido por muito tempo.

— Não deixe que se aproveitem dela! Nos Estados Unidos, as leis protegem as mulheres e as crianças contra os predadores.

Eu gostava quando ela falava de seu país. Parecia um lugar adorável, repleto de leis e segurança para todos. Até mesmo as árvores e as flores são protegidas nos Estados Unidos.

O Sr. Harmon não era bobo. Ele não falava russo muito bem, mas entendia que todo mundo ria dele e estava furioso comigo. Eu havia conseguido mantê-lo longe durante seis meses, mas ainda assim sentia que meus dias estavam contados. Ele percebeu que Vita e Vera riam quando ele entrava na cozinha. Ocorreu-me que elas se comportavam assim para se vingar ou para se livrar de mim. Tinham inveja por eu ter um salário mais alto e, ao contrário delas, não dormir com meu chefe como cláusula contratual.

Ele me encarou e vociferou para mim mais do que o normal durante dias.

— Pare de digitar tão alto, droga! Estou com dor de cabeça! Por que está sorrindo? E quem você acha que pagou por esse sorriso?

Levei a mão rapidamente à minha boca.

Depois do almoço, sentei-me à minha mesa, digitando o mais silenciosamente possível. Ele veio sorrateiramente para trás de mim. Eu continuei digitando.

"O navio chegou um dia atrasado, no dia 25."

Ele não falou nada, só ficou parado ali. Eu não sabia o que fazer. Estava com medo de falar. Com medo de me mexer. *Freeze-froze-frozen.*[1] De certa forma, esse ataque silencioso era mais aterrorizante do que seus disparates e arroubos.

"A alfândega liberou no dia 29" — eu me sentia inquieta, como se ele tivesse amarrado uma fita em volta do meu pescoço e a apertado cada vez mais, até eu não poder mais respirar. Ainda assim, digitei: "Duzentos contêineres vazios embarcados no navio." Só quando Yuri, o segurança, se arrastou pelo corredor em sua ronda o Sr. Harmon se retirou. Eu continuei a digitar.

"Esperar nova entrega no dia 2."

Silenciosamente.

Na manhã seguinte, eu fiquei enrolando. Fui ao banheiro, me apoiei na pia rachada e olhei no espelho. Quanto tempo mais eu conseguiria aguentar? O que seria necessário para fazê-lo parar? Eu estava com medo. E cansada de ficar constantemente pisando em ovos. Mas precisava daquele emprego. Boba e eu finalmente estávamos vivendo como pessoas normais.

Em Odessa, há um ditado: Moscou é conhecida por seus dias de inverno e suas mulheres frígidas; Odessa, pelas noites de verão e suas mulheres quentes. A verdade é que as odessanas são extremamente maravilhosas e lindas. Talvez seja o ar marítimo, talvez seja o sol. Temos cabelos sedosos, pele impecável e maçãs do rosto com traços mais afiados do que nossas línguas. Como eu podia me tornar menos atraente? Prendi o cabelo em um coque austero na base do pescoço e tirei o rímel

---

[1] Congelar-congelou-congelado. (*N. da T.*)

que destacava meus olhos verdes. Ao combinar uma blusa branca com um blazer preto largo e saia longa, eu parecia uma freira anêmica.

Quando o Sr. Harmon parou na frente da minha mesa para me passar o cronograma do dia, ele falou, irritado:

— Você está me devendo!

Cansada de sentir como se andasse descalça sobre cacos de vidro, também me irritei. Eu me levantei, para ficar mais alta do que ele.

— Quer que eu mostre o que devo ao senhor?

— Siiimmm... — A palavra saiu de sua boca como um suspiro entusiasmado, como se ele realmente esperasse que eu levantasse a blusa e expusesse os seios.

— É isso que eu lhe devo. — Tirei a dentadura. — Fique com ela.

Eu me forcei a sorrir, revelando minha gengiva nua e feia. Derrotado em todos os sentidos, o Sr. Harmon foi para sua sala. Minhas mãos tremiam tanto que foi difícil recolocar os dentes. A pressão constante começava a me afetar. Eu sabia que tinha que deixar o escritório — e, em algum momento, Odessa — se quisesse construir uma vida normal para mim. Apesar de eu ser um tanto velha aos 23 anos, ainda queria uma família. Se tivesse uma menina, eu a chamaria de Nadejda — Esperança —, em homenagem à minha mãe. É claro que, para ter um filho, é preciso de um homem. Eu estava tão ocupada com o trabalho que não tinha tempo para namorar. E, de qualquer modo, Boba dizia que os homens de Odessa não valiam um copeque sequer. Jane elogiava os norte-americanos porque eles construíam uma amizade antes "de dar o passo seguinte". Eu amava minha cidade natal, mas desejava fugir, ir para os Estados Unidos — uma terra de homens decentes, sem assédio no trabalho.

Pensei em como eu havia enojado o Sr. Harmon, envergonhada por ter sido rebaixada a uma exibição tão vulgar. Até agora, eu o havia encarado como uma chateação, mas depois de seu ataque e comportamento estranho no dia anterior, eu tinha que reconsiderar essa postura. Ele era um perigo. Não seria possível fugir dele para sempre. Só não percebi que o troco viria tão rápido.

Naquela tarde, eu estava de pé à minha mesa revisando o relatório bimestral quando ele veio por trás de mim e me girou.

— Ei — eu gritei, e o empurrei.

Ele me empurrou de volta e eu caí em cima da mesa. O ar deixou meus pulmões. Tentei respirar. Tentei mover a perna para chutá-lo na virilha. Impossível. Tentei encontrar as palavras para dissuadi-lo, como havia feito tantas vezes antes, mas, quando abri a boca, só saiu um ganido triste. Fiquei olhando para ele como uma borboleta cheia de éter, esperando que ele enfiasse o alfinete e acabasse comigo.

Mas o Sr. Harmon me olhou com os olhos arregalados; ele estava tão assustado quanto eu.

Pelo menos dessa vez, ser judeu na Ucrânia valeu a pena. O estrondo do meu corpo batendo na mesa de metal deve ter reverberado pelo edifício, porque alguém veio ver o que causara o barulho. Por ser uma empresa israelense, recebíamos ameaças por telefone o tempo inteiro. Apesar dos seguranças, bombas haviam sido colocadas em nossos escritórios. Qualquer rangido ou estrondo estranho eriçava os cabelos em nossa nuca.

— Me desculpe — ele sussurrou roucamente. — Eu não pretendia...

Ele tentou me ajudar a me erguer, mas, quando se mexeu para tocar em mim, eu me encolhi.

Virei a cabeça para ver quem viera investigar o barulho. Graças a Deus não era Vita ou Vera. Era só o Sr. Kessler, o diretor de Haifa que estava ali para inspecionar nosso escritório. Ele olhou para mim deitada, para meu chefe de pé, inerte entre minhas pernas. Gritou algo para Harmon em uma rajada de hebraico. Minha respiração voltou a toda e comecei a tossir. Harmon deu um passo para trás; eu me levantei e ajeitei a saia, e então corri.

Com frio e estranhamente inquieta, fiquei de pé em frente à pia da cozinha, tremendo. Essa foi a primeira vez que minha voz — e sem dúvida meu cérebro — falhou. Eu tinha vontade de chorar, mas sabia que qualquer demonstração de fraqueza seria usada contra mim no tribunal de Vita e Vera. Em Odessa, o que os outros pensavam era mais importante do que a verdade; você aprendia a pensar rápido e a nunca demonstrar os sentimentos. As pessoas tinham ouvido a comoção e perambulavam pelos corredores; elas ficariam sabendo do incidente e minha reação seria comentada. Fingi que minhas pálpebras eram asas de beija-flor que afastavam minhas lágrimas. Eu queria fugir, arrumar outro emprego, até mesmo outra vida. *E quando a sentença será cumprida? Por que nada dá certo para nós?*

Não sabia o que fazer comigo mesma, então peguei um filtro branco, o enchi e fiquei observando o café pingar dentro da jarra. Concentrei-me no cheiro forte, esse gostinho de luxo diário, para não me envergonhar. Antes de trabalhar ali, eu nunca havia provado café de verdade. Boba e eu tínhamos apenas café soviético instantâneo e encaroçado. Quando contei isso ao Sr. Harmon, ele deu uma máquina de espresso e um suprimento de três meses de café para mim e Boba.

Enchi minha xícara, que tive que segurar com as duas mãos. De repente, todos queriam café e entraram na cozinha. Vita e Vera sorriram afetadamente; seus chefes, versões ligeiramente mais jovens do Sr. Harmon, olhavam com volúpia. Minhas pernas não podiam mais me sustentar e me arrastei para um banquinho à mesa.

Minutos depois, a presença do Sr. Kessler dispersou a multidão e ele pediu desculpas em nome do Sr. Harmon. Cobri o rosto e me censurei pelo momento de sinceridade no qual havia contado para aquelas vagabundas que eu não dormira com o Sr. Harmon. Eu só estava cheia das pessoas me olhando como se eu fosse uma piranha. Deveria ter lembrado que dizer a verdade só traz problemas.

O Sr. Kessler entendeu minha reação como vergonha e deu uns tapi nhas no meu ombro de forma constrangida. Ele me ofereceu um pequeno aumento e disse que esperava que eu não entrasse na Justiça. Aparentemente, ele não percebera que não havia lei e ordem na Ucrânia. Não seria eu quem ia contar a ele.

— Não vai acontecer novamente — o Sr. Kessler prometeu.

Ele iria embora em uma semana. E depois?

Eu me levantei e alisei a saia longa de lã que Boba costurara para mim e então andei pelo corredor vazio, de volta para minha cadeira, de volta para minha vida.

Não precisam ter pena de mim.

Capítulo 3

Eu me congratulei por agir como se nada houvesse acontecido. Olhos secos, sorriso fraco. Vita e Vera não teriam nada para relatar. Apesar de ter parado de tremer, eu sentia como se fosse vomitar ou desmaiar. Olhei para os números no relatório bimestral, mas não os via. Foi preciso toda a minha concentração para permanecer calma. Isso era difícil. Conforme os minutos passavam, tomei consciência de minha posição tênue e isso me aterrorizou.

Eu não estava com medo do Harmon. Não no sentido físico, de qualquer modo. Ele não pretendera me machucar. Em vez disso, ele recuperara o bom-senso ou perdera a coragem antes de poder fazer pior. Mas não eram suas intenções que importavam. O que importava era que o Sr. Kessler vira. Harmon agora estava encrencado com a hierarquia, e isso significava que eu estava encrencada com ele. Se ele me demitisse, eu perderia o salário e a estabilidade que havia conseguido. Se não fosse cuidadosa, poderia terminar como garçonete, como minha amiga Maria, ou pior. Sem esse emprego, Boba e eu voltaríamos ao que éramos antes, quando só podíamos sonhar com laranjas e espresso, quando Boba começara a lavar roupa para fora e perdíamos noites e finais de semana lavando, torcendo e passando roupa de pessoas do Partido em troca de uma miséria.

Eu tinha extrema consciência de Harmon e seus rituais. Como sempre, ele proferia o número de dias que estava aqui (183) e quantos ainda faltavam (547). Como sempre, ele contou 15 notas de 100 dólares e resmungou que valia a pena morar em um "país do Terceiro Mundo", uma vez que não tinha que declarar seus ganhos para a pátria-mãe Israel. Eu o ouvi enfiar as notas de volta na carteira e fechá-la. Ele colocou grampos no grampeador e o alinhou com suas canetas Waterman. Limpou a garganta e assoou o nariz. Suspirou. Se ele estava contando os dias, eu contava os minutos, olhando para o despertador digital que ele me dera (faltavam 23 minutos). Ele mostrava o dia, a data e a temperatura do lado de dentro e na rua. No escritório estava 21 graus, mas parecia bem abaixo de zero. Catei as folhas mortas da palmeira e organizei minha gaveta. Às 17 horas, peguei minha bolsa e disse:

— Estou indo.

— Vá.

Não consegui decifrar o tom de voz dele.

Os seguranças sorriram afetadamente para mim enquanto eu saía do edifício. Vera e Vita haviam sido eficientes. Por que eu dissera aquilo a elas? *Nunca confie em ninguém. Nunca diga nada. As paredes têm ouvidos, as bétulas têm olhos.* Quantas vezes minha avó me advertira? Por que eu não ouvira? Eu temia que, no momento em que o Sr. Kessler voltasse para Haifa, Harmon me demitisse. Uma coisa estava clara: eu precisava procurar outro emprego, apesar de nenhum pagar tão bem. Pensei em ganhar apenas 30 dólares por mês e senti enjoo. Como lidaríamos com isso? Apenas um mês antes o mundo parecera tão cheio de promessas... Eu tinha um bom emprego e me sentia razoavelmente segura. Agora eu estava de volta ao ponto onde estivera apenas alguns meses antes: sem dinheiro, sem segurança, sem futuro.

A não ser.

A não ser que eu encontrasse uma amante para Harmon... Mas quem? Ele rejeitava todas as mulheres no escritório. "Talvez agora a culpa, a vergonha e o Sr. Kessler o fizessem reconsiderar", pensei enquanto esperava no ponto de ônibus. Quem? Olga? Ela precisava de dinheiro; ele precisava de sexo. Ele ia gostar do cabelo espalhafatoso dela, do corpo mignon e do espírito animado, apesar de eu temer que ela não fosse educada o suficiente. Ela só falava russo e não sabia segurar um garfo. Não. Eu nunca poderia pedir a ela. E se ela ficasse ofendida e dissesse não? E se dissesse sim?

Como sempre, o ônibus estava vinte minutos atrasado. Como sempre, os passageiros estavam espremidos como sardinhas do mar Negro nos assentos e no corredor. Não podíamos abrir as janelas: elas haviam sido presas com pregos como medida de segurança. Os vidros já estavam embaçados e nem havíamos partido ainda. Tirei o blazer. O suor escorria pelo meu rosto, meu braço grudava no da garota ao meu lado. Eu odiava começar e terminar o dia com essa viagem de ônibus de 45 minutos de ida e volta para o meu bairro dormitório (Jane o chamava de subúrbio do subúrbio). Uma vez, convidei uma missionária norte-americana para me visitar em meu apartamento. Quando ela saltou do ônibus, olhou em volta e disse: "Parece um cemitério. Veja só todas as lápides cinzentas saindo do chão."

Tenho certeza de que ela não queria me magoar.

Antes eu não havia pensado a respeito. Minha casa era só minha casa. Mas, depois, eu não podia deixar de ver meu bairro através dos olhos dela. Feio. Cinza. Morto. Saltei no meu ponto e vagueei pelos quiosques enferrujados e arranha-céus brutos de cimento que feriam minha alma só de olhar.

Como de hábito, o elevador estava quebrado. Eu me arrastei por dez andares de escada para o apartamento conjugado que Boba recebera por trinta anos de serviços leais na fábrica de cordas. É claro que, agora que o sistema soviético fora abolido, ninguém dava mais nada a ninguém. Destranquei as três primeiras fechaduras e Boba abriu as duas últimas. Eu nunca destrancava todas as cinco. Era como um jogo. Eu tentava ser rápida, mas ela sempre estava lá me esperando. Tirei os sapatos e contorci os dedos dos pés (a cidade era tão suja de fuligem que, quando os odessanos chegavam em casa, a primeira coisa que faziam era tirar os sapatos cobertos de poeira). Boba já trouxera meus chinelos azuis, que ela havia tricotado para mim; entreguei a ela meu blazer, bolsa e pasta.

— Olhe para você, só com uma blusa! Deve estar morrendo de frio! Não é de espantar que esteja quase pegando uma gripe! Vista um suéter e vou preparar algo para você comer.

Não adiantava dizer a ela que eu acabara de tirar o blazer, que não sentia frio e estava perfeitamente saudável. Ela sempre faz um estardalhaço.

Na minha cabeça, Boba parecia a grande cantora francesa Edith Piaf, cujo apelido era "o pequeno rouxinol". Boba pintava seu cabelo curto tão negro quanto a alma de Stalin. Sua pele era escura e grossa por causa das tardes de domingo passadas na praia. Ela tinha 63 anos, mas possuía mais energia do que uma adolescente. Usava um robe e tinha um pano de prato sobre o ombro, sempre pronta para arrumar uma de minhas bagunças. Sua única extravagância era um colar de prata com um medalhão de um santo com uma cara triste.

— Ah, Boba, tive um dia tão difícil! — falei para ela, tentando conter as lágrimas. Desejava contar a ela o que acontecera mas não queria preocupá-la. Ela já carregava fardos demais. Boba não só havia me criado, como também criara sozinha sua filha, e isso enquanto ela morria.

— Pronto, pronto — ela disse, e acariciou meu cabelo. — Vá pegar seu suéter. Vai ficar tudo bem. Fiz um bolo de chocolate para você.

Lavei as mãos na pia da cozinha. Vesti o suéter apesar de estar com calor. Ela sorriu para mim — os ucranianos gostam de ver as pessoas encasacadas — e me entregou o pano de prato que descansava em seu ombro.

— Me conte tudo, Dasha. — Boba me chamou pelo diminutivo. Em Odessa, temos o mundo interior e o mundo exterior, o modo informal e o modo formal de nos dirigirmos aos outros. Da mesma forma que colocar venezianas nas janelas, a formalidade é um modo de se defender. Diminutivos são para amigos e parentes, um sinal de carinho. Eu me sentia muito feliz por estar em casa com Boba depois de um dia tão difícil. Se ao menos ela pudesse manter o mundo exterior longe, como fazia quando eu era criança...

Nós nos sentamos juntas à pequena mesa de fórmica. Ela colocou a mão em cima da minha; olhei em seus olhos preocupados e lhe disse que a quantidade de trabalho era estressante. Ela deu uns tapinhas em minha mão e começou:

— Eu me lembro do meu chefe, Anatoly Pavlovitch, na fábrica de cordas. Ele era tão rabugento e difícil de agradar...

Fiquei ouvindo sua voz reconfortante, mas não as palavras.

* * *

Mais tarde, naquela noite, quando Olga veio com o pequeno Ivan, nós nos sentamos na cozinha. Puxei um tablete de chocolate alemão da minha bolsa, ela me entregou o Ivan. Eu o ninei em meus braços, sussurrando as mesmas palavras que Boba costumava dizer para mim. Ele abria os olhos, e então suas pálpebras se fechavam novamente. Ele se aninhou mais perto e, conforme o calor do seu corpinho se espalhava pelo meu, senti os acontecimentos do dia ficarem para trás. Meu coração parou de se contorcer e começou a bater no ritmo normal novamente. Minha respiração se acalmou. Essa é a magia das crianças.

Olga abriu lentamente o lindo papel dourado, colocou um quadrado na boca e suspirou.

— Não como chocolate há séculos.

Eu me senti culpada por não lhe dar mais desses pequenos prazeres. Olga irradiou uma felicidade sensual, os olhos fechados, o pescoço arqueado. Ela mastigou lentamente para fazê-lo durar. Ao observá-la saborear minha oferenda, percebi o quanto havia mudado para mim e para Boba. Fiquei imaginando como abordar o assunto do Harmon.

— Você está muito calada — ela falou.

Eu não sabia o que dizer. Revirei a pergunta em minha cabeça dez vezes em trinta segundos. *Minha honra ou minha amiga? Talvez ela precise da ajuda. Talvez você seja uma pessoa horrível. Talvez você deva deixar ela decidir o que quer. Talvez você deva encontrar outra pessoa.*

— O que foi, caramba? — ela perguntou.

— Olga, o que você disse é verdade? — eu soltei. — Você sabe, sobre ficar felicíssima em ter um estrangeiro que a cortejasse e a mimasse? Mesmo que ele fosse um pouco mais velho?

Ela fungou.

— Desde que ele ponha comida na mesa, eu o receberei de bom grado em minha cama. Cansei de homens odessanos! Faça as contas: três filhos, três pais que não prestam e nenhuma ajuda. Não sou inteligente como você. Nunca vou ganhar a vida sentada o dia inteiro. Estou disposta a fazer isso deitada; Deus sabe que é mais rápido.

— Você é uma artista talentosa — eu protestei.

— Da qual ninguém precisa. — Este era um refrão comum depois da perestroika. Cantores, artistas e cientistas tinham talento e estudo, mas não empregos. E eles não eram os únicos. Odessa estava cheia de soldados dispensados do Exército Vermelho, grandes homens que haviam sido importantes e agora se sentiam inúteis. Muitos cometeram suicídio, alguns com uma arma, outros se afogando lentamente em vodca. Fábricas fecharam, deixando homens e mulheres, milhares dos quais haviam trabalhado por trinta anos na mesma máquina, falidos e desorientados. Não havia segurança para nenhum de nós.

Dei um tapinha no ombro dela, desejando que as coisas fossem diferentes.

Ela tirou minha mão de seus ombros.

— Me deixe em paz.

Pobre Olga. Era tão difícil para ela, para todo mundo, agora.

— Algum dia você vai começar a namorar? — ela perguntou. — Quando vai começar a fazer algo com sua vida?

Eu dei de ombros.

— Quero dizer, o que você tem para mostrar? — Ela olhou mordazmente para meu peito inexistente e minha barriga achatada. — Sabe, uma mulher que não tem filhos poderia ser um homem.

Lágrimas surgiram em meus olhos como se ela tivesse esbofeteado meu rosto.

Inútil. Ela não disse isso, mas era o que queria dizer. Quem além de sua melhor amiga vai lhe dizer a verdade?

Acariciei a bochecha de Ivan. Olhar para ele já me fazia sentir melhor.

— Continue desse jeito e ninguém nunca vai querê-la. — Ela pegou outro quadrado de chocolate. — Só espero que seu útero não comece a murchar. Foi o que aconteceu com minha amiga Inna. Ela tem praticamente 30 anos. Você a conhece, ela mora na rua Kirova.

Não dê ouvidos a Olga. Você é mais forte do que pensa que é.

— E quanto ao seu chefe? — ela continuou. — Ele deve ser cheio da grana. Se eu trabalhasse lá...

As pessoas frequentemente diziam que eu não via as coisas da mesma forma que os outros. Talvez fosse graças a Boba, que me incentivou a estudar e me protegeu de muitas coisas ruins da vida soviética. Ela fizera com que eu me sentisse segura, apesar dos apagões e racionamentos, e me lembrava constantemente da sorte que tínhamos. Talvez tivesse a ver com Jane, uma estrangeira de outro mundo (Estados Unidos!) que me mostrou que não havia problema em ser diferente. Mas talvez eu não fosse tão diferente, afinal. Aqui estava eu, perguntando se minha amiga queria ser amante do meu chefe. Respirei fundo e perguntei:

— Quer se encontrar com o Sr. Harmon para almoçar amanhã?

Pronto, falei. Agora era com ela.

Quando a expressão dela se acalmou, ficou claro que ela sabia o que eu realmente estava perguntando.

— Se ele a queria, nunca vai me querer! Não sou inteligente nem linda como você. Com sua cintura minúscula e seus olhos verdes, não é de admirar que tenha conseguido o emprego! — Ela suspirou. — Quem vai me querer, uma mãe solteira com a barriga flácida? Ninguém.

— Não, Olga, não! Os garotos na escola sempre preferiram você.

Ela sorriu ante a lembrança.

— Você era só um varapau, uma garota magrela com o nariz enfiado nos livros. Olhe para você agora. Cabelo escuro brilhante, sobrancelhas como as asas de um anjo. Uma boca feita para beijar, mesmo que você só a use para discutir. Se você a calasse, eles fariam fila para namorá-la. Olhe só a sua pele sem estrias! Como posso competir? No que diz respeito a romance, estou no corredor da morte.

Mais uma coisa que tínhamos em comum.

— Olga, você é talentosa e bonita. Os homens sempre gostam de curvas.

— Eles gostam do seu traseiro ossudo também.

Nós rimos juntas.

— Tudo o que quero é um pouquinho de segurança — ela falou. — Será que é pedir muito?

Eu balancei a cabeça. Ficamos sentadas em silêncio.

Boba entrou na cozinha e fez chá de camomila para nós. Olga olhou para a xícara como se nunca tivesse visto uma. Quando bebeu seu chá e tomou sua decisão, ela simplesmente perguntou, consciente da presença de minha avó:

— O que vou vestir?

— Talvez eu tenha alguma coisa — falei, para mostrar que eu identificara qual era sua resposta.

Ela revistou meu armário com entusiasmo.

— Você tem coisas melhores do que o mercado! Tanta qualidade! — Ela arrancava os vestidos, corria para o espelho e os segurava na frente do corpo. Finalmente, achamos uma saia na qual ela podia fazer bainha. Olhou desejosamente para minhas sandálias, mas eu calçava 40 e ela, 36. Olga nunca poderia usar meus sapatos.

Ao examinar os perfumes ocidentais que os clientes haviam me dado como presentes de agradecimento, ela agarrou um vidro de Dior da prateleira e disse:

— Vou levar para dar sorte.

Pela primeira vez, Harmon já estava em seu escritório quando eu cheguei. Ele havia deixado um relatório de logística de dez páginas em minha mesa com um bilhete para traduzi-lo para o russo. Comecei imediatamente, odiando a estranha tensão, mas aliviada por não ter que lidar com ele. Às 10h30, eu o ouvi levantar para seu café matinal, e então sentar-se novamente em sua cadeira ergonômica preta. Talvez ele estivesse tão envergonhado quanto eu — ele nem saiu para olhar por cima do meu ombro, como fazia normalmente.

Quando Olga entrou pela porta, ao meio-dia, sua voz aguda cortou a tensão.

— Que escritório bonito! Luzes de qualidade, tinta acetinada. Veja essas paredes nuas! Vocês precisam de obras de arte. *Ooh tee!* Que mesa chique! — Ela acariciou meu telefone sem fio e o papel branco como neve, certamente pensando em seu telefone antigo com o fio gasto e no papel soviético áspero e cinza que usava como tela. Eu quase podia ver o nariz de Harmon se contorcer com *meu* perfume: parecia que ela havia usado o vidro inteiro. Fui até a porta do escritório dele, mas não atravessei o umbral.

— Olga e eu gostaríamos que o senhor almoçasse conosco.

Será que Olga mudaria de ideia? O que ela acharia dele? Quando ele saiu de sua sala, ela o cumprimentou efusivamente com um beijo na bochecha.

— Daria me falou tanto do senhor: um cavalheiro muito *gentil* e *generoso*.

Quando eu traduzi as palavras de Olga, Harmon olhou penetrantemente para meu rosto, esperando encontrar ironia. Não encontrou nenhuma — eu não havia contado a ninguém sobre o incidente.

— Quantas vezes eu disse a Daria que ela tem sorte de trabalhar para um chefe assim? — traduzi as palavras, mas desta vez os olhos do Sr. Harmon permaneceram no rosto de Olga, devorando seus lábios carnudos cor de framboesa. Ela tirou a capa de chuva para revelar coxas aveludadas em minha saia azul e uma camiseta de lamê prateado que mal continha seus seios. Harmon a guiou para a sala de reuniões e a fez sentar à sua direita, onde eu normalmente me sentava. Quando voltei da cozinha com o homus, pão árabe, caranguejo e abacate, Harmon estava inclinado por cima de Olga, praticamente sentado no colo dela. Ele havia tirado os óculos e eu podia ver que seus olhos brilhavam com interesse.

— Você legal — ela disse, passando o dedo pela bochecha dele. — Eu gosto. Precisa de namorada?

Harmon olhou para mim enquanto eu acabava de botar a mesa; eu franzi as sobrancelhas.

Quando me viu franzindo a testa, ele sorriu e olhou de volta para Olga.

— Eu preciso de namorada.

Ela o acalentou.

Cruzei os braços e mordi o lábio. Não era assim que eu havia imaginado.

Naquela noite, como sempre, esperei por Olga. Eu a aguardava entre 21 e 22 horas, depois que seus filhos haviam adormecido. Mas ela não veio. Às 22h30, servi um prato de comida e o levei para o apartamento dela. Ninguém atendeu, apesar de eu ouvir vozes fracas. Deixei a comida em frente à porta. Esperei todas as noites durante duas semanas, mas ela nunca veio. Nem mesmo para devolver nosso prato.

Antes de voltar para Haifa, o Sr. Kessler me pediu para levá-lo, juntamente com três colegas israelenses, para um tour por Odessa. Certamente ele pediu por pena. Harmon estava feliz com Olga, se o tatibitate dele e as risadinhas dela eram indício de alguma coisa. Ainda assim, a atmosfera no escritório era tensa. Harmon estava conciso; eu, nervosa. Vita e Vera ficavam rondando no corredor, esperando o capítulo seguinte.

Sentindo-me como uma prisioneira solta inesperadamente em condicional, fiquei parada na movimentada Soviet Army Street e levantei o rosto para o sol. Fechei os olhos e escutei a voz da cidade: babushkas sentadas em baldes de cabeça para baixo persuadiam transeuntes a comprarem sachês de sementes de girassol, "Vamos, vamos, um gostinho de sol"; ciganos pediam esmola em frente à igreja ortodoxa azul-celeste; os sussurros no parque do outro lado da rua, onde as pessoas assistiam aos velhos olhando para suas rainhas e fazendo suas jogadas.

— Eu não sabia que xadrez era um esporte com plateia — o Sr. Kessler falou.

Seu comentário me fez voltar do meu devaneio. Debaixo de um pavilhão de acácias majestosas, guiei os homens pela *philharmonia* de tijolos escuros (a antiga bolsa de valores — a nossa foi fundada em outubro de 1796, antes da de Nova York), ao apartamento da bruxa branca que podia curar qualquer coisa (de uma gripe a uma maldição). Partilhar meu amor por Odessa — a cidade mais bonita e cosmopolita do mundo — com colegas estrangeiros era a melhor parte do meu trabalho.

— Odessa é a capital do humor da antiga União Soviética! Não é de admirar que o Dia de Odessa seja 1º de abril. Os odessanos adoram trocadilhos e piadas. Por exemplo: em russo, qual é o plural de "homem"?

Os homens olharam para mim com expectativa.

— Fila!

Eles riram e continuaram a olhar para mim com um interesse carinhoso enquanto eu os guiava pelo bulevar de arquitetura neoclássica em tons pastel.

E continuei:

— Odessa foi fundada por Catarina, a Grande, em 1794. A lenda diz que ela deu ordem para batizarem a cidade em homenagem a Odisseu, o herói do épico grego. Eles até dizem que havia uma antiga colônia grega aqui. Os visitantes ficam surpresos ao descobrir que nós odessanos falamos nossa própria versão de russo, misturando-o com frases em iídiche, um pouco de ucraniano, assim como um pouco de alemão e francês. Odessa fazia parte de uma região chamada "Pequena Rússia". Mas Odessa não é a Rússia! A Rússia é fria e dura, uma nação de czares, loucos e tiranos. Odessa é um porto quente e receptivo que prospera graças ao mar Negro... e ao mercado negro.

Pensando em outro aspecto negro de nossa história, acrescentei:

— Odessa está além dos limites.

— O que isso quer dizer? — o mais jovem perguntou.

— Você não leu nenhum livro de história? — o Sr. Kessler respondeu. — Por causa da zona de assentamento, os judeus não tinham permissão para se estabelecerem em Moscou, São Petersburgo ou Kiev, então vieram para Odessa.

Os homens olharam para mim com pena nos olhos. Aprumei minha coluna e sustentei os olhares. Eu não queria que ninguém sentisse pena de mim.

Quatro soldados emaciados — eles não tinham mais do que 19 anos — usando uniformes cinza três tamanhos acima dos seus nos abordaram na rua.

— Por favor, só uma fatia de pão — um deles falou.

Esvaziei meus bolsos de balas e maçãs que eu carregava, porque em Odessa era importante ter algo para facilitar dificuldades burocráticas. Eu chamava isso de boa vontade; Jane chamava de suborno. Ela logo aprendeu que uma caixa de chocolates podia abrir portas mais rapidamente do que discutir.

— Obrigado, moça!

Os israelenses ficaram chocados. Expliquei que todos os homens jovens, exceto aqueles que pagavam grandes somas de dinheiro para serem "considerados clinicamente inaptos", eram convocados. Infelizmente, o exército não tinha dinheiro para alimentar seus recrutas. Era verdade que tínhamos problemas de pobreza. Mas que cidade não luta para alimentar seus pobres?

— Quando olho para o trabalho detalhado em ferro nas sacadas, penso em Nova Orleans — o Sr. Kessler disse.

Os outros concordaram e eu me senti orgulhosa por eles terem comparado Odessa a uma cidade dos Estados Unidos. Depois, levei minha junta de condicional para um café à beira-mar. Enquanto seus colegas conversavam com a garçonete em seu russo básico, o Sr. Kessler me entregou um envelope e falou:

— Obrigado pelo tour tão interessante.

É claro que ele estava dizendo que sentia muito pelo incidente.

Dois meses depois, a atmosfera no escritório ainda não havia melhorado. Vera e Vita continuavam estimulando boatos de que eu havia rejeitado Harmon porque ele era impotente. Ele contra-atacou convidando Olga para o escritório e reclamando incansavelmente para mostrar aos nossos colegas que mandava em mim. ("Você está cinco minutos atrasada!" "Daria, pegue um café para mim!" "Droga, não está quente o bastante! Faça outro!"). Se a fofoca não tivesse uma morte natural em breve, ele me demitiria para recuperar o prestígio. Com o Sr. Kessler na distante Haifa, não havia ninguém para detê-lo. Eu tomava cuidado para não levantar a voz, responder atravessado ou até mesmo sorrir. Às vezes, eu até prendia a respiração.

E Olga. Olga nunca mais voltou para visitar Boba e a mim, apesar de vê-la no escritório. Como sempre, ela chegou em uma explosão de perfume de grife.

Eu sorri e me levantei.

— Olá, Olga — falei. — Você está linda hoje.

E estava mesmo. Maquiagem de boa qualidade. Vestido cintilante. Botas brancas de cano alto. Cabelo platinado curto e brilhante penteado em um salão chique. Não havia tinta azul em seu cabelo.

Ela passou rapidamente por mim em direção à sala do Sr. Harmon, sem nunca me olhar nos olhos ou dizer mais do que "olá". Eu não queria pressionar, fazê-la sentir-se desconfortável, mas também não queria perdê-la. Isso me deixava triste. Eu não sabia o que fazer. Como ela se sentia? Estava envergonhada? Era verdade que todo mundo, dos seguranças aos executivos, sabia sobre ela. Será que ela me odiava por usá-la como um escudo para me proteger?

Durante esse período tenso, algo maravilhoso aconteceu. Harmon ficou ligeiramente menos ciumento dos técnicos de computador e, após várias semanas árduas, eu finalmente consegui a internet! Você pode ouvir falar de algo e depois ficar decepcionado, mas a internet era muito melhor do que eu havia imaginado! O técnico me mostrou como ir de uma página para a outra e como navegar nos sites. Era toda uma nova galáxia, como a Via Láctea. Eu podia ler as notícias na BBC, ver a última moda de Paris e ler as poesias de Edgar Allan Poe. Podia procurar um novo emprego nos sites ocidentais. Eu podia planejar minha fuga.

O que Jane dissera a respeito dos Estados Unidos fluía pela minha mente como nuvens brancas e macias. *Grandes espaços abertos. Cortesia. Gentileza. Todo mundo tinha carro. Casamentos eram parcerias. As pessoas eram tratadas da mesma forma. As leis e a polícia protegiam as pessoas — todas as pessoas.* Eu queria isso para mim. Jane vira o meu mundo. Agora eu queria ver o dela.

Escrevi dúzias de cartas e currículos com Harmon respirando no meu pescoço.

— Por que está digitando tanto? Eu não lhe dei nada para digitar.

Senti como se tivesse me juntado às fileiras de nossos grandes escritores. Escrever cartas de apresentação era um desafio tão grande quanto escrever um romance. Mas Tolstoi podia escrever páginas, enquanto eu só tinha quatro parágrafos. É claro que eu não era nenhum Puchkin, mas Harmon agia como um czar, ameaçando, explodindo e me espionando.

Após semanas sem resposta, perguntei a Jane o que eu estava fazendo de errado. Ela me mandou por e-mail um currículo revisado que fazia parecer que eu fora eleita presidente da Ucrânia enquanto acabava com a pobreza mundial com minhas próprias mãos. No minuto em que Harmon foi embora do escritório, eu telefonei para ela.

— É muita vaidade. Fico sem jeito.

— As pessoas que não têm escrúpulos em mostrar o quanto são ótimas são as que são contratadas.

— Isso é deprimente — falei.

— Isso é a vida.

Talvez a vida fosse assim no resto do mundo. Mas tudo era o oposto aqui. Quando escrevia para Jane, eu colocava o nome dela, o endereço e então a cidade no envelope. Quando Jane escrevia para mim, ela colocava o nome da minha cidade, aí o endereço e então o meu nome. Quando os norte-americanos fazem perguntas, eles as formulam na forma positiva: Você sabe? Pode me ajudar? Em russo, é na negativa: Você não sabe? Não pode me ajudar? Se eu entregasse a um empregador russo o currículo que Jane escreveu — mesmo que ele fosse verdadeiro — ele acharia que eu era ignorante, o pior insulto, a pior ofensa em toda a antiga União Soviética (quase 24 milhões de quilômetros quadrados). Em Odessa, ninguém distribuía currículos. Quando me contratou, Harmon não possuía nenhuma informação sobre minha formação acadêmica. Ele provavelmente disse às pessoas que estava procurando uma secretária bonita. Seu vizinho, um amigo de Boba, disse a ele que eu era uma garota inteligente que sabia ficar de boca fechada e ajudá-lo a navegar pelo mar negro da corrupção em Odessa.

Passei mais um mês pesquisando cargos e escrevendo cartas. Valia a pena — no Ocidente, eu podia ganhar em um mês o que ganhava em um ano em Odessa. Apesar de surgirem novos bancos todas as semanas, Boba e eu não acreditávamos neles — guardávamos nosso dinheiro na geladeira. Tentei imaginar o tamanho do freezer que precisaríamos para guardar o salário do meu novo emprego nos Estados Unidos. Com certeza ocuparia nossa cozinha inteira. Eu ri.

— Sua garota maluca! — Harmon gritou de sua sala. — Por que está tagarelando?

Suspiro.

Finalmente, recebi uma resposta. Aparentemente, eu era uma forte candidata, mas eles não podiam me contratar porque eu não tinha visto de trabalho. Eles me desejavam todo o sucesso. Outras empresas diziam a mesma coisa. Talvez minha amiga Florina estivesse certa sobre emigrar para a Alemanha. Ela disse que era fácil para os judeus conseguirem cidadania.

Enquanto procurava por cargos de engenharia, eu vira muitos anúncios de serviços de namoro na internet. As fotos de casais sorridentes e felizes me deixaram com inveja. E curiosa. Eu passara algum tempo no mundo lamacento e negro do namoro em Odessa. Talvez tivesse mais sorte namorando alguém no exterior — eu certamente não dera sorte com ucranianos. No último ano, só tivera primeiros encontros — um alcoólatra, um filhinho de papai e um focinho (gíria russa para "porco": uma parte cor-de-rosa do corpo representa o todo). É claro que eu passara algum tempo com Vladimir Stanislávski, mas ele mal podia ser considerado um namorado. Pelo menos não um respeitável. De óculos escuros de grife e casaco de cashmere preto — o uniforme típico dos mafiosos — ele singrava pelos nossos seguranças todas as semanas para coletar o pagamento pela proteção. Como sempre, quando me via, ele tirava os óculos escuros. Eu olhava para seus olhos escuros e boca sensual. Como sempre, ele me convidava para sair. Eu revirava os olhos e fingia estar irritada. Quem poderia levá-lo a sério? Os homens de Odessa flertam com qualquer coisa que use saia. Como sempre, ele sorria, um sorriso sexy e confiante. Era a melhor parte da minha semana.

Bem nesse momento, quando estava entregando o envelope para o Vlad, ouvi risos atrás da porta do Sr. Harmon.

— Que som horrível é esse? — Vlad franziu o cenho.

Aquele som horrível era minha amiga bajulando meu chefe. O que eu havia feito? Ela passara de uma artista sensível e amiga a uma estranha. A porta se abriu e Harmon e Olga saíram. Ela se enroscou em volta do Harmon. Os olhos dele se arregalaram quando viu Vlad. Olga continuou a alisar a lapela de Harmon, mas olhou para Vlad com interesse; ele a dispensou. Acho que isso foi um ponto a favor de Vladimir Stanislávski.

* * *

Uma vez, Jane brincou comigo dizendo que eu tinha uma queda pelo namorado dela, Cole, um voluntário do Corpo de Paz em Kelmintski. É claro que eu não tinha. Seria falta de educação. Ele era só muito cortês e bonito, trabalhador e sincero, inteligente e engraçado. Eu queria encontrar alguém igual a ele. Talvez fosse possível na internet.

Como Harmon passava grande parte de seu dia trancado em seu escritório com a Olga, eu tinha tempo de olhar sites de encontros. Namoros.com oferecia cadastro grátis, então preenchi o questionário e, mais tarde, fui ver o que os homens tinham escrito. Alguns perfis eram incompreensíveis, como o do CaraTurbinado, que escreveu "Adoro Nascar". Quando perguntado "pelo que você é mais grato?", Pirata37 respondeu "presentes". Sorri ao ler isso. Um deles não tinha nenhuma foto de si mesmo, mas postou três do seu caminhão vermelho. Quando perguntado sobre seu emprego, outro escreveu "eu dirijo um ônibus escolar porque gosto de abraçar criancinhas". Comecei a me corresponder com sete (números ímpares dão sorte). Jeff, um operário de construção civil em Bend, Oregon, amava Jesus e queria saber se eu havia sido salva; Al, em Albany, escrevia abreviado, "ESPERO VER VC PQ ESTOU SOZINHO"; Davis, um fã de Tolstoi, parecia mais preocupado com a guerra do que com a paz; Shakir escreveu "quero ir ao seu país". Por mais diversos que fossem, todos tinham uma coisa em comum: eles queriam ver "uma foto".

Como eu podia colocar uma foto no computador? Vi um anúncio para uma aula noturna de computação e me inscrevi. Estava cansada de depender de técnicos. Harmon concordou em comprar um scanner para nosso escritório e eu o instalei. Ele elogiou minhas novas habilidades enquanto saía para encontrar a Olga. Talvez as coisas estivessem melhorando.

Eu mandei as fotos. Assim que as receberam, todos os sete pediram a minha mão em casamento. Boba estava certa. Os homens são muito superficiais.

Eu ainda tentava conversar com a Olga quando ela vinha ao escritório. Após três longos meses, ela finalmente começou a admitir minha presença — e a ficar com meus pertences. Todos os presentes que Harmon costumava me dar, dos videocassetes e roupas que vinham em nossos navios até os perfumes e badulaques que os clientes me davam como agradecimento, agora iam para Olga. Sua aparência havia melhorado — ela parecia descansada. Infelizmente, seu estilo não — usava um top de lamê dourado sem sutiã. E também me observava desconfiadamente, como se eu não tivesse passado meses evitando Harmon, como se ela esperasse que eu o roubasse de volta. É claro que eu tentava manter um clima agradável com meu chefe. Ela realmente esperava que eu parasse de falar totalmente com ele?

Agora ela só falava em dinheiro — a primeira palavra que aprendera com o professor de inglês que Harmon contratara para ela. "*Ooh tee!* Quanto custa isso?", ela perguntou, de olho no meu telefone. Harmon havia contratado uma babá para que ela pudesse pintar, mas, em vez disso, ela fazia compras. Ela me mostrou sua nova bolsa, que combinava com um par de luvas. Eu as admirei. Como sempre, perguntei sobre as crianças.

— Como o pequeno Sveta está indo na escola?

— Bem, bem — ela respondeu, examinando minha mesa.

— Já nasceram todos os dentes do Ivan?

— Acho que sim.

Seus olhos voavam de objeto para objeto. Se ela pudesse fazer com que meu computador coubesse em sua nova bolsa Escada, provavelmente o teria levado.

— Ele com certeza a está esperando em sua sala — eu dei a dica. Ela com certeza o tinha em suas garras, pensei amargamente.

— Ah! É exatamente o que preciso — ela falou. Agarrou meu grampeador e o enfiou na bolsa.

— Isso é *meu*. Devolva isso! — sussurrei furiosamente em russo. — Para que você precisa de um grampeador?

— *Jadna!* — ela disse, a palavra para sovina ou pão-dura, e agarrou minha fita adesiva. — Por que se importa? Sempre pode conseguir mais.

— Você também. Ele te sustenta. — Eu me arrependi das palavras assim que elas saíram da minha boca.

— Vaca. Você só está com inveja.

Ela olhou para meu relógio digital, e eu o coloquei no meu colo.

Olga me deixava maluca, sempre me ignorando no escritório, sempre pegando as minhas coisas. O pior é que eu não tinha argumentos — eu a escolhera. Percebi que deveria ser paciente com ela, que essa nova vida era mais fácil em certos aspectos, porém mais difícil em outros. Mas minha resolução foi por água abaixo quando Harmon saiu de sua sala. Antes que ele pudesse cumprimentá-la, eu reclamei em inglês.

— Ela roubou meu grampeador *e* minha fita adesiva. Ontem, ela pegou meu buquê e a caixa de figos que a Playtech mandou para mim. Anteontem, foi meu CD favorito.

Harmon costumava me levar a sério, mas agora ele apenas sorriu.

Olga franziu a testa quando não entendeu, o que ele pareceu achar encantador. Ela vinha tentando aprender inglês para que eles pudessem se comunicar. Mas, até agora, o vocabulário dela era limitado. Quando perguntei a ele a respeito, Harmon disse que não se importava, suspirando.

— É como se ela tivesse se formado em massagem com louvor.

— Por favor, diga a ela para devolver meus pertences — voltei a falar duramente. — Não acha que deveria mandá-la para casa para podermos revisar o relatório de logística? O prazo é amanhã. Eu preciso do senhor... de sua ajuda.

Olga me lançou um olhar maligno e chegou perto de Harmon.

— Ollllá.

Como uma gata no cio, ela esfregou o corpo contra o dele.

— Daria, seja boazinha e nos faça um café — ela falou condescendentemente em russo. — Ah, compre um maço de cigarros para mim. — E enfiou a mão no bolso de Harmon e esfregou a coxa dele antes de tirar um maço de notas e jogar três notas de 1 dólar em minha direção. Eu as deixei cair no chão a meus pés. Olhei para Harmon, mas ele não disse nada. Talvez não estivesse acostumado com mulheres brigando por sua causa. Não que estivéssemos brigando por causa dele, exatamente.

Ele era a maior segurança que ela já tivera.

Ele era a maior segurança que eu já tivera.

Nenhuma de nós desistiria sem brigar.

— E quanto ao relatório? — perguntei. — Precisamos fazê-lo juntos.

Ele olhou para a pilha de faturas na minha mesa.

— Tem razão. Tem que ser enviado hoje à noite.

Ótimo. Ele tinha ficado do meu lado. Ele se virou para dizer a ela "Eu. Trabalho. Tchauzinho", mas assim que abriu a boca ela o beijou e colou o corpo ao dele.

Se o inglês era minha arma, o sexo era a dela. Ele ficou vesgo de tesão e ela o puxou para o escritório. Olga me lançou um olhar penetrante e riu. Obviamente, ela ganhara aquela batalha. Continuou a tagarelar e eu saí, levando meu relógio comigo. Felizmente a cozinha estava vazia e eu podia me sentar e deixar o ânimo esfriar. Se ao menos eu entendesse com o que exatamente estava zangada. Era só por causa do material de escritório? Ou a perda do controle? Observei os minutos passarem. Quando voltei para minha mesa, ainda podia ouvir Olga, apesar de a porta estar fechada. Ela estava dizendo em seu inglês ridículo:

— Ela não trabalhar. Daria preguiçosa. Ela vai. Eu trabalhar.

O que Olga estava aprontando? Será que ela estava tentando dar um golpe?

Olhei para além da minha palmeira, além das barras na janela, e esperei dar 17 horas. Eu tinha que encarar a realidade: havia perdido minha amiga, desperdiçara meses me candidatando a empregos que nunca conseguiria, nunca encontraria o amor em Odessa ou em nenhum outro lugar e provavelmente perdera a maior segurança que Boba e eu já tivéramos.

Capítulo 4

MOONLIGHT.[1] ADORO ESSA PALAVRA. TÃO romântica. Há um toque de segredo, de coisas feitas à noite, quando ninguém pode ver. Adoro sua transformação de nome em verbo. *To moonlight*: trabalhar escondido em um segundo emprego.

Quando disse a Boba que precisava de um segundo emprego, ela falou:

— Mas eu mal a vejo agora. Você não come o suficiente... Olhe só para você! Pele e osso e não muito mais. E com certeza não descansa o bastante!

Mas Harmon era homem e, se a história nos havia ensinado alguma coisa, é que não se pode depender de um homem. Eu precisava me sentir segura. Na empresa de transportes marítimos, as águas eram turbulentas e uma tempestade podia chegar a qualquer momento.

Também gosto da frase "ficar de antenas ligadas". Eu imaginava que Boba e eu éramos lagartas, projetando as antenas para encontrar outro emprego para mim. O primo de nossa vizinha precisava de uma garçonete. Uma das ex-colegas de Boba nos disse que seu genro, na longínqua Kiev, procurava uma engenheira. A tia de minha amiga Florina procurava alguém para traduzir cartas de homens norte-americanos para nossas mulheres em sua agência de encontros. Esse emprego seria uma oportunidade para eu praticar meu inglês e talvez conhecer alguém. O escritório ficava localizado em uma rua tranquila a cinco quarteirões da

[1] Luar. (*N. da T.*)

empresa de transportes marítimos. Passei três vezes pelo apartamento térreo com cortinas de renda feitas de um fio tão fino quanto o de uma teia de aranha antes de perceber que a agência era localizada na casa de uma pessoa. Dei uma olhada no pedaço de papel com o endereço escrito. Era este o lugar. Toquei a campainha. A tia de minha amiga atendeu a porta e se apresentou com um vigoroso aperto de mão ocidental.

Valentina Borisovna era de idade indeterminada, tinha grandes óculos cor-de-rosa que escorregavam por seu nariz, olhos azuis calculistas que podiam resumir qualquer situação, cabelo louro penteado fixado com laquê e um sutiã à prova de bala que fazia seus seios amplos parecerem armas apontadas para a pessoa à sua frente. Em uma vida anterior — quer dizer, antes da perestroika — ela fora um membro influente do Partido. No entanto, os contatos não a haviam protegido da pobreza — sua conta bancária fora esvaziada como a de todo mundo. Então essa ex-comunista ferrenha tornou-se uma empreendedora e batizou sua agência de Uniões Soviéticas. Era como se ela não quisesse que o Partido terminasse, então criou o seu próprio.

— Preciso de ajuda em tempo integral para resolver as coisas. Algumas de minhas meninas são físicas nucleares, mas outras! Veja o que elas escrevem!

Ela me entregou um questionário preenchido com tinta cor-de-rosa. Eu li:

— Nome: Yulia Shtunder; Idade: 19; Sexo: Sim!! O tempo todo!!

Não pude evitar, eu ri. Ela também riu.

— Se eu mostrasse esse questionário aos homens que procuram uma noiva, eles fariam fila na porta dela, mas não estariam pensando em casamento — disse Valentina. — Então, veja, preciso de ajuda com algumas dessas moças. Quero que elas tenham tanta classe quanto as mulheres de Moscou. Você pode lhes ensinar etiqueta e o básico do inglês, não pode? — Ela olhou com aprovação para meu coque, rosto ligeiramente maquiado e terninho preto.

Eu assenti. Vamos começar as negociações.

— Este é seu primeiro emprego depois da faculdade, querida?

Código: não vou ter que lhe pagar um salário decente, já que você precisa de experiência.

— Não. — Eu me sentei um pouco mais ereta e alisei minhas roupas. — Eu trabalho na ARGONAUT.

Código: sou inteligente o bastante para conseguir um emprego em uma firma estrangeira.

— A empresa de transportes marítimos?

Isso atraiu a atenção dela. Rá!

— A empresa Ocidental de transportes marítimos.

E seu respeito.

— Bem, se você tem um emprego, certamente não precisa deste..

Código: você não vai ser escrava 24 horas por dia.

Obviamente eu estava lidando com uma especialista em negociação.

— Tenho muito tempo para traduzir cartas no trabalho. Podemos treinar as meninas à noite e nos fins de semana; afinal, a maioria delas também trabalha.

Valentina Borisovna não tinha como saber que eu falava inglês melhor do que a maioria das pessoas em Odessa, que estava determinada a dar uma boa vida para mim e Boba. Só o que ela sabia era que sua sobrinha confiava em mim. É claro que acabara de ver que eu podia me defender sozinha.

— Está contratada — ela disse.

Como nós dizemos em Odessa, não importa o que você sabe, mas quem você conhece e quanto dinheiro tem.

Valentina Borisovna e eu continuamos a discutir, desta vez a respeito do salário. Quando o negócio foi concluído, ela me deu um maço de cartas para traduzir. Quase fiquei triste por não poder trabalhar no escritório dela. Ela tinha orquídeas e samambaias na frente das grandes janelas. Na estante atrás de sua mesa de mogno havia um samovar de prata pesada rodeado por um serviço de chá. As xícaras eram tão finas que eu quase podia ver através delas.

Após a entrevista, andei na direção do ponto de ônibus, abraçando o maço de cartas junto ao peito. Esse segundo emprego me fazia sentir mais leve, mais no controle. Mesmo que perdesse meu emprego na firma de transportes marítimos, eu não estaria totalmente perdida. Não tinha importância que tivesse que trabalhar de noite e nos fins de semana. O dinheiro nos ajudaria a comprar um apartamento no centro da cidade. Eu estava cansada da longa viagem para casa.

Senti uma sombra passar por mim. Um Mercedes diminuiu a velocidade nos paralelepípedos e emparelhou comigo. O vidro negro da janela de trás foi abaixado.

— Quer uma carona? — Vladimir Stanislávski gritou. *Ride-rode--riden.*[1] *Forbid-forbade-forbidden.*[2] Seus olhos dourados brilharam do interior escuro do carro. Seu sorriso era pecaminoso e ele era tão sedutor quanto arrogante.

— Ainda se senta atrás? — perguntei. — Quando você vai aprender a dirigir?

— Ah, eu sei dirigir — ele me garantiu.

— Motorista de banco de trás — eu devaneei, tomando o cuidado de olhar direto para a frente para ele não achar que estava interessada.

— Vai entrar ou não?

— Não.

O carro foi embora a toda.

De pé no corredor apinhado do ônibus, sufocada pelo cheiro de suor e óleo diesel, eu admito que a viagem para casa teria sido mais rápida e confortável no carro de Vlad. Mas gângsteres eram encrenca certa. Além disso, um vizinho certamente me veria saindo do Mercedes e então todos no quarteirão, incluindo minha Boba, saberiam. Fofoca era uma refeição completa para vizinhos famintos. Você não podia tossir sem que eles dissessem para todo mundo que você estava com pneumonia.

Enquanto o ônibus sacudia pelo caminho, fiquei imaginando as cartas. O que estranhos à procura de amor dizem um ao outro? Eu queria dar uma espiadela e desejei que o ônibus não estivesse tão lotado. Será que os homens anexavam fotos às suas cartas? Será que eles eram bonitos? Talvez, apenas talvez, eu encontrasse um norte-americano para mim. O aposentado ao meu lado começou a tossir e não cobriu a boca. Tentei me

---

[1] Dirigir-dirigiu-dirigido. (*N. da T.*)

[2] Proibir-proibiu-proibido. (*N. da T.*)

afastar um pouco dele, mas não havia espaço. Suspirei. Eu ansiava por ver o mundo de ruas brilhantes e carros para todo mundo de Jane.

Jane. Minha Jane.

Came-saw-went[1]

Going-going-gone[2]

Amigos e vizinhos emigravam para Israel e para a Alemanha.

Os missionários norte-americanos com quem fiz amizade ficaram por um ano, depois foram para o próximo lugar triste no mundo.

Em algum momento, todo mundo ia embora.

Até Jane.

Lembrei-me do dia em que a acompanhei ao aeroporto. Ela quase vibrava, tão feliz que estava por ir embora. Mas, à sombra do meu rosto triste, ela teve sensibilidade suficiente para esconder sua alegria. Ela ia voltar para casa, para uma família de verdade. Eu conhecera seus pais e sua irmã quando vieram visitá-la. Jane tinha tanta sorte! E, quando estava com ela, eu me sentia sortuda.

Ela me abraçou forte pela última vez — seus dedos afastados, alinhados em minhas costelas — antes de largar sua grande bolsa preta na esteira da máquina de raios X.

Ela passou pelo arco do detector de metais.

— Eu vou escrever!

Ela vai me esquecer.

— Eu vou ligar!

Sempre esquecem.

— Eu vou voltar!

Nu, da. É, sei.

Ela atravessou a porta que levava ao Ocidente. Eu fiquei. Desolada. De pé no soturno aeroporto soviético, olhando para a porta. As pessoas entravam e nunca saíam. Mais uma pessoa que ia embora da minha vida. Meus pés estavam tão pesados que eu não conseguia me mexer. Minha

---

[1] Vir-viu-foi. (*N. da T.*)

[2] Ir-indo-ido. (*N. da T.*)

alma doía. Eu me sentia frágil, escura e triste, como um blini queimado — não, um blini esturricado que tinha pelo menos 100 anos. As pessoas me empurravam e eu sabia que devia ir embora. Eu só queria ficar mais um pouco no mesmo prédio que ela. Só mais cinco minutos.

O que eu faria sem Jane? Como a filha de um fazendeiro do outro lado do planeta me entendia mais do que as garotas com as quais eu crescera? Lembrei-me de todas as vezes em que nos sentamos na cozinha de Boba e conversamos. Quando eu lhe contara sobre meu pai ter nos abandonado, ela envolvera minhas mãos nas suas e dissera "Eu sinto muito. Deve ser muito difícil para você". Essa solidariedade é como orvalho na alma: ela refresca e limpa. Se eu tivesse contado para Olga, ela teria retrucado: "E daí? Você acha que é a única que tem problemas? Deixe-me lhe dizer..." E teria listado todos os homens decepcionantes que conhecera ou vira na televisão desde que tinha 10 anos ("Você acredita no marido da Pugachova? Um traidor, tenho certeza disso!"). É claro que eu não me incomodava de ouvir, mas era um alívio estar com Jane, falar e ser ouvida.

Eu mal registrei os gritos atrás da porta de embarque. Em Odessa, sempre há alguma comoção. Então, ouvi a voz de Jane. Ela voou pela porta afora, soltou-se da mão do segurança que agarrava seu braço e me abraçou novamente.

— Dasha — ela sussurrou ardentemente no meu ouvido. — Sei que você acha que, depois que as pessoas vão embora, elas nunca mais voltam. Eu vou voltar. Prometo.

— Vai perder seu voo — eu a recriminei, enquanto ela acariciava as lágrimas na minha bochecha.

— Sempre tão orgulhosa — ela me recriminou em resposta, encostando sua testa fria na minha. — Vou sentir saudades de *você*.

Saltei no meu ponto e serpenteei pelos arranha-céus brutos de cimento, pelos quiosques enferrujados, pelo BMW surrado do Harmon. Por quanto tempo ele visitaria a Olga aqui, tão longe da cidade? Era só sexo? Ou era mais? Será que os filhinhos dela o chamavam de papai? Os vizinhos resmungavam por causa de todo o *remont*, as reformas, que estavam acontecendo no apartamento dela. Estavam com inveja e fartos das marteladas incessantes.

Ele nunca viera até aqui para me ver.

Depois do jantar, Boba e eu nos sentamos em nosso sofá azul gasto.

— Cadê Olga? Eu não a vejo há semanas. Você deve estar com saudades do pequeno Ivan.

— Ela provavelmente está ocupada pintando — eu respondi, esperando soar indiferente e esperando que ela não investigasse mais a fundo. — Você quer ver as cartas? Talvez haja fotos.

Distraída, Boba escolheu um "namorado" e abriu o envelope cuidadosamente. Ficamos surpresas em ver que a carta fora datilografada. Uma pena. Tanta coisa é revelada por meio da caligrafia. Boba olhou a foto enquanto eu traduzia a carta em voz alta para ela.

— "Olá. Meu nome é Brad. Possuo um rancho no Texas. Procuro uma pessoa confiável, sincera e bonita..."

— Olhe só para ele. — Boba levantou a foto. — Ele não é mau. Tem olhos gentis.

— Exatamente o que toda garota quer — eu a censurei gentilmente. — Alguém que não seja mau. Ouça isso. "Olá, meu nome é Matthew. Sou dentista e moro no Colorado, onde gosto de esquiar e fazer canoagem. Tenho quatro dogues alemães..."

— Ele parecia bom até mencionar os cachorros. Pense no pelo que vai ter que varrer.

Essa era minha Boba, sempre prática. O que eu faria sem ela?

Eu sabia exatamente o que Olga teria dito a respeito de Brad. "Olhe só para ele! Podia rachar um muro de concreto com essa testa!" Ela teria erguido a foto de Matthew ao lado do rosto, batido os cílios sedutoramente e dito "O que você acha? Um belo casal?". Eu sorri enquanto pensava nela colocando maliciosamente a foto do Brad na carta do Matthew e vice-versa. Eu suspirei. O que eu havia feito?

— Que interessante eles quererem as nossas mulheres — Boba falou, olhando para as cartas e fotos espalhadas pela mesinha de centro. — Por que não conseguem encontrar esposas nos Estados Unidos?

Eu não sabia. Depois de traduzir seis cartas, fiz uma pausa, esticando o pescoço e os ombros. Para onde quer que eu olhasse no aposento, ícones austeros me olhavam de volta. Eu tinha o cuidado de não falar nada sobre religião. Boba sofrera como judia na União Soviética — havia uma observação nos documentos de identificação que nós não éramos ucranianas, mas judias. Não éramos só de outra religião, éramos de outra raça. Uma raça inferior.

Boba dizia que mamãe não tivera permissão para estudar na universidade porque era judia, que havia uma cota de judeus que podia ter uma educação superior. Não sei como ela conseguiu, mas Boba mudou da nacionalidade judia para a ucraniana em seus documentos (subornos?) e para a religião russa ortodoxa em seu coração (negação?). Como com tudo, ela o fez por mim, para que eu tivesse o sobrenome certo e a oportunidade de buscar uma educação superior. Então eu não ousava dizer nada sobre os nove ícones que me observavam.

Ler palavras de homens esperançosos e mulheres desejosas era mais interessante do que escrever relatórios de negócios para Harmon. Eu não me incomodava de passar minhas noites com aquelas cartas, traduzindo os pensamentos e anseios dos homens. Boba e eu nos sentávamos no sofá, e ela olhava melancolicamente para as fotos enquanto eu escrevia. Eu me tornei muito boa em ler nas entrelinhas — ou assim pensei.

Aos sábados, quando me encontrava com clientes no escritório do Uniões Soviéticas (a sala de estar de Valentina Borisovna) para lhes ensinar inglês e traduzir suas cartas, eu lhes contava sobre minha experiência com namoros on-line e pedia cautela. Mas elas estavam convencidas de que os homens norte-americanos eram mais ricos, gentis e superiores em tudo. Tudo bem, em comparação com os nossos homens — sanguessugas machões, alcoólatras, todos preguiçosos — não dava muito para sair perdendo.

Era difícil não me envolver. Eu me sentei em frente a Yelena, uma loura de 30 anos com uma ruga de preocupação que dividia sua testa em duas, e traduzi suas cartas. *Querida Yelena, sou um mórmon que vive em Wilbur, Washington. Minha esposa morreu e meus três filhos precisam de uma mãe.* Obviamente, ele queria uma babá e uma cozinheira, mas não consegui convencer Yelena. Ela ditou sua resposta: *Querido Randy, eu também sou viúva* ("totalmente mentira", ela confidenciou, "nunca fui casada") *e me preocupo com meu filho. Anseio por ter um homem forte para cuidar de nós.*

Mais algumas cartas e lá foi ela para Wilbur com um "visto de noiva", um visto de três meses que o governo norte-americano dá às mulheres estrangeiras para que possam viver com seu futuro esposo. Um período de teste. Ela foi corajosa em ir para um país quando nem falava a língua e nem mesmo sabia alguma coisa sobre o homem com quem iria se casar.

Quando recebemos o convite de casamento de Yelena, ficamos felicíssimas por ela. E até mesmo com inveja. Ela explicou que duas semanas haviam sido suficientes para ela decidir que queria ficar de vez nos Estados Unidos. Em sua carta seguinte, escreveu que, como seu marido não bebia, ele havia pegado a *champagnskoye* que ela levara para comemorar as núpcias e derramado pelo ralo. Ele também não aprovava chá ou café, já que eram cafeinados. A pobre Yelena escreveu que não podia viver sem seu chá matinal. Um mês depois, anunciou que estava juntando dinheiro para voltar para casa — Randy não a respeitava, assim como seus filhos. Então recebemos um cartão nos contando que ela estava grávida. Veio outra carta explicando que ela não sentia falta de cafeína e na verdade sentia-se mais saudável seguindo as "orientações" de Randy. E ela não escreveu mais. Para ser sincera, Valentina Borisovna e eu não sentimos falta das cartas dela. Ficamos tristes ao perceber que ela não só aprendeu a viver sob as regras rígidas de seu novo marido como as abraçou.

Harmon passava cada vez mais tempo com Olga, e cada vez menos tempo no escritório. Eu havia terminado minhas tarefas do dia e as dele e decidi entrar na internet, mas era difícil me concentrar. Deslizando nervosamente na cadeira, fiquei imaginando onde ele estaria. Quando voltaria? O que aconteceria se ele desse meu emprego para ela? Ele não faria isso comigo, faria? Quanto mais tempo ele passava fora, mais nervosa eu ficava. Curiosa, disquei o número da casa dele.

Nenhuma resposta.

Onde ele estava?

Girei-me de volta para o meu computador. O período gratuito havia expirado, mas continuei escrevendo, sem ânimo, para os homens que haviam me dado seus endereços de e-mail. Infelizmente, o que dissera que amava Jesus parecia amar "pornografia" ainda mais. O homem das letras maiúsculas começara a perguntar "VOCÊ GOSTA DE GOZAR?". Eu escrevi "Eu prefiro ir"[1] e bloqueei o endereço. Alguns queriam me visitar em Odessa, Texas, apesar de eu ter afirmado várias vezes que morava na Ucrânia.

As mulheres da Uniões Soviéticas que recebiam cartas em papel pareciam ter resultados melhores do que eu. Seus homens escreviam frases que continham sentimentos verdadeiros. Mas nenhuma das correspondências tocou tanto meu coração quanto as cartas de Will, em Albuquerque, para Milla, em Donetsk. Quando li as palavras dele em voz alta, eu ouvi poesia. A foto dele me lembrava o namorado norte-americano da Jane, Cole — um cavalheiro de cabelos escuros e dentes separados.

Uma semana sim, outra não, Milla fazia uma viagem de dez horas de ônibus para Odessa. Ela entrava como um furacão em nosso escritório com uma garrafa de vodca caseira e despejava o conteúdo nas xícaras de chá de Valentina Borisovna antes de se jogar em uma cadeira à minha frente.

— E aí, garota? Tenho mais algum otário?

Uma fumante compulsiva e prostituta de 40 anos, Milla falava como um estivador e seus dentes eram amarelos como sua pele doentia. Nove homens lhe enviavam cartas, dinheiro e presentes (quando pediam uma foto, ela lhes mandava uma de sua filha, a Miss Donetsk do ano anterior). Quando eu lhe disse que gostava de Will, ela respondeu:

— Fique com ele! Caramba, garota, ele é pão-duro. Não consegui tirar nada dele. Provavelmente vou ficar com Monty, de Palm Springs, ou com Joe, de Los Angeles. Onde caralhos fica Albuquerque?

Para me assegurar de que ela não ficara ofendida por eu pegar um de seus homens, eu lhe dei um buquê de rosas amarelas e 10 dólares. Eu não

---

[1] Trocadilho com as palavras *come* ("gozar" ou "vir") e *go* ("ir"). (*N. do E.*)

gostava de dever nada a ninguém. Will parou de escrever "Cara Milla" e começou a escrever "Querida Daria". Era mais fácil me corresponder por e-mail, então eu escrevia minhas cartas no trabalho. Quando Harmon chegou ao escritório às 11 horas, ele me deu um tapinha no ombro e me elogiou pela minha diligência. Feliz com sua consideração, eu sorri.

— Você tem dentes bonitos — ele disse. — Deveria sorrir com mais frequência, para eu poder aproveitar o dinheiro que gastei.

Eu esperava ver uma expressão feia no rosto dele, como ele mostrara tão frequentemente nos dias após o incidente, mas ele olhou para mim de uma maneira benevolente. Isso me agradou. Eu não queria ser inimiga dele. Ele me dera um emprego. Graças a ele, eu podia me corresponder com Will e Jane e economizar para comprar um apartamento no centro da cidade. Apesar de ainda haver momentos tensos, nosso cauteloso andar em círculos havia se tornado uma dança constrangida enquanto trabalhávamos juntos para gerir o escritório. Ele se via como um chefe gentil, que elogiava meu trabalho e me deixava ir mais cedo para casa às sextas-feiras. Não havia passado um ano me perseguindo. Nunca tivera ciúmes dos homens que olhavam para mim, ou pior, falavam comigo. Nunca me atacara. Não ligava que eu fosse uma intermediária de casos amorosos. Ele não era o primeiro homem a reescrever a história. Eu gostava muito mais dessa versão e decidi acreditar nela.

O jogo de xadrez parecia ter acabado. Um impasse.

Um alívio, isso sim.

Ele passou a manhã guardando as fotos dele comigo no mercado, em frente ao teatro, no cais do porto. Tirou-as dos porta-retratos e colocou fotografias dele com Olga. As poses permaneciam as mesmas, só que suas mãos percorriam o corpo dela em vez do meu. Ele ficou de pé em frente a minha mesa, olhando para nossas fotos em suas mãos, sem saber o que fazer com elas. Talvez tenha pensado em jogá-las na lixeira. De repente, ele esticou o punhado de lembranças e perguntou:

— Você quer?

Será que ele finalmente havia me perdoado por transformá-lo na piada do escritório, algo que não era culpa minha? Dava azar jogar fotos fora, então eu as aceitei. Quando ele saiu para almoçar, olhei as fotos e tive vontade de fazer um gesto de paz.

— Espere — eu o chamei. Ele deu meia-volta. Eu não sabia bem o que dizer. Fiquei de pé. — Hmm, gostaria de tomar um café?

Ele olhou para o relógio.

— Olga está esperando. Mais tarde?

— Mais tarde — eu repeti.

Ele saiu e eu senti que podíamos continuar, não como amigos, mas como colegas, em paz. Fiquei aliviada que, cinco meses após o incidente, os momentos constrangedores estavam lentamente desaparecendo. Se ao menos eu pudesse dizer o mesmo a respeito do meu relacionamento com Olga... Será que ela ainda estava zangada comigo? Ela realmente queria meu emprego?

Abri minha pasta e tirei uma salada que Boba havia feito para mim, embalada em um Tupperware dado por Harmon. Enquanto eu comia, sozinha à minha mesa, como sempre, verifiquei minha caixa de entrada e encontrei uma mensagem de Will. "Minha querida garota, folhas rodopiam, árvores dançam, o amor é um prazer, uma noite de luar. Quando penso em você, penso em Puchkin e poesia. Penso em *Guerra e paz* — só que com um final feliz. Estou tão sozinho, mas quando penso em você, fico curado."

Will estava sozinho e solitário. Eu também me sentia solitária. Jane estava nos Estados Unidos, Olga não falava mais comigo e Florina havia emigrado para a Alemanha. Minhas outras amigas eram casadas e também moravam em outro mundo. É claro que eu tinha a minha Boba, mas há alguns sentimentos que uma garota não pode dividir com sua avó. Às vezes eu sentia muita falta de ter uma mãe.

Fiquei imaginando o que mamãe diria a respeito do meu namorado de internet. Ou sobre qualquer um dos outros rapazes que eu havia namorado. Eu não era completamente inexperiente. Tivera dois namorados — ambos rostinhos lindos que achavam que, como me pagavam o jantar e me levavam para a ópera, eu lhes devia sexo. Eu os namorei porque todo mundo espera que você tenha um namorado e se case quando chega aos 20 anos, 22 no máximo. A vida de uma mulher solteira é extremamente curta na Ucrânia. Quantas vezes haviam me dito que uma fruta madura como eu está apenas a horas de apodrecer? Se não tiver um *cavalier*, as pessoas acham que há algo errado com você. Só que minha Boba me disse que eu não deveria me casar com o primeiro homem com quem dormisse, que sexo não era amor. Mas ela também falou que não precisávamos de um homem. Ela dizia que procurar pelo amor era como procurar vento em um campo. Ela nunca falava sobre o próprio marido. Eu nem sabia se ele nos havia abandonado ou se estava morto. Ela nunca tinha palavras gentis para meu pai, que desaparecera havia muito tempo. Uma vez, eu a ouvi dizer a uma amiga que tudo o que meu pai sabia fazer era engravidar mulheres e perder dinheiro jogando. Eu nem sabia como era seu rosto. Às vezes eu gostaria de ter uma foto dele.

Apesar de ele não estar presente, eu usava seu primeiro nome e o usaria pelo resto da vida. No idioma russo, os adultos usam patronímicos, um nome derivado do nome do pai. As mulheres acrescentam o sufixo "ovna" ao nome de seu pai. O nome do pai de Valentina era Boris, por isso a chamávamos de Valentina Borisovna. Era um alívio trabalhar em um escritório onde usávamos apenas o primeiro e o último nome — eu sou Daria ou Srta. Kirilenko —, como se faz no Ocidente. Outro motivo pelo qual eu era grata ao Sr. Harmon: sem saber, ele me salvara desse lembrete diário da perfídia do meu pai.

O que Jane acharia de Will? Sobre conhecer um homem pela internet? Quando a conheci, ela estava com 23 anos e não tinha o menor interesse em se casar. Eu fiquei fascinada com essa *americanka* que era quase uma solteirona e nem ligava. Quando lhe perguntei a respeito, ela riu e disse que ninguém nos Estados Unidos se casa antes dos 30 anos. Boba estava certa — a vida era diferente nos outros lugares. E queria ir a esses lugares, só para ver. Enquanto estava com Jane, parei de me preocupar em me casar, ou não me casar, apesar de todas as minhas amigas estarem se amarrando. É claro que era difícil não me preocupar com elas quando Boba dizia que elas só haviam atado um nó de forca.

Nesse meio-tempo, a Uniões Soviéticas ganhava cada vez menos. Verificávamos a caixa postal várias vezes por dia, esperando receber correspondências que nunca chegavam. Sem homens, sem dinheiro. Se a situação não mudasse logo, eu seria dispensada.

— Esses malditos norte-americanos mudaram a lei — Valentina Borisovna lamentou. — Agora os homens têm que conhecer suas noivas antes de importá-las. Acabou a entrega em domicílio. Eles têm que vir até aqui para pegar a mercadoria, ou pelo menos para encomendá-la. — Em um arroubo de autocomiseração, ela olhou para o teto. Seus seios subiam e desciam sob o casaco cinzento falsificado, e ela gritou: — Por quê? Por que estão fazendo isso comigo? — Como se os norte-americanos tivessem estabelecido novas regras para diminuir os lucros dela.

Para não pensar mais nesse duro golpe dado pelo governo dos Estados Unidos, ela pegou o trem para Moscou para visitar uma de suas ex-cunhadas por uma semana. Voltou cheia de comidas boas, vodca boa e um bom plano. Quando entrou pela porta do escritório, as primeiras palavras que saíram de sua boca foram em inglês.

— *Sooooo shall. Sooooo shall. Sooooo shall* — ela falou.

— Então, o que devemos fazer? — retruquei, no mesmo clima, surpresa por ela estar falando inglês.

— Querida — ela disse em russo novamente. — O futuro está em Moscou. Mas também podemos tê-lo aqui. "*Sooooo shall.*" Não faço a menor ideia do que isso significa. Mas é a nossa salvação.

Ela serviu um *kognac* para nós duas e descreveu o que vira, falando tão rápido que as palavras ricocheteavam na minha testa. Homens. Amor. Estrangeiro. Rico. Mulheres. Nossas. Sexy. Jovens. Encontrar parceiros. Caro para os homens. Gratuito para as mulheres. Música. Dinheiro. Álcool. Entãooooo devemos.

Tudo ficou claro. Por não ser uma pessoa que deixava a lei ficar em seu caminho, Valentina Borisovna rapidamente encontrara um tipo de tráfico novo, mais lucrativo. Começamos a organizar "sociais" que eram divulgadas como uma forma de os homens norte-americanos conhecerem mil mulheres odessanas lindas em apenas cinco dias. Procurei a palavra em meu dicionário de bolso e encontrei "que tem a ver com atividades da sociedade, especificamente as mais exclusivas ou elegantes". Quando contei a Jane sobre o meu novo emprego, ela explicou que uma social era como costumavam chamar os bailes nos anos 1950, quando as pessoas dançavam com um par e trajes elegantes estavam na moda. E não havia nada de exclusivo neles. Ela então resmungou que as sociais eram "o maior mercado do carne" (talvez ela quisesse dizer "mercado do encontro").[1] Sua definição só me deixou mais curiosa. Dois dias depois, recebi um dicionário que ela mandou pela Federal Express e aprendi que uma social era só uma festa com um nome chique.

No final da tarde de sábado, ajudei Valentina Borisovna a coordenar nossa primeiríssima social no salão de baile do Museu Literário, lar de Puchkin, Gogol e Tolstoi. A Grande Dama subornara o curador para fechar a mansão inteira ao público. De alguma maneira, ela arranjou decorações norte-americanas extravagantes de casamento para as paredes brancas impecáveis com sancas no topo. Trouxe um bar de metal com bom estoque e um aparelho de CD. Depois que cobrimos as mesas arranhadas com toalhas brancas, penduramos a bola de espelhos no candelabro de cristal.

— Daria — ela falou com sua voz arrogante —, é importante termos ponche suficiente. Batize-o com uma boa quantidade de vodca. Não queremos nenhum constrangimento. Apague a maioria das luzes, não queremos que as garotas vejam como alguns dos homens são velhos! Você vai ter que verificar os banheiros de vez em quando, para garantir que nenhuma safadeza esteja acontecendo. Quero que essas garotas se comportem! — Ela empurrou seus óculos cor-de-rosa de volta para o alto do nariz. — Só espero que os Stanislávskis não fiquem sabendo das minhas sociais. Ainda não posso pagar proteção.

[1] Trocadilho com as palavras *meet* e *meat*, de pronúncia quase idêntica. *(N. do E.)*

Capítulo 5

UM APOSENTO ESCURO EM UM antigo palácio. Um aparelho de som preparado para tocar. Uma luz estroboscópica lança brilhos faiscantes pelo parquê. O Museu Literário estava prestes a se tornar o cenário de uma pomposa festa de formatura de ensino médio para homens de 30 a 65 anos. No website, a Grande Dama anunciara essas sociais como cinco noites, mil mulheres. É claro que ela não mencionou que eram as mesmas duzentas mulheres cinco vezes. Fiquei imaginando se os homens perceberiam. Valentina Borisovna usava suas melhores roupas — um conjunto cor-de-rosa estilo Chanel enfeitado com um colar de pérolas cor-de-rosa e escarpins cor-de-rosa. Até eu havia posto um vestido preto de festa.

Quando as garotas chegaram, senti como se estivesse nos bastidores de um concurso de Miss Universo. Barrigas para dentro. Peitos para fora. Quadris balançando tanto que me lembravam nadadeiras de um peixe. Havia mais maquiagem naqueles rostos do que em uma fábrica de cosméticos inteira. O cheiro de duzentos perfumes misturando-se entre si era avassalador, e abri algumas janelas. As mulheres treinavam biquinhos e olhares tórridos. Sentadas em volta das mesas, elas brincavam e riam, avaliavam e acabavam umas com as outras.

— Masha, você vai conseguir um de cara.

— Com aquele cabelo e aquelas varetas no lugar das pernas, Louisa nunca vai conseguir ninguém, pobrezinha.

Tagarelice, tagarelice.

— Acha que os homens norte-americanos são tão bem-dotados quanto os nossos? — uma perguntou.

— Eu, pelo menos, vou descobrir esta noite: um pau de morsa ou um rabanetezinho! — outra respondeu, e deu um trago em seu cigarro.

— É proibido fumar, meninas! É proibido fumar! — Valentina Borisovna gritou. — Os norte-americanos não fumam e certamente não querem namoradas fedorentas!

Imediatamente as garotas jogaram seus cigarros fora e os esmagaram com os saltos agulha, exceto uma, que exclamou:

— Ahhh, os norte-americanos! Eles não sabem viver!

A Grande Dama a encarou: a garota apagou seu cigarro. O chão parecia um cinzeiro. Valentina Borisovna abriu as portas e cinquenta norte-americanos entraram. O aposento ficou em silêncio. Eu espiei os homens na semiescuridão. Alguns pareciam confiantes. E com razão. Eram um produto raro ali. Nós olhávamos para eles e víamos refeições completas, telefones celulares e cartões de crédito. Um voo direto para o Sonho Americano: dinheiro, casas bonitas, estabilidade.

Os homens ficaram amontoados perto da porta; as mulheres, sentadas às mesas. Uma ansiedade nervosa nos cercava. Nós todos queremos amor. Os homens haviam viajado milhares de quilômetros atrás dele. As odessanas haviam apostado em um norte-americano, prontas a arriscarem tudo por uma vida melhor em outro lugar.

As mulheres quebraram o silêncio.

— Eles parecem tão nervosos quanto eu — uma sussurrou.

— Quem os ajudou a se vestir? — outra perguntou, olhando para as numerosas camisas de flanela e calças jeans desbotadas.

— Por que sussurrar? — uma terceira perguntou. — Eles não falam russo.

Rimos para esconder nosso nervosismo.

— Eles são mais velhos do que eu pensava.

— Meninas, estou aqui para lhes dizer que homens mais velhos são melhores amantes: duram mais e acham que cada vez é a última, então ficam simplesmente felizes e gratos!

Mais risadas.

Uma das mais jovens, que vestia uma minissaia que mal cobria seu traseiro, disse para uma amiga, que usava um top que mal escondia os seios:

— Vou precisar de alguns drinques para começar a achar esses caras atraentes.

Elas correram para o bar. Larissa, uma mulher mais velha e robusta, falou:

— Deixem que elas esperem um ano ou dois e vejam como é a vida com um homem de Odessa!

Suas palavras sublinhavam o motivo de as mulheres estarem ali. Galya, uma garota de 19 anos com olhos arregalados e uma expressão nervosa, perguntou:

— Isso significa que o romance não existe?

— É claro que existe, lindinha. Em livros norte-americanos açucarados — Larissa respondeu.

Galya olhou para mim.

— Você nunca estremeceu com o toque de um homem?

— Sim, com o do dentista.

As mulheres riram com a piada antiga. Eu me lembrei de como meus dentes haviam sido arrancados com alicates e levei a mão à boca. *Você não precisa mais fazer isso*. Coloquei a mão no colo.

A maioria dos homens ainda estava de pé perto da porta. Eu lhes dei crédito por isso. Era educado ser reservado. Eles olhavam para as mulheres: algumas alisavam as roupas, outras faziam pose de indiferença, outras dançavam umas com as outras. A Grande Dama queria que eu criasse um site, assim como um catálogo, apresentando um perfil para cada garota, com uma foto e informações principais — signo zodiacal, altura, peso, coisas de que gosta e não gosta (não muito diferente da revista *Playboy*) — mas eu ainda não havia baixado todas as informações para o computador. Ela cobraria dos homens 100 dólares pelo programa, o qual eles poderiam comprar antes da noite da social para diminuir sua lista de duzentas candidatas para dez competidoras.

Alguns homens pareceram intimidados quando ouviram as mulheres rindo. E com razão. Eles estavam em uma cidade estrangeira, em menor número, numa sala repleta de mulheres, algumas das quais eram sociopatas que não sentiam remorso em usar seus corpos e rostos com o intuito de iludir. Homens que deviam saber das coisas, e que eram inteligentes de várias outras maneiras tornaram-se vítimas.

Vejam, como exemplo, minha ex-colega de turma, Alexandra. Ela usava um top turquesa apertado e decotado para combinar com seus olhos. Toda vez que se inclinava para a frente — e ela se inclinava muito para a frente — seus seios saíam para hipnotizar os olhos alheios. Ela se esfregava, aparentemente sem ter consciência disso, e os homens seguiam seus dedos conforme eles cruzavam seu pescoço, ombros e quadris, mãos tão eficientes quanto o medalhão de um hipnotizador. Ela aprendera inglês suficiente para fazer as perguntas certas. Onde você mora? (necessárias apenas as iniciais — NY ou LA). O que você faz? (Apenas três ocupações possíveis: dentista, advogado e/ou engenheiro de petróleo). Ela podia fazer outras perguntas usando seu inglês do ensino fundamental, mas não ligava para as respostas. Sorria atenciosamente e esfregava a mão para cima e para baixo no braço do homem, seus olhos nunca deixando os dele. Sereias, essas mulheres.

Eu a observei cair matando. Uma sirene deveria ter tocado na cabeça do homem, mas Alexandra já havia desarmado seu sistema de alarme. Jane e suas amigas norte-americanas chamavam essas mulheres de "Robo-gatas" e diziam que se podia dar um tiro nelas e atear fogo, mas elas se consertariam instantaneamente e continuariam andando na direção de seu alvo. Por que estou falando sobre essas mulheres? Elas são comuns: garotas que acham que com a boa aparência vão subir na vida com a mesma facilidade com que espuma flutua por um rio tranquilo. Com certeza há do tipo em todos os lugares.

Coloquei música ocidental romântica, de "The Sea of Love" a "Isn't She Lovely", do Stevie Wonder, mas a pista de dança estava quase vazia. Uma garçonete com uma saia preta curta e uma blusa branca transparente correu até a Grande Dama.

— Valentina Borisovna — ela falou, em pânico —, alguns homens pediram rosé, mas só temos vinho tinto e branco. O que eu devo fazer?

— Tola! Não sabe que vermelho e branco dá rosa? Só misture um pouco dos dois. Ninguém vai saber, só seja discreta. Por que ninguém está dançando? — ela colocou um CD de tecno e aumentou o volume.

Os homens se dirigiram para as mulheres, escolhendo parceiras a partir do único critério disponível para eles: a aparência.

Eu havia sido designada para cinco mulheres, a primeira das quais era Maria, uma mulher divorciada duas vezes que tomava conta dos pais idosos enquanto criava sua filha pequena. Todos moravam em um apartamento de dois cômodos. Maria ganhava 40 dólares por mês como garçonete, apesar de ser formada em educação física. Professores de inglês e matemática ganhavam dinheiro extra dando aulas particulares. Infelizmente, para Maria, não havia demanda de professores particulares de queimado. Olhei para ela; seus olhos me disseram que precisava arrumar um par. Naquela noite.

Um homem velho, com todos os vasos capilares do rosto visíveis, se aproximou e perguntou meu nome. Deixei claro que eu não estava disponível, apresentando-o imediatamente à Maria. Ele avaliou os olhos escuros e o corpo rígido dela e rosnou.

— Quantos anos?

Chocante. Nem mesmo um olá. Nenhum odessano jamais seria tão rude. Eu não tive coragem de mostrar como aquele homem era ignorante e traduzi:

— Encantado em conhecê-la. Você parece uma adolescente. Quantos anos tem, por falar nisso?

— Ele disse isso tudo? — ela gritou por cima da música tecno.

— Lembre-se do inglês que você aprendeu na escola. Os norte-americanos usam contrações — eu respondi.

Ela assentiu conscientemente e falou:

— Vinte e seis. — Subtraiu nove anos de sua idade com tanta eficiência quanto minha avó descascava batatas.

Eu fiz uma média e disse:

— Ela tem 30.

— Quanto dinheiro ele tem no banco? — ela perguntou.

Os odessanos faziam perguntas diretas. Talvez fosse melhor não generalizar.

— Maria disse seja bem-vindo a Odessa. Ela está se perguntando o que você faz para viver.

— Engenheiro — ele respondeu. — Ela tem filhos?

Eu assenti. Ele foi embora.

— Não preciso de um milionário — ela falou, parecendo aliviada. — Só de um homem gentil com idade mais próxima da minha. Um que vá me respeitar. E será um bom pai.

Eu apertei sua mão.

— Não se preocupe, Maria. Vamos encontrar esse homem para você.

Durante a hora seguinte, nós falamos com James, Pat, Michael, Kevin e George. Velho demais, imaturo demais, vago demais, intenso demais, fala demais sobre sexo. Maria estava esperançosa, uma vez que eu não traduzia exatamente palavra por palavra. Comecei a me desesperar.

Olhei pelo salão e vi um homem tímido, com aspecto gentil. Olhei nos olhos dele e pude ver seu anseio. Agarrei a mão de Maria e a puxei em direção a seu destino. Mas, antes que pudéssemos chegar até ele, uma Sereia apareceu. Teria sido fácil me livrar dela sussurrando "Há um dentista com um Porsche do outro lado da sala", mas fazer uma cena não era a melhor maneira de proceder — as odessanas adoram drama. Nossa ópera é a terceira mais bonita do mundo depois da de Veneza e de Bratislava, e temos dúzias de teatros. Puxei Maria para a minha frente de forma que ela ficasse ao lado da Sereia e declarei:

— Ela é a pessoa certa para você. — Fiz um gesto em direção a Maria. — É a mulher mais gentil da sala e será uma excelente parceira na vida. Sinto que a amizade e o amor vão crescer entre vocês.

O homem olhou para ambas as mulheres. Seu olhar se fixou em Maria.

— É isso que eu quero.

A Sereia saiu a passos largos. Maria ficou encantada porque, a seu ver, o homem fora galante e a escolhera em vez de uma mulher mais jovem e mais bonita. Nós conversamos. Ou melhor, eles conversaram e eu traduzi — dessa vez sem necessidade de mentiras.

A Grande Dama testemunhara a cena que eu orquestrara e mais tarde, naquela noite, me deu um pequeno aumento, suspirando: "Se ao menos todo mundo fosse tão dedicado à causa do amor verdadeiro..."

Ficamos em silêncio por um instante, observando a cena se desenrolar. Ela apontou para os homens, que se aproximavam das mulheres.

— Olhe só para eles! Meu ponche de vodca está finalmente fazendo efeito! Pode ajudar Anya?

Eu traduzi para Anya, Masha, Vera e Nadia. Os norte-americanos pareciam bastante satisfeitos, um pouco broncos, mas gentis. É claro que muitos precisavam de orientação a respeito de vestuário, cortes de cabelo e armações de óculos que os deixassem com melhor aparência, mas que homem não precisa de um toque feminino? Era estranho que o relacionamento deles dependesse do meu inglês. Aconselhei as garotas a começarem a estudar. Quando finalmente fechamos o salão de baile, meus ouvidos zumbiam com as perguntas que foram repetidas sem parar.

— Ela gosta de jantares à luz de velas?

— Descubra se ele gosta de crianças (eu tenho duas, mas não conte isso a ele ainda).

— Ela gosta de ir ao teatro?

— Ele ganha bem?

— Diga a ela que eu a achei linda.

— Descubra se ele tem independência financeira.

— Ela gosta de malhar?

— Quantos anos ele tem?

— Ela gosta de viajar? (risadas estridentes seguiam-se a essa pergunta; a maioria das mulheres não saía da cidade havia anos).

— Pergunte a ele de uma forma gentil se ele bebe; eu não quero um bêbado.

Todos os cinquenta homens saíram com namoradas, até mesmo aquele velho grosso, porém mais de cem garotas foram para casa de mãos vazias. Como sempre, as chances não eram boas para as nossas mulheres.

Enquanto isso, no escritório da transportadora marítima, as relações de trabalho estavam complicadas. Olga circulava como um tubarão que tomou esteroides, assegurando-se de que eu não conversava com Harmon e de que ele não olhava para mim. Ela ficava de olho em tudo na minha mesa enquanto me ignorava. Tomou meu relógio digital — o único que eu tinha que não fazia tique-taque, o único que não me deixava nervosa. Eu me levantei e tentei agarrá-lo, mas ela o segurou atrás das costas e sibilou.

— Você me deve. Se eu não estivesse fazendo o trabalho para o qual você foi contratada, *você* seria conhecida como a piranha do escritório em vez de *mim*.

Eu a deixei ficar com o relógio e me sentei, pasma. Por que eu me importava tanto com as coisas que ela pegava? Ela não as merecia?

Eu observava Olga e Harmon com um misto de curiosidade e animosidade. Como podia não observar e imaginar, especialmente quando eles iam e voltavam e entravam e saíam do meu local de trabalho? Quanto daquilo era paixão? Quanto era irracionalidade? Quanto era comércio? Quanto era carnal? Quanto era conveniência? Afinal, ele desprezara metade de Odessa enquanto estava atrás de mim. "Como é com ela?", eu ficava imaginando. Mais fácil, sem dúvida. Ela não falava inglês, portanto eles não podiam discutir. Não podiam nem conversar. Ela tentava, e o resultado era "David, eu gosto. David, você tão bom, tão gentil". "Não", ele retrucava, "você tão gentil." O inglês dela não melhorava, o dele se desintegrava. À noite, quando saíam do escritório, eles nem me notavam sentada ali. Nem diziam tchau. Ele me esqueceu muito rapidamente. Tanto que era constrangedor.

Eu traduzia os documentos de Harmon de dia e, duas noites por semana, interpretava os anseios de mulheres desesperadas e homens solitários nas sociais. Eu me correspondia com Will, de Albuquerque, e, em meus momentos mais tolos, esperava que essa amizade me levasse a algum lugar — talvez até ao altar. Não porque ele fosse O Cara, mas porque a maioria das minhas ex-colegas de turma estava casada e eu me sentia de fora. Eu ansiava pelo amor que elas descreviam. Estava pronta para começar minha própria família. *Querida Daria. Durante minha folga no trabalho, escrevi outro poema em sua homenagem. "Crepúsculo roxo, dormindo profundamente, promessa da escuridão nas estepes da Ucrânia. Eu irei, minha querida, para salvá-la do huno." Seu novo emprego certamente parece interessante. Espero que não esteja trabalhando demais. Talvez eu possa visitá-la neste verão para podermos nos conhecer.*

Sem pressão, eu ficarei em seu quarto de hóspedes. Quando existe, há um jeito... Que quarto de hóspedes? Nós não tínhamos nem um quarto de dormir. Boba e eu transformávamos o sofá em uma cama todas as noites. Will e eu realmente vínhamos de mundos diferentes. O dele não era tão tangível; suas cartas não eram sem nexo, mas suficientes para manter uma solidão profunda. Quando os homens me chamavam para sair, eu podia honestamente dizer que tinha um namorado, mesmo que nunca tivéssemos nos encontrado.

As sociais eram tão populares que a Grande Dama me implorava para trabalhar cada vez mais.

— Preciso de você — ela me bajulava, e eu caía. Então concordei em trabalhar mais três noites por semana. Rostos, profissões e perguntas se misturavam. Eu estava morta de cansada. Trabalho o dia inteiro, trabalho a noite inteira, mercado aos sábados. Entre os batedores de carteira, ciganos e vendedores que enganavam os clientes para ver se estavam prestando atenção, ir ao mercado era uma missão árdua. Independentemente dos meus horários, Boba e eu sempre tomávamos o café da manhã juntas. Enquanto bebia chá, ela me censurava por trabalhar demais e comer de menos. Eu sabia que essa reprimenda era sua declaração de amor — quanto mais se é admoestado, mais profundamente se é amado.

Uma noite, Valentina Borisovna me apontou um homem bem-vestido com cabelo grisalho, olhos cinzentos e pele do mesmo tom e disse:

— Ajude-o.

Ofereci ao cliente uma taça de *champagnskoye* para deixá-lo à vontade e perguntei o que ele procurava.

— Quero uma mulher bonita com maxilar pequeno.

— Perdão?

— Como você; você tem o maxilar pequeno.

Quando ele olhou para mim com olhos frios como a Sibéria, senti algo muito perturbador, muito errado. A maioria dos homens que vinham à União Soviética era um pouco sem jeito, mas parecia ser genuinamente gentil. Esse homem era diferente.

— Eu tenho namorado — falei, grata por ter Will como escudo.

Valentina Borisovna focou rondando, sibilando discretamente:

— Ajude-o.

— Pode ser mais específico? — perguntei, engolindo meus pressentimentos. — Conheço muitas das moças aqui. Quanto mais me disser sobre o que deseja em uma esposa, mais perto posso chegar de encontrá-la.

Ele inspecionou o salão e disse:

— É como um mar de seios, coxas e cabelos. E eu sou o capitão.

Que pedante. Ele devia ter pagado muito, porque a Grande Dama ainda estava circulando. Eu lhe lancei um olhar suplicante e ela reagiu apertando os lábios e estreitando os olhos azuis.

— Gosto de louras — ele falou depois de um momento.

Eu revirei os olhos. Qualquer mulher podia ser loura.

— O que gosta de fazer nos fins de semana? — perguntei. — Ler? Velejar? Ir à ópera?

— Sou advogado. Não tenho hobbies. Tempo é dinheiro.

Eu assenti.

— Katya — eu gritei, e falei rapidamente em russo: — Aqui está o tipo de homem que procura: um advogado rico que nunca está em casa.

Ela o olhou de cima a baixo.

— Perfeito — falou em russo para mim, apesar de ele parecer velho o bastante para ser pai dela. — Ollláá — ela falou para ele. Ela usava um sorriso frágil e seus olhos eram tão duros quanto concreto soviético.

Eu não podia mais fazer esse trabalho. De repente, tudo parecia errado. E eu estava exausta e sentia saudades de minha Boba. Quanto tempo fazia desde a última vez que eu fora à praia? Quando eu tivera tempo de pensar em algo que não fosse trabalho? Quando fora a última vez que eu lera um livro? Fui de maneira resoluta até a Grande Dama e disse:

— Eu me demito.

— Não pode ir embora; eu preciso de você. Então está um pouco desiludida e desmotivada? A vida é assim, minha doce peixinha. — Ela varreu o espaço com a mão, fazendo um gesto para as pessoas no aposento. — Isto não é amor. É comércio, na maior parte. Mas lembra-se da querida Maria? Você fez uma coisa boa para ela. Ela está loucamente feliz nos Estados Unidos.

Verdade. Uma vez por semana, recebíamos um agradecimento dela. Valentina Borisovna decidiu criar uma página de testemunhos em nosso site. Eu estava feliz por Maria. Ela dava esperança a todas nós. É. Talvez também funcionasse para mim. "Minha beleza russa, espero conhecê-la em breve", Will escrevera. Será que ele realmente viria até Odessa? Esfreguei os olhos. Os dias pareciam cada vez mais longos. *Noites solitárias ficavam à minha volta. Eu queria amigos. Eu queria a mim mesmo.*

— Querida, você parece cansada — a Grande Dama disse. — Ajude mais um e pode ir para casa. Eu a tenho feito trabalhar demais?

Assenti com a cabeça.

— O técnico de computador criou um programa para achar mulheres para os nossos ocidentais. Por que você não experimenta?

— Eu já tentei namorar pelo computador. Não funcionou. Além disso, ainda estou me correspondendo com um dos homens da Milla, de Donetsk.

— Se você se refere a ele como homem da Milla, ele não deve ter lugar em seu coração. Tenho certeza de que desta vez será diferente: o técnico prometeu um questionário simples com resultados garantidos. Preciso que você o teste. Por mim. Para fins de pesquisa. Eu lhe dou um bônus. — Ela sorriu vitoriosamente. Eu podia ver por que ela fora uma líder eficiente do Partido e por que eu estava ali cinco noites por semana.

— Está bem. Por você. Eu vou experimentar — falei enquanto um dos clientes se aproximava de nós.

— Olá, eu sou o Robert — ele disse nervosamente, e esticou a mão. Eu a apertei. Ele era o que Jane chamaria de nerd: um sujeito doce e inteligente. Era alto e magro e lindo como um menininho, apesar de precisar de um corte de cabelo e roupas que lhe caíssem melhor. Por que os homens usam camisas extragrandes e sapatos surrados?

— Você parece um pouco jovem — eu comentei.

— As pessoas sempre dizem isso. Na verdade, tenho 30 anos. Estou pronto para sossegar e começar minha vida. Tenho um bom emprego e uma bela casa. Quero dividir isso com alguém.

Eu assenti.

— Alguém em particular?

— Não sou como a maioria dos caras aqui. Não posso sortear uma garota de uma sala. Eu esperava que você pudesse... ajudar. Quero alguém que seja inteligente, gentil e não bonita demais.

— Não bonita demais? — eu perguntei. Isso definitivamente era novidade.

— Beleza não é tudo — ele disse.

— Quando se trabalha nessa atmosfera, certamente esquece que isso é verdade. Na maioria das vezes, as garotas mais bonitas encontram pares primeiro. — Pela primeira vez, eu realmente gostei de conversar, até de sentir pena de um cliente.

Ele assentiu.

— O ideal seria que ela já falasse inglês.

— O que você gosta de fazer em seu tempo livre? — perguntei.

— Eu gosto de ler, cozinhar e de jardinagem.

Olhei para Robert especulativamente e fiquei imaginando se ele poderia ser o homem certo para mim. Aí me lembrei de Will, e me senti desleal. A Grande Dama colocou a cereja no bolo quando escolheu aquele exato momento para dizer:

— Daria, você é minha melhor intérprete e a única que não sonharia em pegar um cliente para si mesma. Obrigada por ser tão confiável. Você é uma boa garota.

Culpa e vergonha — duas motivações fortes.

Ajudei Robert a encontrar uma garota doce e tímida que falasse inglês e os deixei sozinhos. Valentina Borisovna lembrou-me de correr para que eu não perdesse o último ônibus para o meu bairro. Eu não precisava ter corrido. Como sempre, ele estava atrasado. Quando a mulher de pé ao meu lado viu o ônibus chegar, ela suspirou. Quase meia-noite e estava lotado. Nos entreolhamos e demos de ombros, como se disséssemos "qual é a novidade?". Eu pegava esse ônibus fazia anos e nunca me sentara. Quase desejei que Vladimir Stanislávski passasse de carro e me oferecesse uma carona. Ele frequentemente fazia isso à noite, mas eu sempre dizia não. Olhava direto para a frente para que ele não soubesse que eu sabia que ele me seguia até o ponto de ônibus, e então ele ia atrás do veículo para verificar se eu havia chegado bem em casa.

Uma vez, quando queria me sentar à beira-mar e olhar as ondas, aceitei seu convite. Dirigimos até uma praia deserta e ficamos sentados na areia, olhando o horizonte. Ele segurou minha mão. Eu não contei a ninguém.

Suspirei. No meu ponto, parei e olhei para os prédios altos sob a luz da lua. Se Will viesse, era isso que ele veria — lápides saindo da terra. Eu não queria isso. Ocorreu-me que, entre os meus empregos e os agradecimentos por ajudar a passar carregamentos pela alfândega, eu juntara quase o suficiente para comprar um apartamento no centro. O pensamento me entusiasmou. Eu passara a odiar nosso prédio. Havia até momentos em que passara a odiar minha vida, apesar de sufocar esses sentimentos dentro de mim.

O estacionamento estava lotado. O carro de Harmon estava estacionado na calçada bem em frente à porta. Ele havia mencionado que seria conveniente se Olga morasse com ele. Havia até apostas sobre em que dia ela se mudaria. Vita e Vera haviam escolhido a sexta-feira seguinte. Eu escolhera dois meses depois. Olhei para o seu apartamento. As luzes ainda estavam acesas. Suspirei e entrei na tumba cinza, me arrastando escada acima.

Como sempre, Boba abriu a última das fechaduras. Ela pegou minha bolsa e deslizou meu blazer para fora dos meus ombros. Jane me disse que nos Estados Unidos havia muitas crianças que chegavam do colégio e encontravam uma casa vazia. Eu sentia pena dessas crianças, que não sabiam como era ser recebido por uma avó amorosa.

— Uma garota tão trabalhadora — ela falou com um sorriso. — Fiz um prato especial para o seu jantar.

— Você sempre me mima, Boba. Obrigada — eu disse, e beijei sua bochecha.

— Faz séculos que não vemos Olga.

Eu me abaixei para tirar os sapatos de salto.

— Ela está ocupada.

— Provavelmente encontrou outro pato para depenar — Boba resmungou.

Então ela ouvira os boatos sobre Harmon.

Minha avó me acompanhou até a cozinha e abriu a torneira para que eu pudesse lavar as mãos antes do jantar. Puxou o pano de prato do ombro e eu o usei como toalha de rosto. Enquanto comia pimentões vermelhos assados e kasha, Boba me bombardeava de perguntas. Ela estava fascinada com as sociais — nós certamente não tínhamos nada parecido antes da perestroika. Se alguém tivesse me dito que no futuro os homens poderiam escolher uma noiva em um catálogo, eu teria mandado parar de beber tanta vodca caseira.

Boba não tinha nenhum respeito pelos homens odessanos mas, à noite, assistindo a filmes norte-americanos com suas casas lindas e finais felizes, enquanto esperava eu voltar para casa, ela ficou com a impressão de que os homens nos Estados Unidos eram trabalhadores e sérios. Esperava que um estrangeiro rico e culto se apaixonasse por mim e me levasse para sua mansão à beira-mar.

— *Nu?* — ela perguntou. — Conheceu alguém bom?

— Boba, quantas vezes tenho que lhe dizer que estou lá para ajudar as outras garotas a encontrarem um marido, não para encontrar um para mim?

— Não custa procurar — ela disse.

— Você sabe que eu tenho namorado. Nós nos correspondemos pelo computador.

— Com-pu-ta-dor — ela desdenhou. — Como isso pode dar certo?

Podia dar bastante certo. Will de Albuquerque escreveu que não poderia vir afinal, e se eu queria ir visitá-lo. *Sim! Sim! Sim!*, eu escrevi. *É meu sonho ir aos Estados Unidos! Eu adoraria conhecê-lo!*

Fiquei zanzando pelo escritório até Harmon tentar me espantar como uma mosca.

Agora que ele não me perseguia mais, eu me vi sentindo falta de nossas conversas na sala de reuniões quando não havia luz. Ninguém nunca me exasperara tanto quanto Harmon, mas ninguém além de Boba confiara em mim como ele — eu era a única pessoa em Odessa que tinha as chaves de nossos escritórios e do apartamento dele. Ele me dera as duas no primeiro mês. Nem Olga as tinha. Apesar de eu não ter respeitado o acordo inicial, ele ainda mandava entregar comida dos nossos carregamentos no meu apartamento. Boba nunca comera tão bem em toda a sua vida — apesar de termos um pouco de dinheiro agora, ela se recusava a gastá-lo em luxos como morangos fora da estação. Eu estava aliviada por ele estar com a Olga, por me deixar em paz. Ainda assim, eu me sentia triste. Com certeza era por ter perdido a amizade de Olga.

— Merda! Merda! Merda!

Ouvi algo se espatifar contra a parede no escritório de Harmon e cair no chão.

— Para que ter um telefone de última geração se as linhas telefônicas são uma merda? Eu não acredito neste lugar! Preciso ter uma conferência telefônica e não consigo ouvir porcaria nenhuma!

Entrei na ponta dos pés para ver o estrago. O telefone estava aos pedaços no parquê. Harmon estava sentado à sua mesa, os ombros caídos, o rosto enterrado nas mãos. Fiquei assustada ao vê-lo assim. Saí de costas.

Em um dia normal, ele parecia invencível. Talvez porque seu peito arredondado o fizesse parecer autoritário e forte. Talvez porque sua aparência — terno caro, mãos macias, cabelo grosso perfeitamente penteado — indicasse que ele não era um de nós. Diferentemente dos odessanos, que viam os preços do mercado subirem e seus salários congelarem, ele não tinha que se preocupar se seria pago no dia 30 deste mês ou do próximo, se havia racionamento de açúcar, se podia pagar pelo seu remédio. Tudo o que ele queria vinha em nossos navios. E, como eles, Harmon podia levantar âncora.

O que ele sabia sobre dificuldades?

— Café? — gritei da minha mesa, e então entrei novamente na sala e catei as pilhas e os pedaços de plástico.

Ele olhou para mim. Sua gravata estava torta; sua respiração, ofegante. A expressão em seu rosto... ele parecia querer gritar. Ou matar alguém. Ou berrar.

— É melhor um duplo — falou finalmente. As palavras saíram roucas, como um suspiro.

Eu sabia o que isso significava — e despejei um pouco de conhaque em ambas as xícaras.

Ficamos sentados na sala de reuniões como costumávamos fazer. Ele deu um gole e disse:

— A única coisa boa de morar em Odessa é que se pode tomar um drinque no trabalho e isso é totalmente compreensível. Na verdade, seria surpreendente se você *não* bebesse.

Eu ri.

— Com certeza não é a única coisa.

Ele olhou para mim.

— Não.

Seu olhar era ardente como costumava ser. Ele fechou os olhos e balançou a cabeça como se estivesse se lembrando de algo.

— Aquele escritor que você recomendou. Babel.

— O que achou? — perguntei, grata por estar de novo em terreno firme.

— Feroz. Meu Deus. "Só esqueça por um minuto que você tem óculos em seu nariz e outono em seu coração. Pare de ser durão à mesa e de gaguejar quando está lá fora. Imagine por um segundo que você arma um escândalo em lugares públicos e balbucia quando escreve... se cordas tivessem sido presas na terra e no céu, você as teria agarrado e puxado o céu até a terra. E o seu pai... No que um pai como ele pensa? Ele pensa em beber um copo de vodca, dar um tiro na cara feia de alguém e em seus cavalos. Nada mais. Você quer viver, mas ele o faz morrer vinte vezes por dia. O que você faria?"

Eu só olhei para ele. É assim que nós odessanos nos divertimos — uma piada inteligente, um fragmento de poesia, uma passagem de prosa. É fácil e natural para nós. Recitar textos em frente a uma turma impaciente é uma técnica de aprendizado. Ainda me lembro de poemas que decorei quando tinha 8 anos. Mas nunca esperei que meu chefe citasse Babel.

— "Você quer viver, mas ele o faz morrer vinte vezes por dia." Este é o meu pai. — Harmon parecia amargo. E desencorajado. Como um verdadeiro odessano.

* * *

Depois de um ano trabalhando para Harmon e economizando quase todos os copeques, eu finalmente tinha o suficiente para comprar um apartamento no centro para mim e Boba, depois de vender o nosso no bairro dormitório. Não foi difícil encontrar um, com tantos judeus emigrando para a Alemanha e Israel. A maioria estava feliz em deixar suas vidas e suas casas em Odessa para trás. Nosso novo apartamento tinha um quarto, piso de parquê, pé-direito alto e janelas grandes. Uma pessoa se sente melhor quando mora em meio à beleza.

Eu adorava estar mais perto do parque Shevchenko e do mar, e era libertador ser capaz de andar para o trabalho em vez de pegar o transporte público. Alguns de nossos ônibus vinham do Ocidente, onde haviam sido aposentados por causa de vazamentos de combustível ou problemas mecânicos. Frequentemente passageiros vomitavam ou desmaiavam porque os vapores se infiltravam no interior do ônibus. Asfixiados pela miséria. Os veículos decrépitos se arrastavam pelas ruas sem manutenção. O tempo de viagem era longo. Mas o trajeto não era o único motivo pelo qual eu estava feliz em deixar o nosso prédio. Eu estava feliz porque não teria mais esperanças de que Olga nos visitasse. Aqui eu sabia que ela não viria.

Boba e eu havíamos encaixotado as revistas de moda da minha mãe, toalhas finas, uma escova com seu cabelo aninhado nas cerdas. Basicamente, tudo o que a mamãe havia tocado. Tínhamos tão poucas fotos dela! Eu as coloquei na minha bolsa para que não se perdessem. Tirei as pequenas telas que Olga me dera da parede e as embrulhei em lençóis. Segui o curso de seu desenvolvimento — de desenhos no ensino médio ao surrealismo neoclássico e ao kitsch gótico. Encontrei um livro que eu havia lhe dado há cinco anos. Como sempre, havíamos trocado presentes um dia antes da véspera do Ano-Novo. Ela me deu uma pintura de 5 por 5 centímetros. Eu lhe dei um livro cheio de fotos da Albânia. Ela deu uma olhada nele e o jogou na minha cabeça. Eu me abaixei. Ele ricocheteou na cadeira e caiu no chão.

— Pare de me dar essas merdas de livros!

Quem podia culpá-la? Crescendo na União Soviética, todo Ano-Novo, todo aniversário, todo Dia Internacional da Mulher, eu dava e recebia livros. Se você não tinha dinheiro e vivia em um país onde as prateleiras das lojas estavam vazias, o que mais podia comprar? Livros eram baratos e abundantes.

Se não era possível deixar o país, não importa o quanto ansiasse fugir, o que você podia fazer? Como podia viajar? Através dos livros. É por isso que os odessanos começam quase todas as frases com "Eu li que..." ou "Aparentemente...". Não podíamos ir a lugar algum, mas podíamos ler. *Eu li que a Bíblia é uma tradução de uma tradução de uma tradução, então ninguém pode ter certeza de que as histórias são precisas. Aparentemente, Sófia logo será a nova Paris. De acordo com uma pesquisa, Edgar Allan Poe é o poeta morto mais famoso de todos os tempos.* Ainda assim, nossas estantes estavam repletas de romances que não tínhamos tempo de ler, ambientados em países que nunca veríamos. O único estado para o qual podíamos viajar era o da ironia. Para nos afastarmos da função de sonhar com viagens e ansiá-las, fazíamos piadas. Transformamos Odessa na capital do humor da antiga União Soviética.

Coloquei o livro sobre a Albânia na mudança, além de tantas outras coisas que deveria ter deixado para trás.

Em nosso novo bairro, os prédios só tinham cinco andares. O nosso era pintado de amarelo toscana. Essa cor cálida, acrescentada às trepadeiras de glicínias e a uma pequena fonte dos desejos, tornava o pátio interno convidativo. O apartamento novo era perto de tudo — do meu trabalho, do mercado principal, da policlínica, da praia, das amigas de Boba. Talvez eu estivesse inconscientemente planejando minha partida ao fazer com que fosse mais fácil para minha avó viver sem mim. Fiquei imaginando como as coisas seriam com Will. Nós tínhamos um quarto para ele, se ele mudasse de ideia quanto a vir para Odessa. Não contei para Boba que ele queria que eu fosse visitá-lo. Como eu sentia falta de Olga. Queria contar a ela tudo sobre Will, e que eu ia visitá-lo nos Estados Unidos. Pedir seu conselho sobre como redecorar nosso novo apartamento. Dividir minha alegria com uma amiga. Eu tinha feito uma grande besteira em apresentá-la a Harmon. Sem Olga, não havia ninguém com quem compartilhar as novidades.

Eu sabia que Boba ficaria feliz por mim quando Will mandasse a passagem. Ela dizia que eu devia ir para o estrangeiro e me encorajava a encontrar um homem nas sociais. Ela queria que eu me casasse e tivesse filhos e sabia que em Odessa isso seria impossível — que homem iria querer uma mulher que trabalha mais e ganha mais do que ele? Talvez um ocidental não se incomodasse, mas um odessano se incomodaria.

Olga não ia ao escritório fazia três dias. Vita e Vera disseram que seus filhos estavam com catapora. Fiquei preocupada com as crianças, mas feliz por ela não poder vir. Harmon e eu trabalhamos lado a lado, fazendo mais em uma semana do que havíamos feito em um mês. A sensação foi boa.

Depois do trabalho, andei até a Uniões Soviéticas. Na frente do escritório, um homem magro, vestido de preto, estava encostado em um Mercedes. Eu esperava que o carro fosse da Grande Dama, mas temia que os Stanislávski tivessem finalmente ouvido falar a respeito de suas transações matrimoniais e quisessem sua injusta parte. Algo me disse que, mesmo que pudesse comprar um carro novo, ela não teria um motorista/guarda-costas com uma Kalashnikov.

Quando entrei, vi três irmãos de cabelo escuro com óculos de sol de grife e casacos longos de cashmere idênticos. Vlad era o mais alto e mais bonito. O irmão do meio era passável e o mais novo era feio e, como minha Boba diria, estava longe de ser a faca mais afiada na gaveta. A Grande Dama estava atrás da mesa, retorcendo as mãos.

Tentei ir até ela, mas Vlad estava no caminho.

— Você é como um espantalho em um campo de melões — eu sibilei.

Ele sorriu. Eu franzi o cenho, o que o fez dar um sorriso largo. Ele realmente era incorrigível.

— Quer dar uma volta na praia? — ele sussurrou.

— Nós já fizemos isso. — Eu estava com Will agora. Will que me convidara para ir aos Estados Unidos.

— Isso foi há meses — ele protestou.

Aquele dia fora divino. Mas, também, qualquer passeio pelo mar Negro é soberbo. O bater suave da água, crianças construindo castelos de areia, babushkas vendendo *boobliki*, os navios ao longe. A vida.

Meus saltos haviam afundado na areia, então tivemos que andar devagar. É claro que à beira-mar se respira mais profundamente. Relaxa, baixa guarda. Quando sua manga roça a dele, manda uma descarga elétrica pelo seu braço acima, direto para seu coração. Você deixa que isso aconteça de novo e de novo, imaginando se ele também o sente. Tentei ignorá-lo, mas era difícil. Algo em mim reagia a ele. Charme letal, beleza letal para o meu coração. Eu não podia evitar a maneira como me sentia, a maneira como ele me fazia sentir, mas podia esconder meus sentimentos para que ninguém — especialmente ele — soubesse que eles existiam.

— Boa-tarde, cavalheiros — falei enquanto passava por Vlad para ficar ao lado de Valentina Borisovna. — Procurando esposas? Temos uma ótima seleção.

Olhei para Valentina Borisovna, mas podia sentir os olhos dele em mim.

— Daria, você conhece esses homens? — ela perguntou, obviamente surpresa.

— Eles também vão à firma de transportes marítimos para pegar o "aluguel" — eu sussurrei.

— O Sr. Harmon sabe que você trabalha aqui? — o mais novo perguntou.

Eu podia ver o pedantezinho tentando me ameaçar com isso.

— É claro — menti. Teria que contar a Harmon no dia seguinte, antes que ele descobrisse por outra pessoa. Eu me encolhi quando pensei em sua reação. Os gritos e a linguagem profana. As acusações de lealdade dividida. Eu esperava que ele não me demitisse.

— Sinto muito, cavalheiros — a pobre Valentina Borisovna gaguejou — mas eu simplesmente não posso deixá-los introduzir... damas da noite em minhas sociais. Tenho uma reputação ilibada no exterior e não quero manchá-la.

Os homens não se moveram ou mudaram de expressão, mas o aposento estava carregado de ameaça. Proprietários de negócios que contrariaram os Stanislávskis haviam aparecido mortos. Um dos colegas de Harmon — um estrangeiro que não conhecia os nossos costumes — havia lhes dito para "cair fora" quando vieram pela primeira vez ao nosso escritório. No dia seguinte, Harmon o encontrara vivo, mas irreconhecível. Um helicóptero viera e o levara para tratamento em Viena. Harmon nunca descreveu o que fizeram com o homem, mas nossa faxineira disse que levou dias para remover o sangue do escritório dele, que se tornou um depósito grande e praticamente vazio. Eu não queria imaginar o que eles fariam se ela os recusasse.

— Valentina Borisovna, é uma ideia genial e certamente animará as noites chatas.

Ela olhou para mim como se tivesse crescido um nariz grande e vermelho como o de Yeltsin no meu rosto.

— Ouça Daria, Valentina Borisovna — Vlad disse. — Ela entende de negócios. É uma moça muito inteligente. Você tem sorte em tê-la por aqui.

As palavras dele me advertiram.

Resignada, ela entregou o dinheiro e o cronograma das três sociais seguintes.

Depois que eles saíram, a Grande Dama se sentou em sua cadeira e começou a chorar.

— Pronto, pronto — falei, ficando atrás dela e dando tapinhas em seu ombro. Cantei o mantra ucraniano: — Vai ficar tudo bem. Vamos pensar em alguma coisa.

— Mas em quê? As coisas estão indo tão bem — ela fungou em seu lenço. — Não quero que nossas meninas se misturem com garotas de programa! Alguns dos homens que foram às sociais de Moscou e São Petersburgo disseram que eu tinha as meninas mais bonitas, de melhor qualidade. Melhores do que em Moscou! Você percebe? Agora está tudo perdido!

— Vai ficar tudo bem — eu repeti, quer acreditasse nisso ou não.

— Daria, eu não me surpreenderia se você encontrasse uma forma de nos livrar desse desastre. Você é tão inteligente, aposto que nunca teve que subornar seu professor na universidade para conseguir seu diploma.

— Realmente, é um belo elogio — eu falei, e nós duas rimos. É claro que ela estava errada. Os professores se recusavam a corrigir as provas se os alunos não enfiassem uma nota de 20 dólares entre a primeira e a segunda páginas. Todo mundo tinha que pagar "taxa de leitura", apesar de os burros e preguiçosos terem que pagar um pouco mais. Não fiz meu mestrado em engenharia, eu podia ter pagado a mensalidade, mas não as "taxas".

— Você não queria me mostrar alguma coisa? — perguntei.

— O técnico finalmente terminou — ela disse.

Ela ligou o computador e abriu o site da Uniões Soviéticas. A página apresentava closes de moças recatadas — uma loura com maçãs do rosto tão duras que podiam cortar vidro, uma morena com olhos brilhantes cor de avelã — assim como algumas fotos de corpo inteiro tiradas nas sociais. As mulheres pareciam modelos, altas, flexíveis, sexies. Observando melhor, vi que uma delas era eu.

— Valentina Borisovna! Como pôde? Você sabe que tenho namorado — *e ele me convidou para ir aos Estados Unidos,* pensei. Eu não pude conter um sorriso e tive que passar os braços em volta do corpo para conter meu entusiasmo. Eu adorava esses momentos em que eu ficava feliz, até mesmo leviana, e podia me imaginar deixando todos os meus problemas para trás.

— Volte para a terra, querida! Tem mais. — Ela deu uma pequena sacudida no meu ombro. — Para onde você vai quando está fora do ar?

Eu dei de ombros e relutantemente voltei das nuvens. Continuamos a olhar o site juntas. Era impressionante. Além das meninas, havia links para os famosos hotéis Krasnaia e Londonskaia, uma lista de restaurantes e fotos da praia, do teatro da ópera, da feira de artesanato e da filarmônica. Como algumas das mulheres que tentaram conseguir o visto de noiva e tiveram seu pedido negado, a Grande Dama me pediu para pesquisar o processo. Ela vendia um pacote completo de informações para conseguir um "visto de namorada", desde os formulários (tanto o G-325A quanto o I-129F, que não deve ser confundido com o I-129, sem F) e taxas (no momento, de 95 dólares). O pacote também listava os requisitos, incluindo fotografias coloridas de ambos os requerentes, formas de estabelecer provas de que o casal havia se conhecido e uma amostra da declaração escrita pelo requerente norte-americano. *Conheci Julia por meio da Uniões Soviéticas, uma agência de encontros séria sediada em Odessa. Julia e eu nos correspondemos durante três meses antes de eu viajar para encontrá-la. Ela está planejando me visitar nos Estados Unidos e espero que nos casemos lá. Em meus arquivos, por favor, vejam as fotos minhas e de Julia na praia, na casa dela com seus pais e na social da Uniões Soviéticas.* Etc. etc. etc.

Tudo no site era escrito em inglês. Parecia tão profissional. Na seção "Sobre nós" havia uma foto grande de Valentina Borisovna que era mais refeita do que retocada. Desci o cursor até a sua biografia, um parágrafo sobre seu desejo de que todo mundo encontrasse o amor verdadeiro e de unir almas solitárias. Logo abaixo estava a minha foto e o título "vice-presidente". Meus olhos ficaram cheios d'água.

— Brava, brava — eu falei.

Ela me abraçou.

Ainda assim, eu não podia deixar de me preocupar com a nossa social seguinte. O que iria acontecer? Mafiosos só traziam problemas. Naquela noite, adormeci pensando em Will nos Estados Unidos e no quanto seria emocionante ir até lá, mas sonhei com Vladimir Stanislávski.

Capítulo 6

FIZ CAFÉ, LIGUEI MEU COMPUTADOR e li os faxes que haviam chegado — o tempo todo imaginando como dizer a Harmon que estava trabalhando na Uniões Soviéticas. O quanto ficaria zangado? Como sempre, ele estava atrasado. Fiquei remoendo minha consciência culpada. Arrumei minha mesa e a sala de reuniões. Até coloquei em ordem os documentos na mesa dele. Onde ele estava? Parecia que sempre que eu queria um momento de privacidade, ele estava ali, olhando por cima do meu ombro. Mas quando eu realmente precisava dele, ele me dava um perdido (adoro essa expressão).

Verifiquei meu e-mail; havia uma mensagem de Will.

"Querida Daria, Este é o e-mail mais difícil que já tive que escrever. A verdade é que encontrei seu equivalente norte-americano e decidi me casar com ela. Sei que você ficará feliz por nós. Nós dois lhe desejamos o melhor. Beijos, Will."

Com a boca ligeiramente aberta, fiquei olhando para as palavras até o descanso de tela as transformar em um cardume de peixes desenhados nadando em um mar de mentira. "Estados Unidos", sussurrei. Será que algum dia eu iria até lá? Minha garganta se contraiu e lágrimas brotaram. Eu engoli o choro. E engoli de novo. Virei a cabeça para cima e olhei para o teto para que as lágrimas não caíssem. *Por favor, não deixe que ninguém me veja chateada. Respire. Só respire.* Tentei inalar profundamente, mas o ar ia e vinha em brechas entrecortadas.

Eu não tinha amado Will. Eu gostava dele. Fora gratificante pensar que um homem articulado e não alcoólatra estava interessado em mim.

Mais do que isso, ele era a linha tênue entre mim e a solidão. Eu disse a mim mesma que nunca havíamos nos encontrado, que ele era só uma invenção do meu computador. Mas essa verdade não eliminou meus sentimentos de mágoa e decepção. Fiquei surpresa com a dor no meu peito. Ouvi Boba me dizendo para procurar algo pelo qual ser grata. Levou tempo, mas encontrei. Eu não dissera a ninguém que estava indo para os Estados Unidos. Que vergonha seria dizer às pessoas que a viagem fora cancelada.

Apaguei todos os e-mails que Will mandara. Pronto. Era como se ele não existisse. Olhei na caixa de entrada, ainda cheia de mensagens de Jane e de meus colegas da ARGONAUT. Que vingança. Erradicá-lo da minha caixa de e-mails não me fez sentir melhor. Eu ainda me sentia triste, rejeitada e a um milhão de quilômetros dos Estados Unidos. Eu nem havia percebido o quanto contava com Will, com a viagem para os Estados Unidos, até ela ter sido tomada de mim. Eu fora fiel, mal olhava para os homens nas sociais, pensava nele. Aparentemente ele não fora tão fiel. Os homens desaparecem. Quantas vezes Boba me dissera isso? Por que eu havia pensado que um norte-americano seria diferente?

De repente, contar a Harmon que eu tinha um segundo emprego não parecia um grande problema. O dia não podia ficar pior. Eu não sabia o que fazer e me dirigi para a cozinha. Preparei um chá de camomila. Infelizmente e como sempre, o cômodo não estava vazio.

— Chá de ervas? — Vita falou. — Problemas de estômago?

— Problemas de família? — Vera perguntou. — Não, espere. Isso não é possível, você nem tem namorado.

Strike-struck-struck.[1]

— Cala a boca, sua carcaça sifilítica — eu disse a Vera, e saí a passos largos.

— O que há com ela? — ouvi Vita perguntar.

De volta ao meu local de trabalho, reguei minha palmeira pela terceira vez em uma semana. Olhei pela janela, esperando ver Harmon. Ele provavelmente também desapareceria. Nada o prendia em Odessa. Eu

[1] Atingir-atingiu-atingido. (*N. da T.*)

me sentei e puxei uma folha de papel. *Querida Jane*, comecei. E não parei até ter coberto os dois lados com meus pensamentos piegas e sentimentos ridículos.

Quando Harmon entrou calmamente, deu uma olhada em mim e perguntou:

— Qual é o problema?

— Tenho algo para lhe contar — disse, levantando a cabeça para olhar para ele. — Para complementar minha renda, tenho trabalhado na Uniões Soviéticas.

Prendi a respiração e esperei a reação dele. Até me encolhi, pensando em como ele ia gritar.

Em vez disso, ele deu um sorrisinho.

— A agência de encontros?

Assenti, ainda esperando pelo pior.

Ele caiu na gargalhada. Na gargalhada!

— O que é tão engraçado? — perguntei.

— A ironia — ele tentou respirar. — Aqui você trabalha com importações. Lá você lida com exportações.

Eu me senti ao mesmo tempo ofendida e aliviada. Ele bateu com a mão na coxa e repetiu:

— Importações, exportações.

E continuou a rir — uma risada calorosa e sincera, que me fez rir também. Ele realmente começava a pensar como um odessano. Olhei para ele, para os olhos alegres, seus lábios curvados em um sorriso, seu pescoço macio emoldurado por sua camisa branca. E, de uma hora para outra, ele passou a ser bonito para mim novamente.

— O que faz com seu tempo livre não é da minha conta.

Eu havia me esquecido que agora estávamos vivendo uma nova história, na qual eu podia fazer o que quisesse.

— Só me prometa que não vai se meter com aqueles perdedores — ele falou. — Deve haver algo errado com eles se não conseguem encontrar namoradas em casa.

— Não tem perigo — eu disse, pensando em Will.

Meu tom de voz deve ter dado alguma pista, porque ele me deu um tapinha sem jeito nas costas.

— Você é uma moça incrível. Algum dia vai encontrar um homem digno de você — falou, antes de se instalar em sua sala.

Dediquei o restante da manhã a esquecer Will e encontrar uma solução para o problema dos Stanislávski. Ou tentei fazer isso. Barulhos estranhos vinham da sala de Harmon.

— Bah! Bah!

— O que foi? — perguntei, enfiando a cabeça pela abertura da porta.

— Este negócio — ele disse em um tom de voz desgostoso, fazendo um gesto para o computador. — É igual a você! Ele tem vontade própria.

Na verdade, eu estava feliz por Harmon estar tendo dificuldades técnicas. Era engraçado, e, sinceramente, era bom ser necessária. Dei a volta em sua mesa para olhar o monitor. Cliquei o mouse algumas vezes.

— Quando ele congela assim, é só desligar e ligar de novo.

Dez minutos depois, ele me chamou a sua sala de novo. Não conseguia abrir o Word. Coloquei uma das mãos em seu ombro, a outra no mouse e expliquei novamente o conceito do clique duplo. Ele sorriu para mim. Eu sorri também.

E foi exatamente assim que Olga nos encontrou.

Harmon e eu dissemos olá, ele em inglês, eu em russo, mas ela não respondeu.

Tentei de novo:

— Que bom ver você, Olga. Foi à exposição Vigée-LeBrun?

Nada.

— Todos os retratos que ela fez da coleção imperial do Hermitage estão no museu...

Ainda nada.

Fiquei ereta e voltei para a minha mesa. Ela bateu a porta atrás de mim. O que é claro, não abafou em nada os gritos:

— Eu nao gostar. Ela má, Daria ruim. Ela vai. Eu fica. Ela vai.

Ouvi a voz grave de Harmon acalmando-a. Quando ela riu, foi como uma britadeira aguda em meu crânio. Eu me esgueirei para fora do escritório e me dirigi para a Uniões Soviéticas. Durante o almoço, contei a Valentina sobre a deserção de Will. Ela abriu o cofre e puxou uma garrafa de *kognac* para fora.

— Que vá com Deus — falou. — Você consegue coisa melhor. Agora vai experimentar o programa de compatibilidade?

Eu zombei; ela riu.

Quando voltei para a firma de transportes marítimos, Olga já tinha ido embora, mas Harmon estava rondando minha mesa. Ele limpou a garganta e olhou para o chão.

— Eu, hmm, tenho algo a lhe dizer.

Eu engoli em seco. Será que a guilhotina estava prestes a cair?

— Quero que comece a se vestir de forma mais conservadora. Você sabe, gola alta, calças baggy.

O alívio logo foi substituído pela raiva. Cruzei os braços e levantei a voz.

— Minhas roupas não são nem justas nem reveladoras. São totalmente adequadas ao mundo dos negócios.

— Eu sei, eu sei. Você sempre está fantástica. Quer dizer, adequada. Mas sabe como são as outras mulheres. Elas ficam com ciúmes.

Senti minha boca se apertar e mal consegui pronunciar as palavras.

— As outras mulheres ou a outra mulher?

Silêncio.

Eu tinha minha resposta.

— Aquela bruxa — resmunguei em russo.

— O que disse?

— O senhor não é idiota. Use a imaginação. E desde quando ela manda no senhor? Ou em mim?

— Ela está com ciúmes. Fica sentada sozinha em casa o dia inteiro, imaginando coisas.

— Isso é culpa de quem? Ela podia arrumar um emprego ou demitir a babá e tomar conta das três crianças que trouxe a este mundo. — Em cada palavra minha voz ficava mais cortante. Eu não podia evitar. Trabalhei *duro* para manter esse emprego. Eu havia feito tudo: me submetido aos flertes de Harmon, lidado com fofocas prejudiciais no escritório, enfrentado um ataque físico e encontrado um osso novo para o cachorro velho. E agora a amante dele queria me dar ordens? Até parece! Decidi ficar cismada o resto do dia. Olhei para minha palmeira, mas meus olhos focalizaram as barras que cobriam as janelas. Tem que haver uma forma de sair desta prisão, pensei comigo mesma.

Depois de preparar uma bandeja com biscoitos e café exatamente do jeito que eu gosto — duas colheres de açúcar e um pouco de leite quente —, ele me perguntou sobre Boba. Isso normalmente era mais do que o suficiente para me persuadir a deixar minha irritação de lado. Quando viu que eu ainda estava zangada, ele magnanimamente disse que ia escrever o relatório semanal de logística sozinho (algo que devia fazer sempre e que eu acabava fazendo por ele). Fiquei apenas olhando para ele de pé em frente à minha mesa, mudando o peso de um pé para o outro, passando os dedos por cima da mão, tentando descobrir o que mais podia dizer. Ao olhar para minha testa franzida e meu maxilar projetado, ele percebeu que não chegaria a lugar algum e sabiamente encerrou seu expediente. Já foi tarde. "O trabalho da égua é mais fácil quando o fazendeiro salta da carroça", eu gritei, para ninguém em particular.

Tomei um gole de café au lait, me permitindo esse prazer. Ele fazia o melhor café.

Às 17 horas, eu saí do trabalho. Vera correu atrás de mim e disse:

— Você perdeu!

— O quê? — eu perguntei.

— A aposta do escritório! Sobre Olga ir morar com o Sr. Harmon. Eu ganhei! Apostei no dia 15!

— Como você sabe? Ele não me disse nada.

Ela deu um sorrisinho.

— Você acha que ele diz tudo para a secretária? Eu o ouvi conversando com meu chefe. Você estava completamente errada.

— Parabéns — falei amargamente, e entreguei o dinheiro.

Depois do trabalho, fui para o trabalho. Valentina Borisovna tinha um litro de vodca em sua mesa e um saco de gelo na cabeça. Ela suspirou e virou uma dose. Eu estava preocupada por ela ter passado do conhaque para algo mais forte.

— Os Stanislávski passaram aqui — ela disse.

— Sei que está com medo, mas qualquer um pode passar por essas portas — eu a lembrei gentilmente.

Imediatamente, ela se recuperou e a Grande Dama estava de volta. Em Odessa, a ilusão é tudo. Ela tirou seu pó compacto Chanel falsificado da bolsa Louis Vuitton falsificada, retocou a maquiagem e colocou a vodca de volta no cofre. Só havia 30 dólares em dinheiro e fotos de seus netos lá dentro. Qualquer coisa de valor ela enfiava em seu sutiã à prova de balas. Ela colocou os óculos cor-de-rosa de novo e olhou para mim.

— O que podemos fazer? — Ela cobriu o rosto com as mãos gordinhas de unhas feitas.

— Tenho uma ideia.

Ela ergueu o rosto para mim. Seus olhos azuis se estreitaram.

Nesse exato momento, duas garotas com suéteres felpudos de angorá entraram e perguntaram quanto custavam nossos serviços. A Grande Dama colou um sorriso no rosto e recitou sua lenga-lenga para elas.

— Nós fazemos os homens pagarem. Experimentem! O que vocês têm a perder? Os norte-americanos são mais ricos e mais estáveis do que qualquer homem que possam encontrar em Odessa.

Aproveitando a deixa, eu lhes entreguei formulários. Nome, graduação, estado civil. Gostos, aversões. Idade, profissão etc.

— E se eu for casada? — uma perguntou.

— Escreva divorciada — a Grande Dama aconselhou.

Enquanto elas preenchiam os formulários, sussurrei o plano no ouvido de Valentina Borisovna. Ela ergueu os olhos para mim sem acreditar.

— Vai funcionar, você vai ver — eu falei.

— Espero que esteja certa.

Quando as mulheres me entregaram seus formulários, digitei seus perfis no programa. "Vika, 25, natural de Odessa, gosta de jogar tênis e dar longos passeios românticos. Procura um homem atlético que queira construir família."

A Grande Dama tirou fotos delas (se uma garota era gordinha, ela tirava uma foto de rosto. Se fosse esbelta como Vika, a foto revelava o corpo). Agradecemos a elas por escolherem a Uniões Soviéticas e lhes entregamos a lista dos eventos seguintes.

Depois que foram embora, continuei a conversa como se não tivéssemos sido interrompidas.

— Lidei com a máfia por mais de um ano na empresa de transportes marítimos. Não se pode enfrentá-los, só contorná-los. Acredite em mim. — Ainda assim, eu estava nervosa e esperava que, se Vlad descobrisse nosso estratagema, ele só ficasse irritado, não furioso.

Ela assentiu.

— Enquanto isso, Daria, nossas meninas têm que parecer impecáveis em comparação às prostitutas. Nós vamos ter que chamá-las e explicar. — É claro que quando Valentina disse "nós" ela queria dizer "você".

— Explicar o quê? — perguntei.

— Que temos um avião cheio de homens ricos e *conservadores* chegando.

Liguei para o primeiro número da nossa lista.

— Irina? É a Daria. Ouça, este fim de semana temos um grupo de cavalheiros bastante ricos e tradicionais. Achei que deveria avisá-la... Sim, sim, Irina. Você tem toda razão, roupas conservadoras, maquiagem natural. Garota esperta. Vejo você na sexta.

— Só faltam 199 — Valentina Borisovna falou.

Suspirei e tirei os sapatos. Achei que em breve Harmon ia querer que eu começasse a usar sapatos ortopédicos. E por que não rolos no cabelo? Droga. Aquele homem. E Vladimir Stanislávski não era melhor.

Vendo que meu dia tinha sido tão bom quanto o dela, Valentina Borisovna discou a combinação do cofre e tirou a garrafa de novo.

— A acontecimentos inesperados e desastres atenuantes.

— A acontecimentos atenuantes e desastres inesperados — eu completei, e viramos as doses.

Liguei para o segundo número.

— Alô, Sveta? Daria. É para lhe dizer que temos um grande número de mórmons que comparecerão à próxima social... Você pode querer usar menos maquiagem e mais roupa, só isso... Não, não, não estou lhe dizendo o que fazer. Você é adulta. É só que... não queremos que ninguém a confunda com uma piranha.

Valentina Borisovna deu uma gargalhada alta ao ouvir isso, mas a número 2 não achou graça.

— Vai se foder — ela disse, e bateu o telefone.

— Você liga para a número 3 — eu disse.

— Vera? Verotchka, ouça...

Estávamos tão preocupadas com as mulheres que eu havia me esquecido que precisávamos dizer algo para os norte-americanos. A maioria havia chegado alguns dias antes, e, se eles haviam explorado a cidade, mesmo que só um pouco, tinham visto prostitutas em frente aos hotéis e à *vauxhall* — a estação de trem. O que dizer?

Servi mais duas doses. Vladimir Stanislávski podia fazer uma mulher beber.

Fiquei aliviada por termos que passar a noite toda ao telefone, pois assim Valentina Borisovna não podia me mostrar seu novo programa de encontros informatizado. Eu precisava de uma folga dos homens.

Na noite da social seguinte, reuni todos os 47 norte-americanos no salão de baile. Verifiquei o microfone e limpei minha garganta.

— Cavalheiros, bem-vindos à ensolarada Odessa. Os senhores passaram um ou dois dias em nossa bela cidade e viram que temos um pequeno problema com... damas da noite.

Eles assentiram.

— Infelizmente, a polícia manda agentes vestidas de forma provocante às nossas sociais para apanhar os estrangeiros. Por favor, não caiam nessa armadilha. Se forem abordados por uma "agente disfarçada", simplesmente se afastem. Acreditem, vocês não iriam gostar das prisões ucranianas.

Eles riram nervosamente. Eu esperava que meu aviso funcionasse.

Quando nossas garotas entraram, a maioria delas parecia tão pura quanto virgens do campo, o que só fazia as prostitutas se destacarem em suas botas gastas na altura das coxas, lingerie barata e maquiagem excessiva. Cada uma estava marcada com olhos duros e amargura. Como um

Mercedes ou um Rolex, elas pertenciam à máfia, mas não eram tão bem tratadas. Eu não culpava essas moças, tinha pena delas, pois não eram como as vagabundas da transportadora, que dormiam com seus chefes e tentavam criar problemas para o restante de nós. Elas lutavam por suas vidas. Imaginei que haviam vendido seus objetos de valor primeiro — um chapéu de marta, uma colher de servir de prata —, exibindo-os em cima de uma toalhinha no chão no mercado. Aí foram os objetos de pouco valor — livros, bugigangas soviéticas, um brinquedo sujo de infância. Sem ter mais nada, venderam a única coisa que restava: o corpo.

No começo, as prostitutas ficaram encostadas na parede, certas de que os clientes iriam até elas. Pareceram surpresas com o fato de que, por mais de uma hora, os homens ficaram com as moças recatadas. Garotas como Sveta, que não seguira nosso conselho e vestira uma minissaia e saltos muito altos, estavam tendo sérias dificuldades. Normalmente, com seu cabelo platinado, penteado alto e lábios brilhantes, Sveta era procurada para conversar imediatamente. Mas, naquela noite, quando ela se aproximava de um homem, ele se afastava. Oito vezes eu a vi avançar e o homem bater em retirada.

Ela veio até mim e disse:

— Daria, apesar de não valer nada dizer isto, sinto muito. Nunca pensei que... bem, eu deveria tê-la escutado. Você só estava tentando ajudar. — Ela olhou para as profissionais encostadas na parede e para sua própria roupa. Infelizmente, escolhera o mesmo sapato que uma das garotas de programa: sandálias prateadas brilhantes com borlas penduradas nos saltos de 12 centímetros.

— Não é tarde demais — eu disse a ela. — Lave o rosto no banheiro e tire esses sapatos.

Ela fez o que eu disse e teve mais sucesso. Um homem se referiu a ela como "minha princesa descalça". Valentina Borisovna balançou a cabeça com satisfação enquanto olhava para nossas modestas garotas.

— Ah, as castas são caçadas.

Depois de uma hora, as intrusas se aproximaram para abordar os homens, que repetiam a única palavra russa — além de "vodca" — que sabiam: "*Nyet, nyet, nyet.*"

Tanto as nossas garotas quanto as prostitutas ficaram impressionadas com o desinteresse dos homens quando solicitados, e formamos vários pares naquela noite. É uma triste constatação sobre a sociedade quando um homem se torna herói simplesmente por dizer não para uma prostituta. Algumas delas pediram para virar clientes. Valentina Borisovna imediatamente lhes entregou os formulários para preencher. Confie nela para encontrar um modo de transformar a adversidade em vantagem.

Harmon e eu conhecíamos um ao outro de cor. Quando ele cantarolava, estava de ótimo humor, quando suspirava, precisava de chocolate amargo para manter a coragem. Eu sabia que ele odiava cenas, café barato e burocracia. Ele sabia que eu tinha meus humores e que, quando minhas sobrancelhas se juntavam como nuvens de tempestade, era melhor me deixar em paz. Ele sabia que a melhor hora para me convencer a realizar uma tarefa era após uma refeição, quando eu estava saciada.

Na segunda-feira, almoçamos à mesa da sala de reuniões: azeitonas, homus, arroz pilaf, pastinha de alho, dólmãs. O que ele queria? Ele ficou me olhando molhar o pão lavash na pasta cremosa que ele havia coberto com o azeite mais decadente. Ficou me olhando pegar cuidadosamente uma azeitona preta gorda. Fechei os olhos e a mordisquei. Suspirei e esqueci que ele queria alguma coisa. Ele nos serviu de mais uma taça de Bordeaux. Ele sabia de tudo a que eu não conseguia resistir.

Naquela tarde eu estava desatenta, minha barriga saciada de felicidade. Harmon usou isso a seu favor, perguntando:

— Onde alguém vai para comprar um anel em Odessa?

Eu lhe disse os nomes de uma casa de penhora e três joalheiros conhecidos por seu ouro de alta qualidade sem perceber que só havia um motivo para o qual ele precisaria de um anel. Harmon — este emprego — era a única garantia de segurança financeira que eu tinha. Eu devia ter protegido esse interesse da mesma forma que o governo soviético protegia a carcaça de Lenin.

Insensata.

Eu fora insensata

* * *

Quando cheguei ao escritório da Uniões Soviéticas, os Stanislávskis já estavam lá. *Win-won-won.*[1] A Grande Dama estava no modo de autoconfiança aprendido no Partido, com seu penteado louro fixado com laquê ainda mais alto do que o normal. Nos parapeitos compridos das janelas, suas samambaias e orquídeas estavam orvalhadas. Ela as borrifava e regava quando estava nervosa, e eu temia que tivéssemos muitos cadáveres de plantas nas mãos se os Stanislávskis começassem a nos visitar regularmente. Os dois mais jovens olhavam sérios para ela, como se ela estivesse falando sobre a cura do câncer ou a parte deles em nossos lucros. Vlad folheava um de nossos novos programas, inspecionando os rostos e estatísticas de nossas garotas.

— O que posso lhes dizer? — Valentina Borisovna ergueu os olhos para eles mal escondendo um sorrisinho. — Temos homens virtuosos que estão interessados em damas, não em vagabundas.

— Homens virtuosos não existem — disse Oleg, o mais novo.

— Certamente vocês cavalheiros percebem que nossos clientes vêm para encontrar uma esposa — eu completei. — Se quisessem uma prostituta, fariam um tour sexual pela Ásia. Eles optam por uma expedição matrimonial por um motivo. Escolher uma prostituta na frente de duzentas esposas em potencial não é uma boa tática.

Eles ficaram em silêncio por um momento.

— Podemos mandar as putas para os hotéis — Oleg sugeriu. — Elas podem descobrir em que quartos os norte-americanos estão e bater na porta. É isso que as putas fazem em Moscou. Serviço de quarto russo!

A Grande Dama se precipitou e eu lhe lancei um olhar para sufocar suas objeções. Se eles falassem sobre suas estratégias, nós poderíamos combatê-las.

Ao perceber que eu não me encolhera com suas ideias lascivas, Vlad largou o programa, tirou os óculos escuros e colocou seu rosto a um centímetro do meu. Nós éramos quase da mesma altura. Seu cabelo negro era penteado para trás com muitos produtos ocidentais, mas ele era bonito apesar disso.

---

[1] Vencer-venceu-vencido. (*N. da T.*)

— A foice encontra a pedra — ele falou, querendo dizer *Você encontrou o seu adversário.*

Eu me recusei a piscar ou a desviar o olhar. Minha impressão era que o ar entre nós chiava como piroshki na frigideira de Boba. Eu podia evitá-lo, dizer a mim mesma mil vezes que ele só estava interessado na caça, mas não podia deixar de pensar nele. Eu só podia esperar que ele não soubesse dos meus sentimentos.

— Tenho 30 anos, talvez esteja na hora de sossegar — ele disse. — Encontrar uma mulher. Quero que *você* encontre uma esposa adequada para mim.

Seus irmãos riram baixinho.

— O valor vai sair do dinheiro que damos a vocês — retruquei.

— É justo.

— Nosso mano vai usar ombreiras: as de Daria — Oleg falou.

Eu arfei e me afastei de Vlad. Essa frase desprezível se refere à posição sexual em que os tornozelos da mulher descansam nos ombros do homem.

— Esperem um minuto! — Valentina Borisovna gritou. Em seu ultraje, ela não se importou de estar lidando com assassinos. — Daria é uma garota bem criada e culta e eu insisto que ela seja tratada com respeito. Peça desculpas agora mesmo, seu pilantra!

Ela foi para o meu lado.

— Peça desculpas! — o irmão do meio repetiu enquanto olhava fixo para Oleg.

— Não vou pedir desculpas nem para a novilha, nem para a puta de estação de trem — Oleg disse.

— Ah! — Valentina Borisovna pousou as mãos protetoramente em torno dos meus ombros e enfiou meu rosto em seu peito, tentando me proteger da feiura. Nenhum homem jamais falara conosco desse modo. A Grande Dama e eu estávamos acostumadas a palavras galantes dos homens, mas gângsteres não respeitavam ninguém.

— O que há de errado com você? — o irmão do meio perguntou.

Vlad virou-se para Oleg e bateu na cara dele com tanta ferocidade que eu podia ter jurado que seu nariz não estava apenas jorrando sangue, ou quebrado, mas que, na realidade, estava côncavo.

— Vá para o inferno! — Oleg gritou enquanto levava a mão ao rosto. O sangue jorrou no tapete persa. Eu me agarrei no braço de Valentina, nunca esperando testemunhar tamanha violência. Ela falou o mantra "Vai ficar tudo bem, vai ficar tudo bem".

— Peço desculpas em nome do meu irmão — Vlad falou.

— Não é nada — Valentina tagarelou. — O sangue combina com o tapete. Ninguém vai perceber. — Ela o esfregou no tapete com seu escarpin cor-de-rosa. — Viu? Sem problema.

Vlad agarrou Oleg pela nuca e o empurrou porta afora.

Eu dei um passo à frente, querendo agradecer a ele por me defender, mas não sabia o que dizer. Em vez disso, projetei o queixo, coloquei as mãos nos quadris e pedi:

— Podem, por favor, mandar alguém para limpar a bagunça? — falei às suas costas.

Vlad olhou de volta para mim com um sorriso de lobo.

Depois que haviam saído de carro, Valentina Borisovna abriu o cofre. Nós duas nos sentamos.

— Vlad estava certo em disciplinar o irmão por tê-la insultado. Ele parece bem encantado por você. É possível que você esteja... flertando com ele? — Ela disse isso de uma forma não comprometedora, mas seus olhos se fixaram em mim como um vendedor do mercado em uma menina cigana.

Lutei contra o impulso de sorrir. Eu não sabia por quê, mas gostava de fazer Vlad passar momentos difíceis. Ele também parecia gostar. Valentina Borisovna procurou algo em sua bolsa e me entregou um livro que parecia ter sido lido mil vezes.

— Prometa-me que vai ler isso. Ele me ajudou a passar por três divórcios feios.

Olhei para o exemplar. Chamava-se *Mulheres inteligentes, escolhas insensatas*, do Dr. Connell Cowan.

Meia hora depois, uma mulher de meia-idade vestida de robe e de chinelos saltou do carro de Vlad. Quando ela entrou no escritório, olhou para o sangue na lateral da mesa e exclamou:

— O que aconteceu aqui?

— Vlad deu um soco em Oleg — Valentina Borisovna respondeu.

— Ele nunca fez isso antes — ela comentou, puxando um pano e um quadrado de lixívia do balde.

Valentina Borisovna explicou que Oleg fora *nogli*, uma palavra russa que combina grosso com idiota.

— Eu achava que nada podia ficar entre aqueles irmãos.

— E nada ficará — Valentina Borisovna falou. — Meninos são meninos, só isso.

Mas ela me olhou especulativamente. Eu disse que estava com dor de cabeça e fui para casa.

A Itália é famosa por sua máfia, mas a maioria das pessoas não percebe que a nossa é muito pior — e muito mais rica. Na Itália, há uma hierarquia, uma tradição, e a família conta. Na Ucrânia e na Rússia, onde dinheiro e oportunidades são novidades, não há hierarquia nem tradições e a família não conta muito. Nossos mafiosos têm casas pelo mundo inteiro, colecionam coisas como ovos Fabergé e B-52s e têm um estranho orgulho do quão rápido podem jogar dinheiro fora. Ao ler as notícias na internet, tive a impressão de que em outros países a máfia controlava a prostituição, jogos clandestinos e o tráfico de drogas. No entanto, em Odessa, ela controlava todo o comércio, não apenas os negócios ilegais. Talvez as condições de vida fossem ótimas em Kiev, onde todos os políticos e jornalistas estrangeiros trabalham, mas, fora da capital, se você queria aquecimento, eletricidade ou telefone, procurava a máfia. Se um médico precisava de suprimentos, ele procurava a máfia. De certo modo, os odessanos precisavam da máfia, que reconstruiu a infraestrutura da cidade — admito, a um custo alto —, mais do que precisavam do governo, um grupo de velhos comunistas cheios de si que enchiam os bolsos o mais rápido que podiam e, diferentemente da máfia, não davam nada em troca.

O que não quer dizer que a máfia não tivesse um lado negativo. Depois da perestroika, houve um período em que tiros partindo de carros em movimento eram comuns. Todos os *businessmen* precisavam de guarda-costas. Fora um pega para capar enquanto os mafiosos brigavam pelo poder. As coisas estavam mais calmas agora, uma vez que muitos dos competidores haviam levado tiros, fugido do país com seus ganhos ilegais, morrido de overdose ou se tornado políticos. Vlad havia se coroado rei de Odessa. E parecia que ouviríamos falar muito dele.

Nunca fiquei tão feliz por encontrar Boba no vão da porta de nosso apartamento. Ela deve ter ouvido eu me arrastando escada acima.

— Ah, Boba! — eu a abracei. Ela tinha cheiro de biscoitos de açúcar fresquinhos. — Estou tão feliz por estar em casa. — Tirei os sapatos e os chutei para baixo da mesa do saguão e entreguei a ela meu casaco e minha pasta. As coisas que eu normalmente contaria para Olga, eu contei para Boba sem pensar; os acontecimentos da semana saíram aos borbotões da minha boca. — Tomei um fora do meu namorado virtual. Olga está tentando me expulsar do trabalho e Harmon é tão submisso que é capaz de aceitar. Houve uma briga no escritório da Uniões Soviéticas. E, para completar, aquele gângster Vladimir Stanislávski quer que arrumemos uma namorada para ele. Será que ele saberia como tratar uma dama? Aposto que só esteve com vadias!

Boba colocou minha mão entre as suas.

— As coisas importantes primeiro, Dasha. Você já jantou?

Eu estava chateada demais para comer. Boba me levou para a cozinha, me fez sentar à mesa e me deu um pão preto para fatiar. Ela acendeu duas bocas do fogão para esquentar a panela de borsht e a outra de caviar de berinjela, e sentou-se.

— Agora me conte tudo.

Quando expliquei sobre Will, Boba reagiu exatamente como eu achei que reagiria: ela culpou A Maldição.

— Aquela outra mulher o roubou! Por que nunca podemos ser felizes? É a maldição, a maldição, eu estou dizendo.

— É mais provável que ele tenha recebido mais carinho de uma mulher de verdade do que pelo computador. — Suspirei

Toda vez que algo dava errado, Boba começava a falar que era amaldiçoada. A Maldição fazia com que leite que parecia perfeitamente bom no mercado ficasse azedo assim que cruzava o vão da nossa porta. A Maldição era responsável por bebês chorarem, relógios pararem e homens irem embora. A Maldição governara a minha vida. Quando eu tomava um fora, ficava gripada ou tirava uma nota ruim, obviamente era a Maldição.

Nem Boba nem mamãe jamais disseram por que éramos amaldiçoadas. Será que a nossa família era mais amaldiçoada do que as outras? No nosso bairro, ninguém havia tido muita comida ou dinheiro.

— Fizemos alguma coisa terrível? — eu perguntara a Boba anos antes. Todo mundo sabe que, se você é amaldiçoado, é porque provocou isso. Ela desviou o olhar. — E então? — eu insisti. — O que nós fizemos?

Ela não admitiu nada, disse apenas:

— Nós nascemos aqui. É maldição suficiente.

Pensei em Will, em como eu quase tinha ido para os Estados Unidos, em como a miragem fora real para mim. As lágrimas encheram meus olhos. Boba olhou para mim com perplexidade e disse:

— Sinto muito que você esteja triste, minha flor, mas não entendo como pode ficar chateada por perder algo que nunca viu ou tocou.

Eu só podia sorrir com a confusão dela. Ela nunca vira um computador, portanto não sabia como e-mail funcionava. Ela não sabia que eu ia para o trabalho na esperança de receber uma mensagem de Will. Ela não sabia como as cartas dele me deixavam feliz. Para mim, era real.

— Coma, criança, coma. Vai se sentir melhor.

Ela serviu duas tigelas fumegantes, cada uma com um bocado de creme fresco e um punhado de salsinha que ela plantava no parapeito da janela. Tinha um cheiro delicioso — como a primavera na dacha de nossa vizinha. Nós comemos em silêncio. É verdade que o borscht dela é uma forma de consolo.

Quando Boba perguntou sobre Olga, admiti que havia armado para ela ficar com o Sr. Harmon, que por sua vez a colocara no apartamento dele.

— Ela mudou, Boba. É minha culpa, mas ela mudou. Ela se tornou tão ciumenta que o Sr. Harmon me pediu para usar calças baggy e golas altas em vez das minhas roupas de sempre. Ela me ignora há meses.

— Não pode conversar com ela?

— Eu tentei. Mas a única coisa que conta para ela agora é dinheiro.

— Tente falar com Olga de novo — ela aconselhou. — Talvez ela mude de ideia.

Concordei. Quando estava terminando, Boba inclinou a tigela para que eu pudesse pegar a última colherada.

— O que estava falando sobre os Stanislávski?

— O mais novo... foi grosseiro comigo. E Vlad deu um soco nele para me defender.

— Você trata Vladimir Stanislávski pelo primeiro nome?!

Ela parecia alarmada, então eu disse:

— Só às vezes. Quer dizer, eu não o chamo de nada.

Ela serviu o caviar de berinjela. Boba era uma cozinheira fantástica, no entanto, eu nunca aprendi a cozinhar. As amigas dela achavam estranho, mas Boba disse a todas, em um tom de voz rude, que eu estivera ocupada demais com meus estudos. Para ser sincera, eu nunca cozinhara espaguete ou fizera um omelete. O que eu faria sem minha Boba?

Naquela noite, no meu quarto, preparei uma lista de coisas a fazer:

1) Encontrar uma namorada para Vlad.

2) Advertir os norte-americanos para não abrirem a porta quando as prostitutas baterem.

3) Confrontar Olga.

Confrontar Olga e dizer o quê a ela? Eu tentara fazer com que Olga conversasse comigo quando ia ao escritório, apesar de não ter feito isso ultimamente por estar distraída com meu trabalho na Uniões Soviéticas. Talvez tivesse me deixado desviar do assunto porque não queria pensar no quanto doía perder uma amiga. Eu só tinha que tentar mais uma vez. Talvez, quando visse o quanto eu sentia falta dela, ela se compadecesse. Talvez ela estivesse envergonhada com o que se comprometera a fazer. Deus sabe que eu me sentia culpada por tê-la comprometido. Nós duas passáramos por dificuldades, mas ainda assim eu esperava que houvesse uma forma de continuarmos amigas. Pela primeira vez, eu rezei. *Por favor, Deus, não me deixe perder a Olga também.*

No trabalho, no dia seguinte, avisei o Sr. Harmon.

— Vou visitar Olga logo após o trabalho. Se não quiser interromper algo, é melhor trabalhar até tarde.

Traduzi documentos, enviei faxes para o escritório central em Haifa, tomei notas em uma reunião, tentei treinar Vita e Vera para usarem o Excel e corri para o cais para passar nossos carregamentos pela alfândega, o tempo todo pensando no que ia dizer para a Olga. *Think-thought-thought.*[1] *Tread-trod-trodden.*[2] Só quando terminei o dia de trabalho percebi que passara mais tempo pensando em Olga do que em Will e entendi que a dor — tão aguda e súbita — que eu sentira ontem era na verdade orgulho ferido.

Do cais, desci minha rua favorita em zigue-zague, passando por vendedores de flores que tentavam me persuadir "Senhorita, senhorita, compre as minhas flores!", por babushkas vendendo pães quentes pincelados de mel, por artistas de rua que vendiam retratos do nosso teatro, do mar Negro e de mulheres nuas em poses estranhas. Atravessei o pátio empoeirado do prédio recentemente reformado de Harmon, seu apartamento ficava no último andar. Subi as escadas, uma vez que alguém fizera xixi no elevador. Olga abriu a porta, esperando que fosse o Sr. Harmon, não eu. Vestia um negligée vermelho debruado de marabu branco. Ainda era a garota bonita e mignon que eu conhecia, mas seus olhos pareciam diferentes, de certa forma.

Mais duros. Mais frios. Distantes.

— Vou só pegar meu robe — disse Olga. E saiu a passos largos. Ela não me convidou para entrar, então permaneci no saguão. Se Olga ainda me considerasse sua amiga, ela teria me convidado para tomar um chá na cozinha. Nenhuma mulher em Odessa deixa alguém esperando no corredor. Todo mundo tem um par extra de *tapochki*, chinelos, para seu convidado usar, para que se sinta em casa, como um membro da família.

Dei uma espiada na sala de estar, que fora completamente refeita desde a última vez em que eu estivera ali. Harmon dera preferência a paredes escuras e móveis de couro preto, enquanto Olga preferia papel

---

[1] Pensar-pensou-pensado. (*N. da T.*)

[2] Trilhar-trilhou-trilhado. (*N. da T.*)

de parede cor-de-rosa e sofás vermelhos. *Bend-bent-bent.*[1] *Bind-bouna-bound.*[2] *Break-broke-broken.*[3]

— Precisamos conversar — falei em voz alta. Minha voz ecoou nos aposentos grandes do apartamento.

— Não tenho nada para dizer a você — disse Olga quando voltou em um robe surrado de algodão que deve ter guardado de sua vida anterior.

— Olga, Olga, nós costumávamos ser tão amigas — falei no meu tom de voz mais gentil e suave. — Boba e eu tomávamos conta dos seus filhos. Você vinha tomar chá o tempo todo. Boba disse que sente muita falta de ver você.

Vi a sombra de um sorriso cruzar seu rosto, mas a expressão fechada voltou rapidamente.

— Está zangada comigo, então? — perguntei, olhando para os meus sapatos. Se ela estava infeliz, era minha culpa. Eu havia pensado que, com os problemas financeiros dela, Harmon seria uma solução; admito, uma na qual eu não queria tomar parte.

— Eu só fico com muito ciúme.

— Mas, Olga, por quê? Você *sabe* que eu fugi dele durante um ano.

— Ah, você acha que é boa demais para ele?

— Não, Olga, não. — Obviamente, essa era uma discussão que eu não ganharia, então me concentrei nos pontos fortes dele. — O Sr. Harmon claramente gosta de você. Veja tudo o que fez por você: contratou uma babá para que você possa pintar, deixou-a redecorar o apartamento dele ao seu gosto, pagou por um guarda-roupa novo. Desde que você entrou na vida dele, ele não teve outra mulher. Confie em mim, eu saberia. Eu cuido dos livros.

Ela suspirou.

— Ele vive dizendo o quanto você é inteligente e engraçada. — A forma como ela cruzou os braços me lembrou uma criança de 5 anos deixada de fora da brincadeira no jardim de infância.

---

[1] Dobrar-dobrou-dobrado. (*N. da T.*)

[2] Amarrar-amarrou-amarrado. (*N. da T.*)

[3] Quebrar-quebrou-quebrado. (*N. da T.*)

Então isso era tudo culpa do Sr. Harmon.

— Ele não fala por mal — eu disse. — Ele acha que você está interessada porque nós costumávamos ser... porque somos amigas.

— Estou cansada de competir com você — ela falou, sua voz endurecendo. — Sei o quanto é esperta. — Soava como um elogio, mas não era. Em russo, esperto com frequência era usado em conjunção com outra palavra: judeu. Nesse contexto, esperta não significava inteligente. Significava ardilosa.

Competir comigo? Esperta? Eu não sabia direito o que fazer ou dizer. Olga resolveu meu problema. Ela esticou a mão atrás de mim, abriu a porta e me empurrou para fora. Os olhos que uma vez haviam brilhado com humor e amizade agora queimavam de raiva. Seu robe se abriu e mostrou seu negligée cafona e seu peito arfante. Ela zombou de mim enquanto eu permanecia boquiaberta, com meus dedos agarrados uns aos outros como se precisassem tocar em algo sólido, já que minha amizade com Olga parecia se desintegrar diante dos meus olhos.

— Eu não preciso mais de você. Vou me livrar de você nem que seja a última coisa que eu faça, sua maldita judia — ela sibilou, e bateu a porta na minha cara.

Capítulo 7

NAQUELA NOITE EU NÃO DORMI. Só fiquei me revirando e revendo meu relacionamento com Olga repetidamente em minha cabeça. Como podia ter sido tão cega? Eu a amara e pensara que ela gostava de mim. Havíamos partilhado tanta coisa. As mesmas sapatilhas de balé, as mesmas aulas, as mesmas esperanças de amor. Quantas vezes eu a havia ajudado com seu dever de casa? Quantas horas passara com seus filhos? Quantos chinelos Boba tricotara para eles? Eu achava que ela era minha amiga. Mas então, conforme refleti cuidadosamente, vi que quando éramos estudantes ela mal falava comigo na aula. Só passava tempo comigo depois das aulas em nosso apartamento, onde ninguém podia ver, enquanto copiava meu dever de casa. Mais tarde, à noite, ela não vinha para conversar. Ela vinha para comer. Quando eu lhe contava meus problemas, ela nunca me apoiava. Seus conselhos eram mais prejudiciais do que úteis. Quando lhe contei sobre a perseguição de Harmon, sua resposta foi "Pague!". Quem aconselharia uma amiga de verdade dessa maneira? Por que eu não percebera isso antes? Eu me odiei por ter sido tão cega. Havia muitas interpretações de suas palavras e ações, mas eu sempre lhe dera o benefício da dúvida. Sempre tivera fé nela.

Eu finalmente entendia por que Boba negara sua fé — porque ela estava cansada de perder. Perder não por causa de algo que fez ou disse, mas por causa de algo que ela era. Como eu podia dizer à Boba que havíamos perdido de novo?

No café da manhã do dia seguinte, fiquei pensando no que fazer. Boba estava sentada com seu robe azul-claro; eu vestia meu terno cinza com uma gola alta por baixo, atendendo ao pedido de Harmon. Harmon. Ele devia saber a verdade sobre Olga. Sim. Isso resolveria o placar. Ela se arrependeria quando ele a jogasse na rua com uma mão na frente e outra atrás. Eu a imaginei sem um copeque na rua e me senti melhor. Até ver seus três filhinhos sentados no meio-fio com ela.

— Você parece cansada, minha flor.

Tentei sorrir. Devia contar a Boba? Eu tinha que contar a alguém. Enquanto bebia o restante do meu café, descrevi o confronto. Boba só sacudiu a cabeça.

— É por isso que você tem que ir embora de Odessa — ela disse tristemente. — Zombou de mim quando eu disse para você encontrar um norte-americano, mas agora vê por que quero que encontre um homem que possa tirá-la deste mundo de dificuldades e ódio. Vivi toda a minha vida entre pessoas falsas como Olga, sem saber em quem confiar. Não quero que você viva assim. Eu a protegi de muitas coisas, mas não posso protegê-la de tudo. E de todos. E não vou estar aqui para sempre...

— Ah, Boba... — Eu a abracei, envolvendo meu corpo no dela. Não queria imaginar a vida sem ela.

Pela primeira vez em muito tempo, Harmon e eu tiramos juntos a pausa matinal para o café. Ficamos sentados na sala de reuniões e ele perguntou como fora "a conversa". Eu estava preparada para lhe contar a verdade, até mesmo saboreando isso, até olhar para o rosto dele — seus olhos cálidos, seu sorriso hesitante — e perceber que estava tão esperançoso quanto eu estivera de que a situação pudesse ser contornada. Eu me lembrei dos presentes que ele me dava e de como aturava meus humores. Não podia contar a ele.

— Ela não estava em casa. Vou tentar outra hora.

— Boa garota — ele falou, dando um tapinha sem jeito na minha mão.

Fui para o banheiro para poder chorar em paz.

Mais uma vez, reuni os norte-americanos no salão de baile. Dessa vez, eu lhes disse para não abrirem a porta de seus quartos de hotel para nenhuma mulher bonita que batesse, citando o pretexto das agentes disfarçadas novamente. Acrescentei uma dose de doenças venéreas pútridas para garantir.

O lado bom do confronto com Olga foi que isso evitou que eu pensasse a respeito de Vlad ir às sociais. Eu não via como poderíamos encontrar uma esposa para ele. Duvidava até que ele quisesse uma. Apesar de não querer pensar nele, *senti* o momento em que Vlad entrou no salão. Levantei o olhar e os olhos dele encontraram os meus. É claro que ele era elegante e jovem, falava russo e tinha um Rolex e um Mercedes, e por isso as Sereias traçaram uma reta até ele. Infelizmente, ele veio direto até mim. Eu estava trabalhando como intérprete para Alina, uma jovem e doce divorciada, e Jim, um físico de Nevada. Vlad ficou de pé ao meu lado em silêncio e observou.

— Você fica tão sexy quando fala inglês — Vlad me falou quando Alina e Jim foram para a pista de dança. — É claro que você também fica sexy quando fala russo. — Quando ele disse isso, seus lábios se curvaram em um sorriso gentil.

Ignorei os elogios o máximo possível e perguntei:

— Quer que o apresente a algumas garotas? Que tipo de esposa está procurando?

— Quero que ela seja inteligente, alta, capaz de falar inglês e hebraico, trabalhadora e incrivelmente sexy — ele respondeu.

— Vai falar sério? — eu perguntei.

— Ora, eu estou falando sério — ele retrucou, pegando minha mão.

Estremeci, e não sei se foi porque fiquei entusiasmada ou com medo.

Ou tive morte cerebral. As galinhas não se contorcem e tremem depois que suas cabeças são cortadas?

— Estou trabalhando — sibilei, e puxei minha mão da pegada quente dele. — Você é minha sombra! Não consigo me livrar de você. — Chamei uma das Sereias que esperavam nos bastidores — Tatiana, você conhece o Vlad?

Ela sabia que ele era rico e sorriu de forma insinuante para ele. Eu podia ver que isso dava nos nervos dele. Para ser sincera, fiquei surpresa por ele ter ficado irritado. Eu presumira que gostaria de atenção.

Tatiana já estivera em 15 sociais e ainda não havia encontrado um par.

— Nós normalmente temos uma boa renovação de estoque — disse Valentina Borisovna, claramente confusa. Tatiana era linda com seu cabelo grosso cor de avelã na altura dos ombros, nariz fino e lábios carnudos. Não se podia deixar de notar seus seios firmes, os mamilos castanhos eretos se projetando para fora sob sua blusa branca transparente. Infelizmente ela usava um perfume forte demais, provavelmente de um vidro que alguém havia usado e depois enchido de novo com repelente de mosquito (esse tipo de golpe acontece frequentemente em nosso mercado. Só porque a caixa diz "Chanel" não significa que seja).

— Vlad estava me dizendo que adora dançar — eu menti.

Ela agarrou a mão dele e o puxou na direção da pista de dança. Ele olhou furioso para mim e eu sorri alegremente de volta para ele. Tatiana pressionou o seu corpo no dele, mas os olhos de Vlad permaneceram frios e fixos em mim.

A Grande Dama percebeu o que estava acontecendo.

— Você tem que tomar cuidado, Daria.

— Como vou me livrar dele? — perguntei.

Ela sorriu.

— Tem certeza de que é isso que você quer?

Ela me conhecia muito bem. Vlad e eu ficamos olhando um para o outro enquanto ele dançava com Tatiana.

Nos momentos em que esquecia tudo o que sabia sobre ele, eu me sentia atraída. Ele vinha até o escritório da transportadora, sem os irmãos, só para dizer oi. Quando eu fingia estar irritada e perguntava o que ele estava fazendo ali, ele brincava, "Daria, eu sou o seu teto", o que significa proteção da máfia, mas também abrigo ou trégua. "É mais provável que seu teto tenha voado para longe", eu respondia, a forma odessana de dizer que alguém enlouqueceu, como a frase norte-americana "as luzes estão acesas, mas não tem ninguém em casa".

Gracejos odessanos. Inofensivos, mas ainda assim nada simples. Veja, se o inglês é direto, então o russo dá voltas. Em inglês, há um tratamento: *you*. Em russo, em todas as interações há uma escolha a ser feita: *vui* ou *tui*, formal ou informal, inimigo ou amigo, trabalho ou prazer, indiferença ou interesse, mais velha ou garota da mesma idade. Não ou sim. O formal estabelece distância e mantém o homem longe; usar o informal é como abrir uma fresta da porta. Eu sempre usava o formal com Vlad, pelo menos no começo. Mas ele brincava e sorria até eu escorregar e dizer *tui*. A expressão de prazer — o retorcer íntimo de seus lábios, a suavizada em seu olhar — era o suficiente para me fazer voltar em um pulo para o formal, para o papel de mulher mais velha. Eu cruzava os braços e dizia "O Sr. Harmon não está. Direi a ele que esteve aqui". Formal. Austero. Eu continuava empurrando-o para longe, ele continuava voltando. Ele iria desistir e ir embora em breve.

Vlad retornou quando a música acabou.

— Feliz? — ele perguntou, com um olhar de irritação no rosto.

— Estou fazendo o meu trabalho.

— Quer dançar? — ele perguntou. Isso é uma palavra só em russo. *Tantsouyesh*?

— *Tantsouyou* — respondi.

Ele colocou a palma da mão na parte de baixo das minhas costas e me guiou para a pista de dança. Era a primeira vez que eu dançava em uma social. "When a Man Loves a Woman", de Percy Sledge, começou a tocar. Depois que eu a tocara para Jane no meu antigo apartamento, ela explicara que é a música mais tocada nos supermercados norte-americanos porque fazia as mulheres comprarem mais. Confesso que, quando estava com os braços em volta do ombro de Vlad, eu teria comprado o que quer que ele estivesse vendendo. Ele segurou meus quadris entre suas mãos e eu me permiti derreter, só pelo tempo de uma música. Ele olhou nos meus olhos e eu vi uma sombra de sorriso cruzar seus lábios.

Quando a música terminou, procurei uma maneira de estragar o momento.

— Como está seu irmão?

— Bem... eu imagino. — Ele manteve as mãos nos meus quadris.

Intrigada, perguntei:

— Como assim?

— Eu o mandei para Irkutsk.

— O quê? Você mandou seu irmão para a Sibéria? — eu gritei.

– Ei! — ele protestou. — Irkutsk é a Paris da Sibéria.

— Espero que não o tenha mandado para lá por minha causa.

— Não gostei da forma como ele falou com você.

— Você mandou seu irmão para seis fusos horários de distância porque não gostou da forma como ele falou comigo? Está maluco?

— Eu não gostei da forma como ele falou com você — ele disse, passando o dedo pela minha bochecha.

Olhei para ele com a boca ligeiramente aberta.

— Ele pode cuidar dos interesses de nossa família lá — ele falou, e então me beijou, uma carícia suave e provocante.

— Você é louco. Podia ter qualquer mulher aqui. — Fiz um gesto para todas as garotas lindas. — Basta escolher uma.

— Eu já escolhi — ele retrucou.

Eu me afastei a passos largos, mas não cheguei muito longe. Valentina Borisovna fez um gesto para eu ir até ela.

— Então, veja, Valentina Borisovna — disse Katya, uma de nossas garotas mais doces. — Mick era meu par, e aquela vagabunda da Yelena o roubou.

— Deveriam mijar em cima deles de uma altura bem grande! Não há nenhuma lealdade! Você está melhor sem ele! — ela exclamou enquanto passava o braço em volta de Katya. — Com certeza há mais touros no pasto! Vá lá e encontre alguns. Daria ficará feliz em ajudar.

Varri o aposento com os olhos, mas Vlad tinha ido embora. Ótimo. Eu podia fazer meu trabalho em paz. Realizei meu trabalho de intérprete para Katya, Tanya, Irina, Masha e Natasha, e então fui a pé para casa. Boba me recebeu na porta e perguntou como fora minha noite. Eu não lhe contei sobre a minha dança com Vlad. Ela só ficaria preocupada.

Na manhã seguinte, Boba observou que eu estava bastante pensativa, e tentei sorrir.

— *Vsyo budyet khorosho* — ela falou. Vai ficar tudo bem.

Andei até o trabalho, evitando as rachaduras e as tampas de bueiro na calçada poeirenta. Na esquina antes do nosso escritório, vi uma aposentada usando uma echarpe berrante com um curativo no lóbulo da orelha. Ela estava sentada em um balde virado ao contrário, vendendo sementes de girassol em quadrados de jornal por alguns copeques a mais do que o valor atual no mercado. Quando eu lhe dei um dólar em vez de algumas moedas por um pacote, ela ficou felicíssima. Nossos pobres aposentados. Eu era jovem demais para entender a vida antes da perestroika, porque Boba me protegera da pior parte — as filas para comida, pessoas sendo presas, o constante Estado policial. Ela fazia com que parecesse um jogo. Quando eu fazia perguntas, ela dizia: "Sshhh. Até as bétulas têm ouvidos. Vamos contá-los." Nós tocávamos a casca e contávamos os olhos de ébano que olhavam para nós de todas as direções. Ainda assim, eu sentia que a vida pós-perestroika não era uma melhora para os idosos no país. A pensão mensal mal dava para aguentarem uma semana.

Os crimes eram numerosos e aposentados indefesos eram os primeiros a sofrer. Vi mais e mais velhinhas com curativos nos lóbulos. Delinquentes arrancavam os brincos de ouro — heranças que haviam sido passadas de mãe para filha — dos lóbulos das orelhas de babushkas enquanto elas andavam pela rua. Em plena luz do dia. Como os rapazes podiam ser tão cruéis?

Passei pelo segurança, andei até minha mesa, me sentei e comecei a ler os faxes enviados de Haifa. Harmon e Olga chegaram às 10 horas. Ele chegava cada vez mais tarde. Ela ficava cada vez mais tempo. Eu estava ficando cansada de dar cobertura a ele.

— Daria, deixe de ser tão preguiçosa e vá fazer um café para nós — disse Olga, em um tom de voz condescendente, enquanto roubava uma caixa de tachinhas da minha mesa. Era a primeira vez que eu a via desde que ela me botara para fora do seu apartamento, e era como se a estivesse vendo pela primeira vez, como uma estranha. Uma estranha sem coração. Ela não era minha amiga. Nunca fora minha amiga. Eu tentara fazer as pazes e aceitara a forma como me tratava porque me sentia culpada por tê-la apresentado a Harmon. Mas chega. Eu não a forçara. Ela havia tomado sua própria decisão. Pague? Pague você!

— Você sabe, ele também é judeu — eu falei.

— Escute, sua coisinha, no escuro os homens são todos iguais: uns merdas fracos que acham que rebolar a bunda faz deles grandes amantes.

Eu só olhei para ela, estupefata. Como podia tê-la considerado uma amiga?

— Vá pegar o café para mim!

Abaixei a cabeça e respondi, em russo:

— Sim, majestade.

— Ela grossa. Daria grossa — Olga disse, com um balbucio de bebê que Harmon parecia adorar.

Fui para a cozinha e descobri que alguém já havia feito café. O bule estava quase cheio, mas morno. Um anjo malvado sussurrou no meu ouvido e não pude resistir. Guerra. Se era isso que ela queria, era isso o que ela ia ter. Eu não ia simplesmente desistir. Desafivelei minha sandália, agarrei o bule e marchei de volta para a sala de reuniões onde Olga e Harmon estavam sentados. Assim que cheguei perto deles, tropecei e derramei o café todo no colo dela. Ela berrou, esperando que o café a queimasse.

— Ah, Olga — falei em inglês para Harmon entender. — Eu a queimei? Sou tão desastrada! A tira da minha sandália soltou. Me desculpe!

— Filha da puta suja de merda — ela disse em russo, em uma voz cantarolada, igualmente consciente da presença dele. Ela usou o lenço que ele ofereceu para limpar o café das pernas e da minissaia branca de couro. Quando ele teve certeza de que ela não havia se queimado, saiu para procurar a faxineira.

— Da próxima vez que mandar que eu a sirva, o café estará pelando de quente — falei para ela, chegando bem perto de seu rosto e me abaixando até atingir sua altura. — Não olhe para mim, não fale comigo. Não pegue nada na minha mesa, nem mesmo um lenço de papel, e pare de roubar os presentes que ganhei dos clientes. Se não me deixar em paz, vou contar a ele como você realmente se sente.

— Sua vaca! Você não ousaria. Vou fazer com que David a demita!

— Quero ver você tentar. Seu precioso David não consegue enviar um fax sem a minha ajuda — eu falei, e então engoli em seco. Por causa da confusão, eu não havia percebido o grande diamante no dedo dela.

Depois das 17 horas, fui trabalhar na Uniões Soviéticas. As pessoas que passavam olhavam para mim como se eu fosse um pouco perturbada e mantinham distância. Eu admito, estava resmungando para mim mesma, fazendo perguntas que haviam me incomodado a tarde toda. Que tipo de idiota se casa com a amante? Por que não percebi antes? O que eu ia fazer? Harmon realmente me demitiria? Será que eu deveria lhe contar a verdade? Ele ia me odiar?

Valentina Borisovna me esperava à sua mesa. Seu terno preto escondia uma enormidade de pecados. As pérolas cor-de-rosa que eram sua marca registrada em volta do pescoço não ajudavam em nada a desviar a atenção de seu decote.

— Ahh, Daria. Com o negócio dos Stanislávski, eu quase esqueci tudo a respeito do meu novo programa de compatibilidade. O técnico e eu colocamos seu perfil no computador e ele deu essas respostas. — Ela apontou para o monitor. Eu me sentei e olhei para as palavras sem realmente vê-las.

— Qual deles parece bom? — Valentina Borisovna perguntou enquanto mostrava uma foto depois da outra. — Steve, de Cincinnati? Billy, de Austin? Peyton, de New Hampshire? Nate, de Minnesota? James, de Seattle? Tristan, de São Francisco?

— Não me importa, Valentina Borisovna. Apenas escolha um — eu falei, olhando o desfile de fotos. — Espere! Você disse São Francisco? Jane me disse que o namorado dela mora lá.

— É, São Francisco, Califórnia. Eu gosto disso. Você é uma verdadeira odessana. Precisa do mar. É por isso que nunca teria dado certo com aquele Will. Onde ele morava? Em lugar algum, era lá que ele morava.

— Não importa para quem eu escreva. Não vai mudar nada.

— Querida, querida, você está destinada a coisas maiores e melhores. É inteligente, trabalhadora e culta. Vai encontrar o amor. Vai encontrar um marido e começar uma família. Só precisa ler isso. — Ela me entregou um livro chamado *Os sete segredos para atrair a felicidade*. O autor era um "guru tipo psicólogo" de Chicago, de acordo com a contracapa. — Os norte-americanos dão os melhores conselhos.

Mal registrei as palavras dela. Eu estava cansada, triste, perdida. Harmon contrataria Olga e me demitiria com tanta facilidade quanto havia dispensado o técnico de computador. Boba e eu ficaríamos na miséria novamente e seria por minha culpa, por eu ter desperdiçado a única segurança que tínhamos. Mordi o lábio para não chorar. São Francisco, com certeza. Nada do que eu fazia tinha importância.

Valentina Borisovna olhou para mim e não deve ter gostado do que viu, porque puxou a garrafa de *kognac* de emergência do cofre e serviu dois copos.

— *Za nas* — nós dissemos, e brindamos a nós.

— Conte tudo para a tia Valya — ela estimulou. Essa frase me fez saber que não havia problema em usar o tratamento informal com ela, que não era mais necessário usar seu patronímico. Eu me senti mais próxima dela, como se ela tivesse derrubado uma barreira entre nós, como se fôssemos amigas.

Engoli o *kognac*, usufruindo da sensação dele queimando minha garganta. Contei tudo a ela. Tudo. A primeira condição de Harmon. Meus dentes. Os avanços dele. O incidente. Como encontrei uma amante para ele. Como Olga deixou de ser uma russa servil e doce e se tornou uma megera. Como ela roubava coisas, como eu tentara conversar com ela, como ela ficava me dando ordens, como eu reagira. Como Harmon havia lhe dado um anel de diamantes. E então lhe contei sobre a gota d'água que fizera o vaso transbordar: ela me chamara de maldita judia.

Os olhos astutos da Valentina analisaram minha expressão facial. Ela ouviu tanto o que eu dizia quanto o que eu não dizia. Ficou em silêncio por um momento e então deu seu veredito:

— Você fez exatamente o que eu teria feito, o que qualquer mulher inteligente teria feito. Certa ou errada, quem sabe? Não há nada a ser repreendido, minha cara. Nadinha. — Aí ela riu e acrescentou. — O truque com o café foi inspirado! Talvez eu também tenha que usar essa advertência. Como adoraria ter visto o olhar na cara da Olga quando sua expressão mudou de medo de se queimar para raiva por ter sido enganada!

Fiquei aliviada por ela entender, mas olhei para a sobrevivente determinada que elogiava minha linha de defesa e ataque. Ela era uma cobra que trocava de pele quando precisava: fora comunista quando isso era necessário para sobreviver e agora se casara com a democracia porque permitia que ganhasse rios de dinheiro. Ela era ardilosa, sempre defendia seus interesses. Eu gostava dela, mas não queria ser igual. Nem um pouco.

Eu não ousava perguntar o que ela faria em seguida. Felizmente, ela me contou sua tática voluntariamente.

— Presumo que Harmon tenha filhos adultos. Dasha, você tem que ligar para eles e lhes dar os parabéns por sua nova madrasta. Eles ficarão muito felizes.

Naquela noite, Valentina ligou e disse que eu havia esquecido de pegar o e-mail de Tristan. Eu o anotei sem ter nenhuma intenção de contactá-lo.

— Prometa que vai fazer isso — Valentina insistiu. Fiquei imaginando se ela se sentia culpada pela minha servidão contratual e estava tentando arrumar um par para mim. — Para fins de pesquisa.

— Tudo bem. — Suspirei.

No trabalho, tive tempo suficiente para escrever para Tristan, já que Harmon estava mais de uma hora atrasado. De novo. Entrei no escritório dele, que era maior do que o meu. A mesa dele também era maior do que a minha. Sua cadeira também era mais confortável. Liguei seu computador. Pareceu correto me sentar à sua mesa. *Querido Tristan, obrigada por seu interesse na Uniões Soviéticas. Ficamos felizes que tenha nos escolhido, somos a principal agência de encontros da Ucrânia.* Reli as frases e sacudi a cabeça. Eu andava passando tempo demais fazendo RP para Valentina. Apaguei as letras e comecei de novo. *Querido Tristan, por que você não consegue arrumar uma garota em seu país?* Talvez a abordagem direta não fosse a melhor. Apertei a tecla backspace. *Meu nome é Daria. Eu trabalho como secretária* — secretária? Tradutora, técnica de informática, contadora e malabarista seria mais preciso — *e gosto de ir à praia no meu tempo livre.* Que tempo livre? Tentei pensar em outra coisa para escrever. *Write-wrote-writen.*[1] Minha vida parecia ridiculamente banal.

---

[1] Escrever-escreveu-escrito. *(N. da T.)*

Eu amo o mar...

O toque do telefone cortou meus pensamentos. Atendi a linha direta de Harmon sem pensar. Era o Sr. Kessler ligando de Haifa. Quando eu lhe disse que Harmon estava em uma reunião, ele pareceu cético. Ele ouvira essa desculpa de mim muitas vezes. Eu também usava "Ele está no cais" e "Ele está no médico". Não era criativa para inventar desculpas para o porquê de meu chefe estar ausente. Eu admirava o Sr. Kessler e odiava mentir para ele.

— Daria, você me diria se eu tivesse que substituir o David, não é?

Eu não falei nada. Em Odessa, nós não gostamos de mudanças. Algo sobre o diabo que você conhece ser melhor do que um novo.

— Daria? Há algo que você queira me contar?

Eu não disse nada.

— É tudo o que eu preciso saber — ele falou, e desligou o telefone.

Trinta minutos depois, Harmon entrou, assoviando e de bom humor. Olhei ameaçadoramente para ele, para que ele soubesse que eu estava zangada.

— O que há com você? — ele perguntou. — E por que está à minha mesa?

— Estou fazendo o seu trabalho; bem podia ficar com seu escritório. Não posso continuar fazendo isso. O Sr. Kessler vive ligando e nunca está aqui. Ele está desconfiado. Quando minto e digo que está em reunião, pode apostar que ele liga para Pavel e Yuri. Quando eles estão em seus escritórios, ele sabe que eu menti! Não posso continuar lhe dando cobertura.

— Bem, se essa é sua atitude desleal, talvez não devesse mais trabalhar aqui.

Eu paguei para ver.

— Talvez não devesse.

— De qualquer modo — ele falou —, eu estava querendo conversar com você. Kessler disse que os relatórios mensais têm chegado atrasados. O que tem a dizer sobre isso?

Então era assim. Ele me culparia por coisas que estavam além do meu controle. Ia me demitir e contratá-la. Andei até ele, até nossos rostos estarem a 5 centímetros de distância. Levei o dedo até o peito dele para que minhas palavras fossem bem entendidas.

— Vamos. Deixar. Uma. Coisa. Clara. Meu trabalho é gritar cocoricó. Não me culpe se o sol não se levanta.

— O que diabos isso quer dizer? — ele gritou em resposta.

— Quer dizer que não é minha culpa que a eletricidade caia a maior parte do tempo e que o correio seja lento. Eu fiz o meu trabalho e o seu. Não posso fazer nada se os documentos não chegam a Haifa a tempo.

Harmon não sabia o que dizer quanto a isso, e entrou na sala de reuniões. Verifiquei meu e-mail e vi que já tinha uma resposta de Tristan. *Querida Daria, fiquei muito feliz em receber seu e-mail. Vi sua foto no site. Você é linda. E inteligente! Não acredito que fala três idiomas. Você devia trabalhar na ONU!* Pelo menos alguém me admira, pensei, olhando fixamente na direção de Harmon. *Eu também amo o mar. Moro perto de São Francisco e acampo na praia sempre que possível. É claro que também adoro fazer trilha em Yosemite. É o lugar mais lindo do mundo, muito silencioso e tranquilo. Você ia gostar muito. E eu adoraria mostrá-lo a você.*

Talvez deva lhe contar um pouco sobre mim. Eu sou professor. Dou aula de ciências para crianças de 11 a 14 anos. Também sou chefe dos escoteiros e passo tempo ensinando meninos a fazer tudo, desde armar uma tenda a ajudá-los com suas aulas de segurança de caça. Como pode ver, gosto de ensinar e gosto de crianças.

Bem, isso era um grande ponto a favor dele.

Nunca fiz nada como isso antes...

Harmon entrou marchando em seu escritório para pegar uma pilha de arquivos.

— Você é a mulher mais irritante que já conheci.

— Não se pode quebrar uma parede com a testa — resmunguei para mim mesma. E para ele. Em outras palavras, não tente enfrentar pessoas teimosas. E também não seja teimoso.

Eu precisava ir embora desse escritório, ir embora de Odessa. E São Francisco de repente pareceu atraente. Escrevi uma resposta de imediato.

Uma hora depois, Harmon saiu da sala de reuniões como se nós não tivéssemos brigado e falou:

— Sabe, eu estava pensando que este lugar precisa de um algo a mais. Nunca achei que esta filial fosse durar mais do que um mês, então não me dei ao trabalho de decorar. Mas estamos aqui há bem mais de um ano agora. O que acha de arrumarmos uns quadros?

— Tudo bem — falei. Mais uma tarefa na minha lista. — Vou cuidar disso.

— Não, não, você está muito ocupada. Eu posso fazer.

Eu deveria ter sabido que Harmon tinha uma carta em sua manga Gucci. Ele nunca se oferecia para fazer nenhum trabalho extra. Ele nunca se oferecia para fazer nenhum trabalho, e ponto final. No dia seguinte, quando desci o corredor em direção a minha mesa, havia quadros cobrindo quase toda a parede. Ondas de amarelo por cima de azul e preto intitulado *Machucado*. Uma tela pintada em um só tom de azul chamada *Céu*. Eu não precisava ver a assinatura para saber que eram a explosão pós-moderna de Olga. Os preços estavam marcados em cartões enfiados entre as telas e as molduras: cem dólares, 75 dólares, 150 dólares. Exorbitante em um país onde o salário mensal médio era de 30 dólares.

Nós não falamos "exceder os limites" em russo. Nós dizemos "a última gota". Como a última gota d'água que faz o copo transbordar. Todo mundo tem um copo. A última gota veio quando levantei os olhos da minha mesa e vi a pintura de 8 por 8 de um grande salto agulha vermelho com alguém esmagado debaixo. Olhei mais de perto. Era eu embaixo do salto, esmigalhada como um cigarro. *Morte súbita*, por apenas 20 dólares. Aquela vaca. E Harmon. Como ele podia deixar que ela escapasse dessa? Fui para a cozinha para fugir da arte estragada. Os quadros ali eram igualmente feios, mas pelo menos eu não estava sendo assassinada neles. Esperei por Harmon. O copo havia transbordado.

Quando ele chegou, às 10 horas, estava com um sorriso largo.

— Bem, o que você acha? Esses quadros todos não animam o lugar?

— Viu o meu retrato? — Agarrei a gravata dele, puxei-o pelo corredor até meu escritório e apontei para o quadro ultrajante.

Ele apertou os olhos.

— Não é você.

— O diabo que não é — falei, usando uma frase que aprendera com o capitão de um de nossos navios. — Tire-o daí.

— Olga achou que ia gostar mais desse quadro e insistiu que o pendurássemos em frente à sua mesa.

— Não é preciso pensar muito para saber por quê

— Não é nada demais — ele disse.

— É fácil para o senhor dizer, não está sendo esmagado debaixo do sapato dela. É claro que, se ela pintasse o seu retrato, estaria debaixo do dedo dela.

— Já chega — ele rosnou. — O quadro fica. — Ele entrou na sala de reuniões e bateu a porta. Olhando em volta, percebi que estava cercada de fotos da Barbie e de buldogues e de quadros cafonas. Eu suspirei. Por que não podia ter só um dia comum e tedioso?

Quando a filha de Harmon, Melinda, ligou, alguns minutos depois, eu olhei para a tela *Morte súbita* em liquidação e não senti remorso em dizer:

— Ah, sim, seu pai está. Deixe-me ser a primeira a parabenizá-la... — Eu estava tão zangada que não pensei nas consequências. Eu só queria prejudicá-lo.

— Me parabenizar pelo quê? — ela perguntou.

— Ah, meu Deus — eu falei. — Seu pai não lhe contou que está noivo?

Quando ela começou a gritar, eu berrei:

— Harmon, telefone.

Apesar de na minha cabeça eu me referir a ele simplesmente como Harmon desde o incidente, esta era a primeira vez que ousava me dirigir a ele sem o título respeitoso de "senhor". Foi a primeira vez que saí do escritório antes do fim do dia. Também foi a primeira vez que dei um soco em uma obra de arte.

Eu não estava preocupada em ir trabalhar no dia seguinte. Sabia que Harmon não mencionaria sua filha ou o quadro — ele odiava confrontos mais do que minha Boba odiava poeira. Mas eu também sabia que meus dias estavam contados e que eu provavelmente dera início à contagem regressiva com aquela jogada idiota.

Pela primeira vez desde o dia depois do incidente, ele chegou antes de mim. Ele até fez café. Admirei esse gesto, principalmente porque sabia que, dos dois, era eu quem deveria ter feito a oferta de paz. Ele colocou o bule na bandeja junto com xícaras, colheres, bolo escocês e a tigela de açúcar e a carregou para a sala de reuniões. Sentou-se à cabeceira da mesa, e eu do seu lado direito.

Servi o café e esperei que ele falasse.

— Não a culpo por contar para Melinda que Olga e eu estamos noivos. Sinto não ter contado a você. Talvez você tenha sabido mesmo antes de mim.

— Eu vi o anel.

Era isso que eu quisera o tempo todo: Harmon comprometido com outra mulher. Então por que eu estava infeliz? Por causa do que Olga dissera? Porque ela nunca fora minha amiga? Porque eu estava com inveja? Inveja porque ela ia se casar e eu não?

— Obrigado por ter me apresentado à Olga. Eu gosto dela e de seus três filhos. — Ele olhou para dentro de sua xícara de porcelana importada da França. — Nem sempre facilitei as coisas para você. Principalmente no começo. Eu sinto muito. Por tudo.

Eu não sabia o que dizer. Não esperava que ele se desculpasse. Não esperava que realmente gostasse de Olga.

Ele continuou:

— Quero que saiba, sobre o que eu falei... — *Dormir comigo é a melhor parte do emprego.* As palavras ficaram no ar. — ... este não sou eu. Eu nunca disse nada parecido antes. É só que na minha primeira noite em Odessa, conheci um cara chamado Skelton e ele disse...

Suspirei. Skelton não. Qualquer um menos ele.

Tudo ficou claro. Odessa é como uma aldeia. Todo mundo conhece todo mundo. E toda aldeia tem um idiota. O nosso é Skelton, um ruivo falastrão, arruaceiro e de rosto vermelho, dono de um restaurante de comida Tex-Mex. Todo mundo com algum dinheiro ia lá — missionários, mafiosos, marinheiros, filhos adolescentes de Novos Russos. Juro que ele abriu o restaurante para poder cantar as garçonetes e as clientes. Sexta-feira era a noite da Miss Tex-Mex. Ele realmente fazia um concurso de beleza — as participantes eram quem quer que estivesse comendo lá. Skelton era um texano com uma visão distorcida da antiga União Soviética. É verdade que as mulheres dormiam com ele porque esperavam se casar com ele, mas isso acontece em todo lugar.

— Como pôde ter dado ouvidos ao Skelton? — gritei.

— Eu sei. Sei lá. Eu o conheci na minha primeira noite no cassino. Ele pareceu legal. Como se soubesse como as coisas aconteciam.

Cassino? Esse era só o eufemismo odessano para puteiro.

Eu podia imaginar a cena. Os dois homens, bêbados, olhando strippers girarem ao som de rock russo latejante. Harmon, o frágil recém-chegado, impressionado pelo exotismo de Odessa, incapaz de ler as placas na rua, de falar o idioma, de decifrar um cardápio, de pedir uma bebida. O carismático Skelton, o velho profissional, feliz em transmitir sua vasta experiência, dar conselhos pervertidos, pedir bastante bebida para Harmon, dar a ele a impressão errada sobre Odessa e seu povo. Eu podia vê-lo dizendo a Harmon que todas as mulheres eram fáceis, que elas *queriam* misturar negócios e prazer. Que este era um lugar onde se podia conseguir exatamente o que queria sem nem tentar.

— Bom, ele me disse...

— Não acredito que deu ouvidos a Skelton — falei. — Ele é um idiota. Você é um idiota!

— Eu sei disso.

— Ter sofrido influência de Skelton não é desculpa. Um homem na sua posição... o que fez... — Ninguém pode entender qual é a sensação, o que acontece quando se tem medo de ir trabalhar e de pedir demissão. Para que tentar explicar? Sacudi a cabeça.

— Sei disso. Não estou tentando inventar desculpas. Estou tentando dizer que eu estava errado. Ponto. Depois do que aconteceu, quando a magoei, achei que a melhor forma de provar que eu sentia muito era desistir inteiramente. Por isso ficava fora do escritório ou vinha com sua amiga Olga. Para mostrar que você estava segura. Para que você se sentisse confortável no trabalho.

— Está dizendo que começou a namorar Olga por mim?

— Bem, é. — Ele olhou para a janela, como se as respostas estivessem lá fora, na empoeirada Soviet Union Street. — Achei que era o que você queria, uma vez que a trouxe aqui. Mas agora...

Eu não queria ouvir o quanto ele a amava.

— Parabéns. Meus melhores votos para vocês dois — eu disse. As palavras queimaram minha boca. Ele ergueu os olhos do café. Eu continuei: — Eu também sinto muito. Pelo meu comportamento em relação à sua filha.

— Vou ter que ir a Haifa para resolver as coisas — ele admitiu.

— Já marquei a passagem.

— Sempre posso contar com você. — Quando ele pegou gentilmente minha mão, pareceu que alguém havia espremido meu coração.

Capítulo 8

Foi um dia de chegadas inesperadas. De manhã bem cedo, a filha de Harmon passou pela porta e ficou em pé na frente da minha mesa. Na minha cabeça, ela parecia uma punk rechonchuda, furiosa e sarcástica em roupas baggy pretas com cabelo verde em pé. Eu não gostava do fato de ela se referir a Odessa como a "favela" em que seu pai trabalhava. Odessa é uma das cidades mais lindas do mundo. Todo mundo sabe disso. Ela vinha visitar o pai por uma semana de vez em quando e era grosseira com todo mundo que aparecesse em seu caminho.

— Não está surpresa em me ver? — ela perguntou.

— Não muito — respondi. E voltei para meu relatório de logística.

— Vá pegar um espresso para mim — ela disse.

Mais uma que queria que eu pegasse café para ela.

— A cozinha fica no final do corredor. Sirva-se.

— Eu falei para pegar um espresso para mim.

O diretor estava parado no vão da porta e ficou observando Melinda. Depois da estranha conversa ao telefone na qual ele havia perguntado a respeito de Harmon, eu não deveria ter ficado surpresa em vê-lo. Ainda assim, fiquei. Em hebraico, que tem um som gutural e duro em uma bronca, o Sr. Kessler disse:

— Não gosto do jeito com que está falando com Daria. Se disser mais uma palavra, vou mandar a segurança expulsá-la.

Ela abriu a boca e então a fechou novamente, parecendo uma carpa gorda do mar Negro.

— Espere pelo seu pai no escritório — ele disse, dispensando-a.

— Obrigada — eu falei. — Café? Deus sabe que eu preciso de um.

Ele assentiu.

Quando voltei com a bandeja, ele estava olhando para as telas na sala de reuniões.

— Essa é realmente a arte mais feia que já vi na vida. De quem foi a ideia de pendurar toda essa merda?

Merda. A palavra perfeita. Balancei a cabeça, feliz por estarmos completamente de acordo.

— O Sr. Harmon só está fazendo sua parte para apoiar os artistas locais — murmurei.

Ele se sentou e tirou nossa papelada do armário.

— A desvantagem de se ter três livros em idiomas diferentes é que isso consome tempo; a vantagem é que o bandido comum ou funcionário do governo não sabe ler em hebraico — eu disse a ele com um sorriso.

— Dizem que a máfia aqui é pior do que em Nova York. Não tiveram nenhum problema?

Pessoal ou profissionalmente? Aqui ou na Uniões Soviéticas?

— Não. Os pagamentos não são tão altos e eles mantêm os *skinheads* afastados. Desde que divulgaram que nós estamos sob proteção, o escritório não recebeu tantas ameaças e não achamos mais nenhuma bomba. Odeio dizer isso, mas é um dinheiro bem gasto.

Ele deu uma olhada em seu relógio e limpou a garganta.

— Sei que esse é um assunto delicado, mas precisamos conversar sobre David.

Eu esperava que ele chegasse; já estava uma hora atrasado. E, mais uma vez, eu tinha que lhe dar cobertura. Comecei a ranger a dentadura, o que só serviu para me lembrar o quanto eu devia a ele. E eu não gostava de dever a ninguém. Por isso escolhi cuidadosamente minhas palavras.

— É verdade... que... ele tem estado um tanto... distraído. Mas como um homem que acabou de ficar noivo, não podemos culpá-lo.

Eu podia ver que o anúncio informal e minha defesa de Harmor surpreenderam o diretor. Talvez as notícias nupciais funcionassem a favor. Quem não quer acreditar em "felizes para sempre"? Talvez o diretor se lembrasse de mim em uma posição totalmente diferente em relação a Harmon e pensasse que se eu o defendia, então ele era defensável.

Harmon e Olga chegaram juntos, como sempre. Quando ela viu que eu não estava à minha mesa, falou:

— Daria má trabalhadora. Eu boa trabalhadora. Ela má. Ela vai, eu fico.

Revirei os olhos. Apesar das aulas diárias de inglês, o linguajar de Olga ainda continuava grosseiro como a arquitetura soviética. Mas enquanto ela tivesse um vocabulário limitado, não podia vir e pedir meu emprego.

Sem perceber minha presença e a do Sr. Kessler, o feliz casal entrou no escritório de Harmon, onde Melinda acalmava sua ira satânica.

— Papai, como pode se casar com essa piranha?

Fiquei feliz por Olga não poder entender o que era dito sobre ela. A filha de Harmon havia me chamado de piranha várias vezes e nunca era um prazer. Ela deve ter se jogado em cima dele, porque houve uma pancada surda e uma arfada de Harmon. Eu não podia culpar Melinda por querer o pai só para si.

— Imagino que seja tarde demais para escapar — o diretor observou ironicamente, e fechou a porta da sala de reuniões, o que não adiantou de quase nada para abafar a cena.

— Eu lhe disse ao telefone, querida, eu gosto da Olga — Harmon falou.

— Como pode dar um anel de noivado maior que o da mamãe a essa vaca? Você é só um velho tarado — Melinda soluçou.

— Olga me faz feliz. Você não quer que eu seja feliz?

— Nãoooooooo — ela gemeu, chorosa.

O que mais me surpreendeu durante toda essa altercação foi que Olga permaneceu calada. Eu esperava que ela também ficasse chorosa. Em vez disso, falou:

— Eu vou agora. Vocês conversam.

Sua graciosidade só me lembrou que meu papel nessa pequena trama era desprezível.

— Quanto tempo acha que ficaremos retidos aqui? — o Sr. Kessler perguntou.

Dei de ombros. Ele podia sair quando quisesse, era eu que estava presa ali. Minha pele tão quente, meu anseio tão feroz, meus dias tão longos. *Eu apoiei o cotovelo na janela, minha testa derretendo o vidro.* Eu estava exausta. Exausta da pobreza. Exausta da intriga. Exausta da manipulação. Exausta de trabalhar em dois empregos e nunca ver Boba. Exausta de ter que me lembrar constantemente de que eu era uma das pessoas com sorte, com um belo apartamento e um emprego que pagava bem. Porque ultimamente eu não me sentia sortuda. Nem um pouco. *Gotas de chuva cinza no vidro da janela.* Eu queria alguém em quem me apoiar, alguém forte para me proteger. Queria viver em um lugar onde as leis não fossem feitas pela máfia, onde policiais, professores e médicos não fossem corruptos, onde as pessoas tratassem umas às outras com dignidade e respeito. Seria possível existir um lugar assim?

De acordo com Tristan, da Califórnia, ele existia. Suas cartas me convenceram de que o mundo dele era mais gentil, mais suave. "A caminho do trabalho hoje de manhã, meu pneu furou. O primeiro carro que passou parou para ajudar. São coisas assim que me deixam feliz por viver onde vivo. Mas aposto que as pessoas também são gentis onde você vive. Pessoas são pessoas, certo?

"Neste fim de semana fui ao Parque Nacional de Yosemite. Já lhe falei sobre ele? Possui os maiores seres vivos — sequoias. Elas são tão grandes que há muito tempo um homem abriu um grande buraco na base de uma para que os carros pudessem passar. São tão altas que certamente devem tocar no céu." Adorei essa imagem de uma árvore tão alta que seus galhos faziam cócegas nos pés de Deus. Mas eu não acreditava que um carro pudesse passar através de uma árvore — isso é bobagem.

No começo, o que ele escrevia era leve e até mesmo superficial. Mas conforme o tempo passou, o tom mudou. "Foi um dia incrível em Yosemite. O cheiro fresco das folhas, a luz filtrada pelas árvores, mas eu só conseguia pensar em você. Você significa tanto para mim.

"Tenho 40 anos. Meus amigos todos são casados. Eles têm famílias e filhos quando voltam para casa. Da mesma forma que eles, eu quero alguém com quem dividir minha vida..."

Tristan estava se tornando querido para mim. Escrevi que esperava ansiosamente para ler suas cartas, que elas tornavam suportável ir para o escritório e que parecia que queríamos as mesmas coisas: amor, companheirismo, uma família. Perguntei se ele queria filhos. Depois que cliquei no botão de enviar, eu me repreendi e tentei recuperar a carta. Mas ela já se fora. Ele provavelmente pensou que eu era direta demais e era possível que nunca mais tivesse notícias dele. Ainda assim, eu verificava minha conta de e-mail a cada noventa segundos, esperando. Percebi que só uma fanática obsessiva faria isso, mas ainda assim eu não podia evitar. E não conseguia me concentrar em mais nada. Quando a resposta dele chegou, uma onda de alívio passou por mim.

> Querida Daria,
>
> Adoraria ter uma família e filhos, especialmente uma menininha que se parecesse com você.
>
> Com todo o meu amor,
>
> Tristan

Pela primeira vez, eu imprimi a carta dele. E acariciei as palavras.

Enquanto isso, Vlad se tornava cada vez mais persistente. Ele mandou entregar flores no escritório. Harmon disse que elas o deixavam com alergia, então eu as dei para Vita e Vera. Ele mandou chocolates, eu os dei para uma aposentada que pedia esmolas na rua. E então, joias. Mas, quando me olhei no espelho com a esmeralda de cinco quilates em volta do pescoço, lembrei a mim mesma que os mafiosos ofereciam joias da mesma maneira que as pessoas normais davam pastilhas de hortelã. Dei a pulseira de rubis para Valentina e a esmeralda para Boba.

Ele enfiava pedaços de papel debaixo do meu teclado e entre as pastas dos arquivos. Eu os encontrava em momentos inesperados do dia. Citações de Puchkin.

> Eu me lembro do mar antes da tormenta
> Como eu invejava as ondas

Correndo em sucessão turbulenta
Com amor para deitarem-se aos pés dela!
Como eu desejava então com as ondas
Tocar aqueles pés queridos com os lábios

Guardei os bilhetes dele debaixo do meu travesseiro.

Tristan escreveu: "O mais importante para mim é ter esposa e filhos. Mais do que tudo, eu quero uma família. Não preciso de toneladas de dinheiro ou de um carro esporte. Meu sonho é simples: quero amar e ser amado pela minha esposa e meus filhos. É cedo demais para falar assim? Eu deveria ter esperado?" Escrevi que partilhava de seu sonho. Eu queria uma casa que fosse minha e filhos — que mulher não quer? Hesitei em clicar no botão de enviar, pensando em Vlad. Mesmo que jamais admitisse isso em voz alta, eu gostava dele. Gostava muito dele. Ele era inteligente e bonito e eu me sentia tão... viva na presença dele. "Apaixonada", Jane diria. Mas Vlad às vezes desaparecia por longos períodos, e seu dinheiro era tão sujo quanto as ruas de Odessa. Ele certamente não seria um bom pai. E, se eu quisesse uma vida que não incluísse guarda-costas e sacos para cadáveres, o Tristan, meu professor da Califórnia, era a escolha mais inteligente.

Cliquei em enviar.

Não que sacos para cadáveres não tivessem seu encanto, pensei enquanto me sentava à minha mesa e preparava nosso relatório trimestral, ouvindo a voz de Harmon ao fundo encurralando colegas no corredor para coagi-los a comprar as ilusões de arte de Olga. Às vezes eu me sentia tentada a contar tudo a Vlad e deixar que ele lidasse com isso. Imaginei a pele azulada de Olga, olhos arregalados, marcas leves de estrangulamento em volta da garganta, um machucado sangrento na cabeça de Harmon no local onde ele fosse atingido com uma pá. Quem podia dizer que essas imagens não eram encantadoras? Mas nunca falei nada sobre o trabalho para Vlad, mesmo que em alguns dias eu estivesse dolorosamente tentada. E hoje, mais do que nunca me sentia assim.

Quando Harmon voltou para o escritório depois de lidar com Melinda, Olga e o Sr. Kessler, ele disse:

— Precisamos conversar.

Há outras duas palavras que possam amedrontar mais um coração?

Apertei as mãos e esperei.

— Daria, não há uma maneira fácil de dizer isso. Olga quer seu emprego.

Ele fechou os olhos, talvez esperando que minha ira caísse sobre seu cabelo castanho ondulado.

— Estou disposta a negociar — falei, e fui para a sala de reuniões. Eu sabia que esse dia ia chegar e havia me preparado para ele. Harmon me seguiu e sentou-se em sua cadeira de couro preta na cabeceira da mesa. Eu me sentei do lado oposto.

— Quando eu disse ao Kessler que você estava interessada em fazer seu mestrado, ele me autorizou a lhe dar seis meses de salário como um bônus.

Eu sorri docemente. É claro que ele faria parecer que a ideia fora minha. Se Harmon citara seis meses, o Sr. Kessler sem dúvida dissera nove. Eu iria descobrir.

— Seis semanas — repliquei. — Eu lhe dou seis semanas com aquela mulher no escritório. Se conseguir sobreviver e estiver realmente satisfeito com o trabalho dela, eu lhe darei o meu "bônus". Chame de presente de casamento de sua agenciadora de casais.

— Tudo bem — ele falou de forma animada, colocando mentalmente o dinheiro na carteira.

— Se após essas seis semanas descobrir que não pode ficar sem mim, eu volto. Vai dobrar meu salário. E bani-la do escritório.

— O dobro ou nada? Posso lidar com isso — ele falou, e esticou a mão.

Segurei a mão dele na minha e perguntei:

— Tão rápido? Você mal consegue abrir sua conta de e-mail sem mim. Quem vai lidar com os Stanislávski? Quem vai limpar os sites de pornografia do histórico do seu computador antes que os executivos de Haifa inspecionem nosso escritório?

— Foi você? — ele perguntou, parecendo impressionado, para variar.

— O que achou que tinha acontecido quando não conseguiu encontrar o link para "Garotas Peitudas"? É claro que fui eu. E se ela vir Vlad Stanislávski e decidir trocá-lo por um modelo mais novo?

— Ela nunca faria isso — disse ele, cuspindo. — Ela está comigo.

Eu levantara dúvidas suficientes.

— Não a conhece como eu — falei amargamente.

Ele olhou para mim, ainda segurando minha mão na dele. Será que ele queria dizer mais? Ficamos assim pelo que pareceu serem minutos. Eu olhei em seus olhos, senti sua mão esquentando a minha e queria dizer algo. Eu queria dizer a ele a verdade sobre ela. Parecia que era o momento certo. Mas temia que ele não acreditasse em mim. Ou que ficasse zangado. Então eu só falei:

— Vou tirar uma licença de seis semanas e aí veremos.

— Você está bastante segura de si mesma — ele resmungou, soltando minha mão.

— Precisa de mim. — Eu jamais admitiria que talvez, apenas talvez, eu também precisasse dele.

— Não mais, eu tenho Olga.

Era só desejo meu ou a voz dele havia hesitado nessa última frase?

— Quer que eu a treine?

— Não, ela disse que você já a ajudou o suficiente.

Olhei para Harmon por um longo momento.

— Então, tchau.

Eu não tinha objetos pessoais no escritório da transportadora. Olhei debaixo do meu teclado e verifiquei os papéis na minha mesa para me assegurar de que não havia nenhum bilhete de Vlad. Harmon se despediu. Eu o encarei e saí a passos largos do escritório para a Uniões Soviéticas. Quando Valentina soube que eu era toda sua, ela se vangloriou alegremente.

— A perda daquele idiota é ganho para mim! Pelo menos pelas próximas seis semanas. Veja como está abatida! Você trabalha demais.

Talvez ela estivesse certa. Eu passaria mais tempo com Boba. Pensei em Olga, Vita e Vera. Iria me fazer um bem enorme sair daquele ninho de víboras. Enquanto eu olhava as contas do bufê e do fornecedor de bebidas, Valentina criou uma lista de "coisas a fazer" para mim.

— Já que está aqui em tempo integral, resolvi acrescentar um chá da tarde às quartas-feiras e um tour às quintas. Você está encarregada dos dois. Quero que crie novas seções no nosso site chamadas "Perguntas frequentes" e "Dicas para encontrar o amor da sua vida". Pode tirar fotos dos casais felizes para a página de histórias de sucesso...

O toque do telefone interrompeu sua lista.

— Alô — ela atendeu, e entregou o telefone para mim.

— Daria. Você tem que me ajudar. Meu computador congelou e não sei o que fazer.

— Desligue e ligue novamente.

— Ah, é. Certo. Eu deveria ter pensado nisso. Como estão as coisas?

— Quer dizer, desde que me viu pela última vez, há uma hora? — perguntei, olhando para a madrepérola que ele me dera para comemorar nossos seis primeiros meses de trabalho juntos. — Bem.

Ele limpou a garganta.

— Bem, então. Tchau.

Coloquei o fone de volta no gancho.

— Então ele já está sentindo sua falta?

— Problemas no computador.

— Como eu estava dizendo, você pode entrevistar casais.

Aí o telefone tocou de novo.

— Vladimir Stanislávski está aqui chateado por você não estar. Ele quer saber por que foi embora. Como se diz "ela não foi demitida" em russo?

— Você me demitiu.

— É um período experimental!

— Você não pode ligar para cá de dez em dez minutos. Não é profissional. Mande Olga falar com ele. Como conseguiu este número? — Não havia catálogo ou Páginas Amarelas na Ucrânia. Ele sabia se virar quando queria.

Desliguei o telefone e pedi desculpas para Valentina.

Dez minutos depois, um sedã lustroso estacionou em frente à janela.

— E aqui estava eu pensando que ter você em tempo integral seria uma vantagem — Valentina brincou. Pelo menos eu esperava que ela estivesse brincando.

Vlad entrou como um furacão no escritório e perguntou:

— O que houve? Não consegui tirar nenhuma informação do Harmon. Aquele idiota não consegue juntar duas palavras.

É claro que Harmon normalmente era bastante tranquilo, só ficava um pouco intimidado por Vlad. Fiz um gesto para ele se sentar e lhe dei a versão resumida.

— Quer que eu consiga o emprego de volta para você? — ele perguntou.

— De jeito nenhum. Não preciso que ninguém lute minhas batalhas por mim.

— Sabe, não tem problema se apoiar em alguém. Tenho ombros largos.

Mordi o lábio. Eu notara seus ombros quando dançamos juntos.

— Venha dar uma volta comigo depois do trabalho. — Ele tentou me convencer.

Valentina observava especulativamente, e eu concordei só para tirá-lo do escritório.

— Ela disse sim! — Vlad piscou para Valentina enquanto saía pela porta. Seus olhos se estreitaram um pouco. Ele deve ter percebido que ela usava a pulseira de rubis que ele havia me dado. Ficava bem com o suéter preto de angorá dela.

— Então, para o site, uma seção de perguntas frequentes, dicas e histórias de sucesso — falei, esperando que Valentina não perguntasse sobre Vlad.

— Mais uma descrição do chá da tarde às quartas-feiras e o tour por Odessa às quintas. Terá que entrevistar mais duas intérpretes: elas vivem fugindo e se casando. Acredita que eu pago a essas garotas, e quando elas encontram um cara de quem gostam sabotam o relacionamento dele com a garota a quem elas *deveriam* estar ajudando? É como se eu as estivesse pagando para entrarem com um pedido de Green Card. Inacreditável!

Ela ficou falando mal de uma geração de jovens ingratas e eu me afundei na cadeira, aliviada por não falar dele. Aí, Valentina deu um sorrisinho e disse:

— Eu não fazia ideia de que ter você em tempo integral traria tanta animação. Um encontro com Vladimir Stanislávski!

— Não é um encontro. É um passeio. Ele me convidou para restaurantes e para a ópera, mas eu recusei.

— Você ama ópera. O que há de errado em namorar um homem lindo?

— Que é um rei da extorsão, chefe da máfia e possivelmente um assassino?

— Ninguém é perfeito — ela falou. — Pelo menos ele não fuma.

Às 17 horas Vlad voltou para o nosso passeio. Ele me ofereceu o braço e passei o meu pelo dele. Teria sido grosseiro não fazê-lo. Andamos pela rua Puchkinskaia e então viramos na Malaya Arnutskaya em direção ao parque Shevchenko, um oásis imenso e malcuidado com árvores e grama alta. Mesmo no verão seus caminhos eram escuros — perfeito para encontros clandestinos.

— O que você era... antes? — perguntei enquanto andávamos pelo bulevar cheio de folhas.

— Biólogo marinho — ele respondeu. — Eu estudava golfinhos na Crimeia. Tínhamos até um programa para crianças de Chernobyl, que vinham no verão e nadavam com eles. Aquelas crianças eram ótimas, muito fortes e otimistas apesar do câncer e das outras doenças que enfrentavam. Quando se olhava para elas recebia olhares sérios de volta. Elas já eram muito mais velhas em suas almas. Os tratamentos e consultas médicas haviam sugado sua juventude. Mas amavam o mar e observá-las brincando com os golfinhos em nosso centro era como vê-las tornando-se crianças novamente, mesmo que fosse apenas por uma hora.

O que ele estava fazendo comigo? Eu podia sentir meu corpo inflar de empatia e até mesmo amor... por aquelas crianças. Senti minha boca ficar mais macia e formar um O. Virei a cabeça para que, se houvesse qualquer ternura irradiando dos meus olhos, Vlad não visse.

— Se era tão bom, por que parou? — perguntei de forma cortante.

— Eu adorava, mas meu salário mal chegava a 20 dólares por mês, quando era pago. Mal tínhamos dinheiro para alimentar os golfinhos. Não era vida. Então voltei para Odessa.

Sua resposta tranquila só intensificou meu desejo por ele. Eu me ressenti dessa onda de emoção e tentei reprimir meus sentimentos. Primeiro, pensei em Tristan, mas seus olhos azuis enrugados e seu sorriso suave empalideceram quando comparados a Vlad. Repeti frases que lera sobre a Califórnia: à beira do Pacífico; possui um lindo clima e muitos recursos; São Francisco tem um porto magnífico; Los Angeles, a maior cidade, é o centro da indústria cinematográfica; apelido: o Estado Dourado. Eu me lembrei que, nos Estados Unidos, Jane ganhava em uma semana o que eu ganhava em um mês. Repeti a ladainha de acusações que eu fizera contra Vlad: rei da extorsão, chefe da máfia e possivelmente um assassino. Um homem rico e poderoso que nunca ficaria satisfeito com uma só mulher. Mais uma vez, tentei voltar meus pensamentos para Tristan, meu gentil professor. Tristan, modesto, simples. Tristan, o oposto de Vlad — ele queria uma família tranquila na linda Califórnia. Sem necessidade de guarda-costas.

— Como pode viver assim, sendo observado o tempo inteiro? — perguntei, fazendo um gesto para o homem que nos seguia. Vlad ficou tenso e parou de andar.

— Você se acostuma. — Ele deu de ombros. Continuamos indo em direção ao mar. Após um momento, ele disse: — Quando vi que você não estava no escritório da transportadora hoje, foi um soco no estômago. Percebi o quanto espero ansiosamente para vê-la.

Na praia, ele se virou para mim e passou a mão pelo meu cabelo, e então acariciou meu rosto e meu pescoço com o dorso da mão. E eu desejei seu toque. Fechei os olhos e deixei as pontas dos dedos dele percorrerem minhas bochechas, pálpebras e lábios. Ouvi as ondas se aproximarem e recuarem. Respirei o ar salgado.

— Por que deu a pulseira para Valentina Borisovna? — ele perguntou.

— Ficou zangado? — perguntei, com os olhos ainda fechados. Os dedos dele tocaram meu pescoço e a linha do meu maxilar.

— Surpreso. Você é a única garota que eu conheço que não é louca por joias.

Meus olhos se abriram em um estalo.

— Então você dá joias para muitas garotas?

— Não mais. Eu tenho um passado. Você também tem. Não posso fazer nada quanto ao passado, mas posso trabalhar pelo futuro. Com você.

Capítulo 9

Segunda-feira

Ele tem 46 anos. Ela tem 24. O cabelo dele é grisalho, o dela é ruivo. Ele só fala inglês — rápido e com um sotaque anasalado forte. Ela só fala russo. Perto do teatro (o terceiro mais bonito do mundo), no restaurante Bondarenko (o melhor em toda Odessa), eles se sentam um ao lado do outro. Eu me sento em frente a ela. Ela brinca com o garfo. Ele olha para o teto e limpa a garganta.

É minha primeira vez sozinha em um encontro, longe da música latejante e da camaradagem das sociais. Estou tão nervosa quanto o casal à minha frente.

Ele pega a mão dela.

— Eu a amo. Diga a ela que eu a amo.

— Mas você só a conhece há 16 horas.

— Eu não a pago para pensar. Eu a pago para trabalhar como intérprete.

Eu digo a ela. Ele espera que ela fique feliz ao ouvir as palavras. Ela não fica nem um pouco. Em seus olhos, eu vejo que acabou.

Terça-feira

Ele tem 53 anos. Ela tem 22. Ele é divorciado. Ela é divorciada. Ele mora sozinho. Ela mora com os pais. No restaurante Bondarenko, cada um de nós toma uma taça de champanhe — ele pediu a garrafa mais cara do cardápio. Eu dou um gole. Ele dá um gole muito maior. Ela finge beber. Ela está alerta e quer permanecer assim. Eles se sentam um ao lado do outro. Eu me sento em frente a ela. Ela é deslumbrante. Tanto que até eu fico olhando.

Conforme o tempo passa, ele começa a falar mais alto. Os garçons olham para mim. Eu dou de ombros. Eles têm sorte de não conseguir entendê-lo. Ela tem sorte de não conseguir entendê-lo.

— A pena de morte é a única solução — ele berra.

Eu traduzo.

— Eu concordo — ela murmura, acariciando a coxa dele.

— Algumas pessoas não merecem viver — as palavras dele são arrastadas.

Eu traduzo.

— Você é tão inteligente — ela diz. — Vamos voltar para o seu quarto de hotel.

O queixo dele cai de surpresa, mas ele se recupera e joga o braço em torno dos ombros dela. O sorriso dela é tenso, mas ele não vê. Fico imaginando se ela está planejando se casar com ele ou simplesmente enrolá-lo. Talvez o namorado dela esteja esperando por eles do lado de fora. O homem tira um grande rolo de notas e joga algum dinheiro para mim. Eles saem de braços dados.

Quarta-feira

Ele tem 40 anos, ela tem 24. Ele é um empresário à procura de uma loura, ela é uma veterinária à procura de um amante dos animais. Na social da noite anterior, tentei dizer a ele que eles não dariam um bom casal. Mas o álcool, a diferença de fuso e a luxúria nublaram seu bom-senso. Ou, talvez, por eu ter lhe dito isso, ele lutou para provar que eu estava errada e insistiu que essa era a garota para ele. Perto do teatro, no restaurante Bondarenko — luzes suaves, funcionários discretos —, eles se sentam um ao lado do outro, eu me sento de frente para ela. Eles não conseguem pensar em uma única coisa para dizer. Eu também não.

Antes que o segundo prato chegue, ele me diz:

— Não está dando certo. Arrume outra garota para mim.

— Mas não deu nem uma chance a ela.

— Nós não estamos clicando.

— Clicando?

Ela olha para nós, tentando entender o diálogo tenso.

— Eu paguei 3 mil dólares e só tenho uma semana. Eu não a quero.

Olho nos seus olhos de cervo e tento imaginar o que dizer.

Ela não precisa que eu intervenha. Entendeu perfeitamente. Ela joga sua *champagnoskoye* no rosto dele e vai embora. A perfeita saída odessana.

Ele enxuga o rosto e a camisa com um guardanapo de linho. Uma pena que não tenha sido vinho tinto.

Eu uso o telefone do restaurante para ligar para Valentina e ela manda outra garota.

Enquanto esperamos por ela, ele pega a minha mão e diz:

— Você é uma moça muito atraente.

Quinta-feira

Ele tem 50 anos. Ela tem 28. Os dois têm olhos tristes e almas gentis. Perto do teatro da ópera, no restaurante Bondarenko — comida estupenda, decoração elegante — eles se sentam um ao lado do outro, eu me sento de frente para ela.

Ele começa com:

— Fui casado durante 25 anos. Estou divorciado há três. Tenho dois filhos.

— Ele tem dois filhos — eu traduzo.

É a vez dela:

— Eu namorei um cara por quatro anos. Achei que ele era o cara certo. Cheguei em casa do trabalho e o encontrei na cama com a minha melhor amiga.

— Ela não tem filhos — eu digo a ele.

— Achei que ficaria casado para sempre, sabe? — ele diz. — Quando ela foi embora, eu achei que ia morrer.

— Achei que estaria casada a esta altura. Sabe, com filhos e tudo mais. Por que perdi tanto tempo com ele?

Sexta-feira

Ele tem 36 anos. Ela tem 26. Ele é um poeta e professor de uma universidade pública. Fala manso e faz boas perguntas. Ela é um Botticelli introvertido, o que a faz parecer misteriosa, etérea. Perto do teatro, no restaurante Bondarenko — podemos ouvir a orquestra ensaiando no pátio atrás da ópera —, eles se sentam um ao lado do outro, eu me sento de frente para ela.

Ele faz tudo certo. Ele escuta. Não pressiona para segurar a mão dela. Não fala sobre sua ex. Faz contato visual sem ficar encarando. Não reclama das mulheres norte-americanas gananciosas e que só pensam na carreira ou conta piadas sem graça.

Ela não faz contato visual. É melancólica. Eu conheço sua história: sem diploma, pais falecidos, trabalha como empregada. Suas mãos são calejadas. Ela é calejada. Mas ele gosta dela. Ele é paciente o bastante para pensar que pode curá-la e fazê-la feliz novamente.

— Olha — ela me diz quando ele já pagou a conta. — Diga a ele o que quiser. Eu vou embora.

Ela se despede e vai embora. Ele parece aturdido. Digo a ele para esperar e corro atrás dela.

— Você já pensou no seu futuro? Ele parece ser um bom sujeito. E, acredite, eu já vi muitos. Por que não dá uma chance a ele?

— Não vai dar certo — ela diz. Enfia as mãos nos bolsos e vai embora.

Volto para a mesa e dou a notícia.

Sábado

No meu aniversário, minhas amigas chegaram às 16 horas. Em Odessa, não se mandam convites. Os amigos de verdade sabem quem eles são e vêm. Boba cozinhou a semana inteira. Valeria, Inna, Alla, Genia, Maria e Yelena se sentaram à nossa mesa. Varvara não pôde vir, seu filho estava doente.

— Mais um ano se passou tão rápido?

— Eu juro, além do trabalho, os aniversários e o mercado são as únicas ocasiões em que saio do apartamento! E comprar batatas, beterrabas e cebolas não é divertido. Festas de aniversário são o único momento em que me divirto.

— Meu pequeno Dima me deixa um trapo. Eu queria ter metade da energia dele!

— Daria, você tem tanta sorte em ser livre! O casamento não é o que eu achava que era... Passo mais tempo na cozinha do que no quarto!

Antes que a conversa se torne obscena, Boba ergue o copo.

— À Daria, feliz aniversário! Que todos os seus sonhos se realizem!

— À Daria, nós lhe desejamos boa saúde, sucesso no trabalho e sorte no amor!

Em volta da mesa elas continuam, um brinde após o outro, uma maldição após a outra. Quando éramos estudantes, elas ficavam o fim de semana todo. Saíamos para passear, vestíamos as roupas umas das outras, experimentávamos penteados diferentes e conversávamos o fim de semana inteiro. Mas uma a uma elas se casaram e os finais de semana que duravam um mês tornaram-se tardes raras.

— Onde está Olga? Aquela vadia nunca perde a chance de tomar um copo de *kognac* grátis.

— Você não soube que ela arrumou um novo amante rico? Um estrangeiro.

— Ele vai voltar para casa e deixá-la a ver navios. Ela nunca vai aprender.

Domingo

Eu durmo.

Capítulo 10

COM CERTEZA, UM DOS MOTIVOS pelos quais Olga queria o meu emprego eram os presentes que eu recebia dos clientes. Joias, chocolates, perfume francês, figos e tâmaras, envelopes gordos. Ela provavelmente pensava que eu os recebia por ser bonita. Nem Harmon nem Olga sabiam o que eu fazia para receber tais gestos de gratidão. Mas eles estavam prestes a descobrir. Em Odessa, nada é liberado da alfândega — nem o que entra, nem o que sai do porto — sem boa vontade, ou o que os agentes alfandegários chamam de "taxa de expedição". Podia ser qualquer coisa, mas o quê? Muito dependia do agente e do seu humor. Se a situação fosse tratada de forma inadequada ou grosseira, os carregamentos apodreciam. Os agentes tinham o poder até de colocar nossos contêineres de volta nos navios e devolvê-los para onde tinham vindo.

Em Odessa, não se podia simplesmente ir até os negociantes e suborná-los. Isso seria vulgar. Era necessário se passar algum tempo com cada um para saber a abordagem a ser usada. Os agentes mais jovens queriam aparelhos eletrônicos. Os de meia-idade não queriam que seus filhos fossem convocados para as Forças Armadas e precisavam de cartas de dispensa de um médico. Os elogios funcionavam melhor com os velhos. Todos recebiam uma garrafa e um envelope no final do ano como expressão de gratidão por sua grande compreensão e esforço. Não preciso nem dizer que eu acompanhava pessoalmente os carregamentos mais valiosos na alfândega. Nesses dias, eu montava uma cesta de piquenique com caviar (vermelho e preto), sardinhas do mar Negro, uma grande variedade de queijos locais, pão e um dos cheesecakes de Boba como agradecimento. É claro que eu esperava que meus produtos fossem liberados pela alfândega no mesmo dia em que chegavam, na mesma condição e sem faltar nada. Levei muito tempo para descobrir o que tornaria nossos carregamentos uma prioridade. Nossos clientes sabiam que, sem mim, seus produtos nunca seriam liberados pela alfândega de Odessa, mesmo que Harmon e Olga não soubessem.

Não estava inteiramente claro qual era o cargo de Harmon na empresa antes de ele chegar em Odessa. Ele havia me dito que seu avô fundara a companhia e que ele teria herdado o emprego independentemente da sua vontade. Harmon nunca falava sobre sua ex-esposa, seus amigos em seu país, sua outra vida. Era isso que Odessa fazia com as pessoas — apagava o passado e o futuro.

Para sobreviver, você tinha que estar no presente — observar cada nuance no trabalho, ficar de olho nos vendedores inescrupulosos no mercado, estar atento aos batedores de carteira nas ruas. Eu mantinha minhas orelhas em pé: Vita e Vera haviam parado de falar de mim. Elas fofocavam principalmente sobre Olga e repetiam o que seus próprios chefes diziam a respeito de Harmon — que ele era ingênuo e que não podia tomar uma decisão nem que sua vida ou a filial de Odessa dependesse disso. Quando ainda era secretária de Harmon, eu desmentia essa fofoca, mas era difícil, porque elas não estavam erradas.

Harmon ligava para a Uniões Soviéticas todos os dias para perguntar como repor o papel do fax, como fazer uma chamada em conferência — todas as tarefas básicas que Olga deveria fazer. Eu sorri diante da ironia. Quando estava na empresa, eu fazia o trabalho dele e o meu. Agora era a vez dele de fazer ambos. Eu sempre ajudava quando ele ligava. Levou dez dias para que ele percebesse que nossos carregamentos estavam presos na alfândega.

— Não sei o que Olga falou, mas ela deixou os agentes furiosos. Eles vivem perguntando por você. A carne e o queijo vão apodrecer se não os tirarmos de lá! O que eles querem? — ele chorou ao telefone. — O que devo fazer? O que você dizia a eles? O que devo fazer?

Em uma das revistas norte-americanas de Jane destinadas às mulheres que trabalham, li que o segredo para manter qualquer emprego é se tornar indispensável. Assegurar-se de que sempre há algo que ninguém mais possa fazer — um trunfo, era como eles chamavam. Liberar a alfândega era o meu trunfo. E eu não abriria mão dele.

— Eu adoraria ajudar, mas estou entrevistando casais para nossa página de "Histórias de Sucesso". Sua nova secretária vai descobrir em um ou dois anos. Os clientes podem raspar as larvas da carne e do queijo, se algum dia eles passarem pela alfândega.

Ele fez um som esquisito, como se tivesse engasgado.

Com um sorriso aberto, desliguei o telefone e voltei ao casal sentado em frente a minha mesa. Como sempre, a mulher tinha 20 e poucos anos e vestia uma blusa decotada, minissaia e saltos, enquanto o homem era muito mais velho e usava tênis e jeans. Como sempre, o homem estava extasiado, a mulher, frívola. Ele apertou a mãozinha dela na sua.

— Então, Pete, você estava me contando o que notou primeiro na Natasha.

— Bem, ela certamente era a garota mais bonita na social. É verdade que não falamos o mesmo idioma, mas ainda me sinto ligado a ela. — "bunita". Era como ele dizia bonita.

Anotei a resposta dele e então olhei para Natasha e fiz a mesma pergunta em russo, já que ela não falava inglês.

— Ele tinha olhos gentis — ela disse.

— Natasha disse que a primeira coisa que ela percebeu em você foi que tinha olhos gentis — eu falei.

— Ah, obrigado, amor. Seus olhos também são bonitos — ele a beijou na boca. Ela olhou para mim e corou.

— O que o trouxe à Odessa?

— As mulheres no meu país, pelo menos as que eu conheci. Todas parecem se importar mais com dinheiro e com seus empregos do que com o amor. Não há um único osso feminino em seus corpos. Tentei as sociais em Moscou, mas simplesmente não deu certo. Havia garotas demais e elas não eram tão simpáticas ou bonitas quanto as de Odessa.

Eu tinha que contar isso para Valentina, que se orgulhava de ser melhor do que Moscou.

— Um amigo meu encontrou essa moça em Odessa. Ele me disse que era uma cidade bonita com as pessoas mais simpáticas que já havia conhecido. — Odessa *é* uma cidade bonita. Desta vez, fui eu quem me envaideci. Eu gostava de ouvir elogios sobre a cidade e traduzi as palavras dele para Natasha, que se pendurou no braço de Pete e assentiu entusiasmadamente.

— *Da, da, da.* — Nós, odessanos, amamos a nossa cidade.

— Nosso kit para o visto foi útil em relação à papelada para a ida de Natasha para os Estados Unidos?

— Muito. Nós preenchemos todos os formulários e eu escrevi uma declaração. Mamão com açúcar.

— Ótimo. Você acha que há algo que poderíamos ter feito melhor para ajudá-lo a encontrar o amor da sua vida? — essas eram perguntas da Valentina, não minhas.

Ele balançou a cabeça.

— Não, eu olhei o programa e vi a garota que queria, conversei com ela com a ajuda das intérpretes e foi isso. — Ele apertou a coxa nua dela. — Gostei da atmosfera nas sociais, simpáticas, decentes, divertidas. A parte mais difícil foi conseguir o visto para entrar na Ucrânia.

A Grande Dama estava trabalhando nisso.

Tirei a foto deles para nossa página de histórias de sucesso. O maxilar contraído dela era um contraste com o queixo enorme dele.

— Bem, boa sorte para vocês dois — eu disse. — Mandem-nos um convite de casamento!

Colocaríamos isso no site também.

Eles foram embora e eu fiz uma xícara de chá para mim, colocando açúcar extra para aplacar o gosto amargo em minha garganta. Eu estava com inveja. Com inveja por ela estar se mudando para a Califórnia. Devia ser eu. Eu via as garotas irem, uma a uma, ou melhor, de dois em dois, enquanto eu permanecia ali. Ansiava escapar. Ter um homem que me arrancasse da pobreza e dos problemas. Um homem como Tristan. Ele era mais jovem que Pete e mais bonito. Eu sabia que seria sincero e honesto. Ele seria mais velho (mas não velho demais) e mais sábio. Nós conversaríamos sobre literatura, arte e filosofia. Iríamos a galerias de arte e assistiríamos a peças. Ele beijaria bem e teria mãos fortes e sensuais. Eu ansiava encontrá-lo. Ansiava pelo que Natasha havia encontrado. A inveja é uma perda de tempo, Boba dizia, então bebi meu chá e me concentrei em escrever uma história de sucesso.

O telefone tocou de novo. Tinha que ser Harmon. Peguei o fone e falei:

— Como você vai durar seis semanas?

Ele xingou e bateu o telefone. A raiva dele me encheu de um prazer perverso.

Trabalhar em um emprego só era como estar de férias. Havia meses desde que eu jantara com Boba pela última vez. A noite estava fresca, então decidimos dar uma volta. Eu adorava essa época do ano, quando a umidade envolvia os meus ombros como um xale fino de crochê.

Eu me abaixei para colocar as sandálias.

— Use seu outro sapato — Boba disse. — São melhores para caminhar.

Calcei minha sapatilha e saímos de braços dados pela rua empoeirada em direção à praia. Ela fez um gesto para o prédio de concreto na esquina.

— Este é o lugar em que a minha mãe, minha irmã e eu vivíamos antes da guerra. Quando os nazistas atacaram, nós nos escondemos nas catacumbas da periferia da cidade. Semanas depois, quando saímos do esconderijo, nosso prédio havia desaparecido. Mas tivemos sorte, nós tínhamos umas às outras.

Beijei a bochecha dela. O otimismo de Boba nunca deixava de me surpreender. As mulheres na minha família eram tão corajosas, tão fortes. Mesmo passando fome, durante a guerra, durante a perestroika, elas se mantiveram sem a ajuda de nenhum homem. Tanto minha bisavó quanto minha avó e minha mãe tiveram filhas, mas nenhum marido. Seria genético? Ou A Maldição? Essa também seria a minha cruz? As pessoas podiam fugir do destino ou ele sempre as alcançava? Jane não acreditava em destino ou maldições. Ela acreditava em algo chamado "livre-arbítrio", no qual as pessoas fazem suas próprias escolhas e destinos. Eu rezava para Jane estar certa, porque eu temia o meu destino.

* * *

No dia seguinte fiquei feliz em ir trabalhar. Era a primeira vez que faria o tour a pé pelo centro com os norte-americanos. De cinquenta clientes, trinta vieram.

— Obrigada pelo interesse em minha cidade natal. Odessa é a Cidade-Heroica, uma designação dada apenas a 12 cidades pela bravura durante a Grande Guerra Patriótica.

— Hein?

— Segunda Guerra Mundial — respondeu o homem ao lado.

— Odessa é a cidade mais ensolarada e social da antiga União Soviética. Conversar é nosso passatempo favorito. Pessoas de todas as idades adoram passear pelo parque ou se deitar na praia e conversar. — Parei e apontei para um dos meus homens favoritos. — Aqui temos uma estátua do duque de Richelieu. Em 1803, o czar Alexandre I fez de Richelieu o primeiro prefeito de Odessa.

O duque estava vestido com uma toga, fora de moda desde o século XIX e apesar do fato de ser francês, não grego. É claro que os odessanos não pensam em termos de nacionalidade. Pensamos em termos de amor. Catarina, a Grande, a apaixonada czarina russa, fundou Odessa. Nossos primeiros prefeitos eram franceses. Um holandês projetou a cidade. Austríacos desenharam o teatro da ópera. Italianos cantaram lá. Como podemos ser reduzidos a uma nacionalidade? Tudo o que nos faz ser o que somos — fascinantes, sedutores, cosmopolitas — vem dessa fusão.

Deve ser confuso para os estrangeiros. Odessa fica na Ucrânia. Nós falamos russo. Quem em Odessa não tem parentes na Rússia? Quem não tem cadeiras ou toalhas ou pratos feitos lá? Apesar de a URSS ter sido declarada extinta, os esqueletos permanecem, já que a maior parte da nossa arquitetura é soviética. É claro que a mentalidade de muitos políticos ainda é soviética. Nos anos após a perestroika, os odessanos usavam os termos "russo", "ucraniano" e "soviético" mais ou menos da mesma maneira. As coisas não mudam enquanto dormimos. Nova Amsterdã não virou Nova York da noite para o dia. Boba diz: *um homem corta o rosto de uma mulher. O médico sutura a ferida. Mais tarde, ele tira os pontos. Mas a cicatriz permanece. Moscou empunhou a faca. Nossas almas permanecem com a cicatriz.*

Não pergunte de que nacionalidade nós somos. Somos odessanos.

Os homens olhavam para mim, esperando.

— Imediatamente à sua direita está o bulevar Primorsky — continuei. — As acácias que fazem sombra no caminho de pedra foram importadas de Viena pelo duque. Na nossa frente está a espetacular Escadaria Potemkin, que possui 192 degraus de granito que levam até o mar. A escadaria foi imortalizada em um dos maiores filmes já feitos, *O encouraçado Potemkin*, de Sergei Eisenstein.

"Quando a irmã da minha amiga Varvara ficou noiva, ela disse ao namorado: "eu me caso com você com uma condição: que você me carregue escada acima." Então, em uma manhã de domingo cedo, nós nos reunimos para ver Igor carregar Katya pela escadaria Potemkin. Se algum de vocês está procurando uma forma de provar sua dedicação..."

Os homens riram e mais de um disse que precisava se exercitar mais antes de declarar seu amor. Nós perambulamos pela cidade, indo de monumento a monumento — nenhuma cidade tem mais do que Odessa — e terminamos nosso tour em um café à beira-mar.

Alguns dias depois, às 16h45, Vlad passou no escritório para me perguntar se eu queria dar um passeio pela praia e ver *Carmen*. Fazia muito tempo desde que eu colocara os pés no teatro da ópera. Desliguei o computador e agarrei minha bolsa antes que pudesse me convencer a não ir.

— Eu me lembro da primeira vez em que a vi — ele me falou, com minha mão entre as dele enquanto andávamos à beira-mar. — Você parecia uma rainha, postura régia, olhos sentimentais, pele dourada. Você sorria o tempo inteiro.

— Eu havia acabado de voltar de um estágio em Kiev. Estava aliviada por voltar para casa.

— Então não foi difícil para você deixar a nossa bela capital? — Ele se sentou na areia e me puxou para baixo para que eu me sentasse ao seu lado.

Mordi o lábio, sem saber se deveria contar a verdade a ele. Vlad estava interessado em mim como pessoa ou como desafio? No começo, eu presumi que fosse a última opção, mas ele havia mandado seu irmão para longe porque ele me insultara, e pareceu genuinamente preocupado quando foi ao escritório da transportadora e descobriu que eu não estava lá. Ele havia se oferecido para conseguir meu emprego de volta e não insistiu quando falei que sua ajuda não era necessária. Decidi lhe contar a verdade.

— Eu mal podia esperar para sair de Odessa e viver sozinha, mas achei a capital um lugar frio. Senti saudades de Boba e de Odessa. Eu só queria uma coisa: voltar para casa.

Ele levou a minha mão até seus lábios e beijou meus dedos e a palma. Eu acariciei seu rosto. Ele fechou os olhos. Por um momento, ficamos ouvindo o som das ondas batendo na areia.

— A coisa mais difícil de voltar para Odessa foi admitir que eu havia cometido um erro ao ir embora. Fui orgulhosa demais e fiquei lá porque tinha medo de que as pessoas rissem de mim por ter fracassado. Se eu fosse inteligente, teria voltado imediatamente.

— Não há nada errado em ser orgulhosa. Às vezes, o nosso orgulho é tudo o que temos.

Eu puxei meus joelhos para cima e apoiei meu queixo entre eles. Meus dedos desenhavam linhas na areia, meu coração se alegrava com o que eu ouvira. Alguém finalmente entendia o que eu sentia.

— E você? Como terminou...

— Onde estou?

Assenti.

— Quando saí da Crimeia e voltei para Odessa, arrumei um emprego de motorista para um Novo Russo. Ganhei 40 dólares naquele mês, duas vezes o meu salário como biólogo marinho — ele sorriu tristemente. — Outro mafioso percebeu que eu mantinha os carros limpos e minha boca fechada e me contratou para ser seu guarda-costas e motorista, triplicando o meu salário. Isso aconteceu várias vezes. Trabalhei para todos os grandes. E eles todos conduzem seus negócios pelo telefone dentro do carro. Eu absorvi tudo. Quando Lev Tomashenko fugiu para a Califórnia, eu assumi sua operação.

— Então você estava no lugar certo na hora certa?

— Eu tinha dois irmãos mais novos para sustentar. Fiz o que tinha que fazer.

Concordei. Ficamos sentados lado a lado, olhando em direções opostas. Pensei em como Harmon havia me perseguido, em como eu fugira. Em como a fofoca no escritório havia me ferido. Em como eu havia continuado, independentemente de qualquer coisa.

Será que Vlad estava pensando no que havia feito para chegar onde estava hoje?

Ele limpou a garganta, o que aliviou a tensão.

— Na social, os homens não conseguiam tirar os olhos de você, mas você não pareceu interessada em nenhum deles — ele observou meu rosto atentamente. — Achei que todas as garotas queriam arrumar um marido norte-americano rico.

— Então você acha que todas as mulheres são iguais? — eu me levantei e limpei a areia da minha saia. — Já recebi muitas propostas de casamento. Minha Boba diz que qualquer idiota pode se casar. Mas estou procurando amor *e* amizade com um homem com quem eu possa contar, e não vou me casar até encontrar.

Ele também se levantou.

Eu acrescentei:

— As mulheres na social estavam interessadas em você. Isso significa que vai sair com elas?

— Já estive com garotas assim. Não é o que eu quero. Não mais.

— O que você quer? — eu perguntei.

— Quer dizer que depois de tudo isso, ainda não está claro? Eu quero você.

Desviei o olhar. Meu coração começou a bater forte, como se para me lembrar de que ainda estava ali, querendo amar e confiar em alguém. Meu cérebro gritou, me alertando para que eu não confiasse em homem algum e certamente não nele. Fiz tudo o que podia para silenciar meu coração: respirei fundo, pensei nas pessoas que Vlad poderia ter machucado, imaginei Tristan nos Estados Unidos.

Andamos até o teatro da ópera, nenhum de nós falou nada.

Quando vi o magnífico teatro, quebrei o silêncio.

— Eu me lembro de ter ido ao teatro da ópera com Boba e minha mãe. Mamãe usou uma boina preta e Boba e eu achamos que ela parecia francesa. Elas estavam ao meu lado, segurando as minhas mãos. As luzes do teatro brilhavam como a luz de um farol. Flocos de neve começaram a cair e eu tentei pegá-los com a língua. Isso fez mamãe e Boba rirem.

Ele olhou ternamente para mim.

— Essa é uma das minhas lembranças favoritas — falei timidamente.

Ele beijou minha mão e disse:

— Espero que você e eu criemos muitas outras juntos.

Na bilheteria, ele perguntou onde eu queria sentar e comprou os ingressos. Nós nos sentamos em uma frisa particular no mezanino, minha seção favorita. Eu podia ver os músicos lá embaixo no fosso, os cantores no palco, e os homens e mulheres no lado oposto ao que eu estava. Eu me inclinei para a frente e descansei os cotovelos na beirada, com medo de tirar meus olhos do palco durante todo o primeiro ato. Senti o olhar de Vlad, que não se desviou do meu rosto. No intervalo, ele perguntou que balés eu gostaria de ver na próxima temporada. Se eu fosse outro tipo de garota, ele teria se inclinado em minha direção e perguntado em uma voz baixa e sexy se eu queria terminar a apresentação na casa dele. Quando as luzes diminuíram, meus olhos voltaram para o palco e admiti que, às vezes, eu queria ser esse tipo de garota.

Fui cedo para o trabalho na manhã seguinte. Valentina me dera a chave do apartamento e tarefas a cumprir — ela estava em Kiev. Como era difícil e caro para os homens conseguir um visto ucraniano! Era preciso receber um convite para conseguir um e Valentina havia criado um grupo de lobistas para pedir aos políticos (suborná-los) para liberarem os norte-americanos e europeus ocidentais. Ela e sua confraria queriam que fosse mais fácil para os homens virem para a Ucrânia do que para a Rússia em busca de amor.

Eu me sentei em meio às samambaias e orquídeas, lendo as perguntas que frequentemente eram feitas. Valentina queria que eu postasse as respostas no site.

1. Por que as mulheres russas e ucranianas querem maridos norte-americanos?

Elas desejam criar uma família estável, o que muitos homens daqui não podem oferecer por motivos financeiros (Valentina perguntou "Devemos mencionar o alto índice de alcoolismo dos nossos homens? Ou a galinhagem?"). O estresse que resulta de moradias limitadas, alcoolismo e desemprego contribui para o divórcio, que é estimado em 70 por cento.

2. As fotos em seu site parecem boas demais para serem verdade. As mulheres são reais?

Claro! Nossas mulheres se esforçam para cuidarem de si mesmas praticando caminhadas, dançando e praticando outras atividades físicas. Além disso, uma dieta natural (Valentina continuou, "diferentemente dos produtos químicos nos pacotes com os quais as mulheres norte-americanas cozinham". Eu tomei a decisão de deixar isso de fora) contribui para o cabelo longo e forte e a pele saudável e reluzente.

3. Qual é a principal diferença entre as mulheres norte-americanas e as ucranianas?

As ucranianas são mulheres tradicionais que amam costurar, cozinhar e fazer tricô. Sua prioridade sempre será a família. Ser uma cozinheira e dona de casa excelente é motivo de orgulho.

Cada vez mais nosso primeiro contato com os homens norte-americanos era por meio da internet, portanto era do nosso interesse ter um site fácil de navegar. Para conseguir isso, pesquisei outros sites para analisar sua abordagem. Havia dúzias — eu não fazia ideia de que tínhamos tanta concorrência. Cobrávamos mais do que os outros — 3 mil dólares por uma semana de sociais. É próprio de Valentina ser a mais cara de todos.

Quando uma agência louvava o fato de ter a maior equipe, eu enaltecia a nossa por ter um serviço personalizado. Quando outra se gabava por ter o maior número de mulheres para seus clientes, eu declarava que as nossas sociais não os deixariam aturdidos. Muitos sites tinham traduções ruins. Alguns traduziam direto do russo e não usavam artigos: "Mulheres querem ir para Estados Unidos e ser boa esposa para homem honesto". ("As", "os", "uma" e "um" não existem em russo.) Outros sites aplicavam as regras de gramática russa ao idioma inglês. "Meu nome — Tanya. Eu — 20 anos." (O presente do verbo "ser" não é conjugado em russo.) Destaquei que nossa agência falava inglês fluentemente. Contra-atacando cada argumento imaginável, rebatendo cada bola, eu me sentia como um advogado com uma raquete de tênis. No auge da forma. No melhor de seu jogo. No controle. Isto é, até eu entrar em uma página contendo uma colagem de uma dúzia de moças. Eu podia escolher entre três categorias: "moças com telefone", "moças sem filhos" e "moças estrangeiras". Escolhi a última, e entrei em uma página de fotos cinco por cinco. Fiquei olhando para as mulheres e elas olhavam de volta para mim. Cliquei em Marina, uma morena gordinha. Ela tentara sorrir, mas não conseguira. De acordo com as estatísticas ao lado de sua foto, ela tinha 23 anos, era do signo de peixes e tivera um filho havia menos de um ano. Seu perfil estranhamente traduzido dizia: "Eu gosto ler, tricotar metades-calças quentes e roupas maravilhosas. Eu boa cozinheira, gosto descansar à beira-mar, ir zoológico e circo com filha. Gosto de fazer produto semiacabado, gosto férias de família e ceias. Eu — honesta, modesta, boa mãe e dona de casa. Procuro homem que ama crianças e sonha com família com valores tradicionais. Você pode ter felicidade familiar, tranquilidade e casa aconchegante comigo (25-45 anos, sem filhos, não muçulmano)."

Olhei para o monitor e seus olhos derrotados pareciam olhar nos meus. Entendi que não estávamos ajudando as mulheres a encontrarem o amor, parceiros ou mil outras coisas. Eu dissera isso a mim mesma para poder trabalhar e fazer minhas tarefas. Nós não estávamos vendendo romance, oportunidade ou amor. Estávamos vendendo mulheres. Ponto.

Quando fechei a janela, a página inicial apareceu e dúzias de mulheres me olharam. Eu sabia que era errado, mas continuei olhando de volta. A mais jovem tinha 20 anos e seu nome era Vera, que significa "fé" em russo. Ela tinha olhos cinzentos, pesava 51 quilos e tinha 1,65m de altura. Embaixo de "idiomas" estava escrito: "Inglês (algum conhecimento esquecido da escola)." Para se descrever, ela escreveu: "Uma garota calma, calada e séria, que sempre é capaz de criar uma atmosfera agradável em qualquer situação. Sou uma garota animada e tranquila que gosta de se comunicar com pessoas diferentes e admira a amizade. Sonho com autorrealização na minha vida, mas a coisa mais importante para mim é a felicidade familiar. Quero que as pessoas próximas a mim sejam felizes e, para isso, eu tento fazer tudo. O homem certo para mim é ativo, criativo, carinhoso, forte, gentil e inteligente. Ele deve ser um homem de verdade. Se eu encontrar um homem assim, de 22 a 49 anos, sei que posso fazê-lo feliz."

A mulher mais velha — Galina — tinha 55 anos. Ela pesava 63 quilos e tinha cabelo louro e olhos azuis. Em "profissão", ela colocou "esteticista especializada". Ela escreveu: "Sou uma mulher ativa, meu coração está cheio de amor. Tenho inúmeros amigos, eles me amam, mas infelizmente não vejo 'O Homem' entre eles. Desejo alguém que me ame e compartilhe dos meus interesses (literatura e teatro, longos passeios românticos). Idade dele ilimitada, preferivelmente alto, preferivelmente europeu."

Cliquei em outro site. Na categoria acima de 45, havia mais de sessenta mulheres; na de 18 a 25 anos, 127. Cliquei em uma página depois da outra e li os perfis. Cada mulher tinha uma foto de rosto e duas fotos revelando seus corpos dentro de saias curtas e tops transparentes de renda. Rostos novos pulavam em cima de mim, assim como seus seios, barrigas e traseiros. As mulheres se inclinavam para trás ou para a frente para mostrar os seios, e os sites pareciam mais voltados para uma pornografia leve do que para casamento. Todas as fotos tinham o mesmo pano de fundo. Será que essa firma de matrimônios estava complementando a renda como estúdio de fotografia? Quanto as mulheres haviam pagado por essas fotos glamourosas? Li os perfis de Inna, Inga, Vika, Genia, Ksenia, Nadia, Tamara... Eu era uma voyeur bisbilhotando a vida daquelas mulheres carentes de uma carteira mais gorda. Economistas, professoras, jornalistas — a maioria divorciada com um filho —, todas atraentes, com educação universitária e procurando estabilidade.

Uma mulher escreveu: "Não acredito que as pessoas sejam perfeitas, todo mundo tem seus altos e baixos. Anseio construir família estável e duradoura. Por ter sido criada em família oriental, posso dizer que sei o que os homens querem e como posso dar isso a eles." Embaixo dessas palavras, eu podia clicar em "ver endereço", "mandar carta", "mandar presente ou flores" ou "adicionar esta às favoritas".

Indo de página em página com a curiosidade mórbida de um espectador no local de um acidente, eu me senti enjoada. Mas não conseguia parar. Acabei entrando em um fórum para homens que haviam se casado com mulheres do Leste Europeu. "Ei, homens! Cansados de megeras norte-americanas exigentes que reclamam, não fazem nenhum serviço doméstico e esperam que vocês façam tudo? As moças russas são o oposto dessas gananciosas. Elas adoram fazer comida caseira, lavarão suas roupas à mão com carinho *e* as passarão (já tentou fazer uma mulher norte-americana passar a sua camisa?) *e* nunca pedirão mais dinheiro — elas podem 'esticar' um centavo de Buffalo a Moscou. As moças russas são lindas sem perder tempo na academia ou no cabeleireiro. Elas ficam em casa, onde é o seu lugar, e cuidam da casa e das crianças. São gratas por terem um teto que elas não têm que dividir com os pais. Façam um favor a si mesmos e arrumem uma russa para amá-los e mimá-los."

Meu Deus, era isso mesmo que os homens pensavam?

Era deplorável. Nós mostrávamos as garotas exatamente como os treinadores exibiam os puros-sangues, como uma cafetina apresentava as prostitutas, como um proprietário de terras contava servos. Por que eu não sentira esse horror enquanto ajudava as mulheres a criarem seus perfis ou servia de intérprete para casais?

Porque eu fiz o que tinha que fazer.

Quantas pessoas antes de mim haviam dito essas mesmas palavras?

Fiquei andando de um lado para o outro no pequeno escritório, lembrando de uma cena, uma de muitas em uma social. Eu ficara com um grupo de mulheres, esperando que o casal para o qual eu estivera trabalhando como intérprete voltasse da pista de dança. Ele a acompanhou de volta até nós e falou:

— Espero vê-la mais tarde, Masha.

Ela sorriu timidamente.

Ele caminhou até seus amigos. O que ele diria sobre Masha, uma das garotas mais doces da social? Eu me posicionei entre o círculo de homens atrás de mim e as mulheres na minha frente.

— Masha, como pode namorar um velhote desses? — uma garota perguntou. — Eu mal consigo ver os olhos dele, as pálpebras são tão pelancudas e caídas!

— A garganta dele parece a de um peru.

— Glu-glu-glu.

— Acho que ele parece um saco escrotal seco!

— Parem! — Masha falou. — Eu quero um homem experiente e gentil. — Ela fez um gesto para seu par. — E dedicado à família.

(— Rapazes — o par de Masha começou. — Estou lhes dizendo, é como comprar um carro usado.)

— Que não vai fazer joguinhos.

(— Um carro *usado* muito bom.)

— Que realmente respeite as mulheres.

(— Preciso levá-la para um test drive. Vruum, vruum.)

— Não como os nossos homens.

(— Um test drive antes de escolher qual eu quero.)

— Que só estão interessados em uma coisa.

(— Neste momento estou olhando para uma sala cheia de belos Corvettes.)

— Os homens dos Estados Unidos são sérios, prontos para sossegarem com uma mulher.

(— E eu vou testar cada carro aqui antes de levar um para casa e enfiá-lo na minha garagem.)

Eu havia justificado meus atos de mil maneiras: só estava fazendo o meu trabalho; as mulheres queriam se mudar para os Estados Unidos e eu as estava ajudando; Boba e eu precisávamos do dinheiro; eu só estava seguindo ordens; fiz o que tinha que fazer. Como era fácil julgar os outros e ver que o que eles faziam era errado. Era muito mais difícil ter distanciamento e ver o que eu havia feito. Só quando vi outra pessoa fazendo a mesma coisa foi que me vi claramente. Eu era desprezível. Não há nada que as mulheres não façam a outras mulheres.

Eu me sentei à mesa e cobri o rosto com as mãos.

O dia se transformou em crepúsculo.

O telefone tocou. Eu esperava que fosse Harmon de novo ou talvez Valentina ligando de Kiev.

— Valentina Borisovna? Valentina Borisovna? — uma mulher gritou pelo telefone.

— Ela não está — eu disse. — Posso anotar o recado?

— Daria, Daria? É você?

— Quem está falando?

— É Katya. Da Califórnia. Quero voltar para casa. Ele me bate, ele me bate! — Ela começou a chorar.

Os pelos do meu corpo se arrepiaram. Eu não sabia o que fazer. Eu não sabia o que fazer.

— Ele me acusou de flertar com um amigo na festa da empresa dele. Quando chegamos em casa, ele me deu um soco no estômago. Ele sabe onde bater para que não apareça nenhum hematoma, para que ninguém saiba.

— Eu sinto muito. — Minhas palavras soavam idiotas e ridículas.

— Ele vai me bater de novo quando vir que fiz uma chamada internacional. Por favor, me ajude, Daria. Por favor.

— Sua família não pode ajudar? — eu perguntei.

— Onde eles vão arrumar mil dólares para eu poder voltar para casa? Meu pai ganha 35 dólares por mês. E eu me gabei de que estava indo para os Estados Unidos. Estou envergonhada demais para contar a eles a verdade.

O que eu podia fazer?

— Tenho uma amiga nos Estados Unidos. Ela pode nos aconselhar. Me dê o seu número, eu ligo de volta.

Jane me mostrou duas possibilidades. Katya podia ir para um abrigo para mulheres se quisesse permanecer nos Estados Unidos. Jane teve que explicar o conceito, porque nós não tínhamos lugares assim em Odessa. Ou podia ir ao Serviço de Imigração e Naturalização como mulher que havia se casado para conseguir o Green Card, e nesse caso ela seria deportada. Transmiti essas informações para a Katya. Ela disse que queria voltar para casa.

Por que eu não vira isso antes? A maioria dos nossos clientes parecia normal, mas aquele advogado me fizera ter arrepios. Quando lia um depoimento amargo, como o que proclamava que as *americankas* eram gananciosas e as *rushkayas* submissas, era inevitável pensar em alguns dos homens que usavam os nossos serviços. É claro que eu tinha que deixar claro para as nossas mulheres que elas tinham opções e que deviam esperar até sentirem uma ligação verdadeira, mas quantas haviam se apaixonado pela ideia dos Estados Unidos, não pelo homem que havia pago sua passagem? Depois da lua de mel, quantas perceberam que haviam cometido um engano gigantesco mas tinham orgulho demais e dinheiro de menos para consertá-lo?

Comparei nossas fotos com as dos outros sites. Muitas eram fotos de grupo tiradas nas sociais ou nos chás da tarde, apesar de outras mostrarem coxas, barrigas e seios. Os sorrisos das mulheres eram forçados. Os homens — de dez a trinta anos mais velhos do que as garotas — pareciam quase orgásmicos, cercados pelas nossas mulheres. Isso estava errado. O que eu estava fazendo era errado, errado, errado. Pensei no Sr. Harmon e torci para que ele me aceitasse de volta.

Desliguei o computador e me levantei para ir embora. Nesse exato instante, Vlad entrou no escritório.

— Quando vai encontrar uma *americanka* rica para cuidar de mim? — ele brincou.

Quando não respondi, ele colocou minhas mãos entre as dele e perguntou:

— Qual é o problema?

— Não gosto de mim mesma. — E olhei para o chão.

— Bem, eu gosto de você. — Ele ergueu meu queixo para que eu o olhasse nos olhos.

— Vamos sair daqui.

— Feito — ele falou. Eu lhe entreguei as chaves e ele trancou todas as cinco fechaduras.

— Quer dar uma volta de carro?

Ele abriu a porta e eu me afundei no banco de couro. Fechei os olhos.

— Onde está o seu motorista? — perguntei.

— Eu queria um momento de privacidade — ele respondeu. — Para onde?

— Não conheço a sua casa.

Dirigimos pelo centro da cidade; o carro era tão bom que não senti um único paralelepípedo. Olhei para as mãos dele no volante e quis que elas estivessem em meu corpo. Eu queria o que as garotas nas sociais desprezavam. Eu desejava me sentir amada, mesmo que só por uma noite. Queria sentir o que ligava o Sr. Harmon a Olga. Abrimos caminho lentamente até o condomínio fechado onde os Novos Russos tinham suas mansões. Vlad acenou para o segurança, que levantou a cancela. Ele diminuiu a velocidade porque a rua estava cheia de crateras. Eram piores do que as da cidade. Qualquer um pensaria que os homens mais ricos de Odessa dividiriam as despesas para repavimentar a rua que leva às mansões compradas com seus ganhos ilícitos.

— Em que está pensando? — ele perguntou.

— Na rua esburacada.

— A vida consegue nos surpreender — ele disse, lentamente.

Tão verdadeiro.

Ele abriu a porta para mim e segurou minha mão enquanto eu saltava do carro. Estava ventando um pouco e uma mecha de cabelo escapou do meu coque. Fiz um gesto para enfiá-la de volta no lugar, mas Vlad disse "Não". Ele pegou a mecha entre os dedos e a beijou. Olhamos um para o outro.

O encanto se quebrou quando o mordomo abriu a porta. Vlad colocou a mão em minhas costas e me guiou escada acima. Sua sala de estar não era muito diferente da de Harmon pré-Olga. Sofás de couro preto, televisão e aparelho de som de última geração. O mordomo colocou uma bandeja de prata com champanhe gelada e duas taças na mesinha de centro. Vlad abriu a garrafa com a facilidade de um homem ucraniano e serviu duas taças.

— A você, Dasha. Obrigado por honrar minha casa com sua linda presença.

Nós brindamos e bebericamos Dom Perignon. Ele se inclinou para perto de mim, até sua bochecha tocar a minha, e então passou os lábios pela minha têmpora, maçã do rosto e pescoço. Respirei fundo. Ele tinha cheiro de sândalo. Quando me beijou, eu retribuí o beijo, desejando ser outra pessoa, alguém apaixonada e ardente. Alguém que não fosse eu. Os braços dele levaram meu corpo mais para perto do dele e eu fechei os olhos e ignorei a voz da razão na minha cabeça, deixando formigamentos e arrepios de luxúria tomarem conta de mim. Ele me carregou escada acima como Igor carregou Katya pela Escadaria Potemkin e me deitou gentilmente em sua cama. Quando ele tirou os meus sapatos e a minha saia, eu sussurrei:

— Não sou muito boa nisso.

Ele pegou minha mão e a levou aos lábios.

— As pessoas nascem para fazer amor. Se você acha que não é boa nisso, alguém deve ter sido bruto com você. Não vamos nos apressar. Tenho a sensação de que nisso, como em tudo, você vai se sair bem.

As palavras dele me encorajaram. Senti uma atração muito forte — suas mãos elegantes, seus ombros fortes e quadris estreitos. Eu o queria, queria esquecer, só por um instante. Ele acariciou minhas costas e beijou meus seios. Olhava para mim; parecia admirar o meu corpo. Ele me segurou respeitosamente, como um ovo Fabergé. Eu queria que ele fosse mais rápido e tentei estimular suas mãos para o frenesi que eu estava sentindo. Ele se recusou.

— Você me fez esperar tanto tempo. Tanto tempo que eu até desisti de pensar neste momento. Agora, deixe-me saboreá-lo. Deixe-me saboreá-la.

As palavras dele me emocionaram. Ninguém jamais falara comigo assim. Sua respiração roçou meu pescoço. Ele salpicou minha barriga de beijos tão suaves como o sol morno da primavera. Quando tentei me sentar, ele me deitou novamente e continuou pelo meu corpo até minhas coxas, joelhos, tornozelos. Ele apoiou a planta do meu pé em sua maçã do rosto, então virou-se e a beijou. Suspirei.

Ninguém jamais fizera amor comigo assim antes. Eu havia namorado dois outros homens, mas os dois simplesmente rasgaram a minha calcinha, arrancaram as calças e enfiaram o pênis. Havia um momento de dor, e em seguida acabava. Ambos haviam me culpado, dizendo que eu os deixara excitados demais, rápido demais.

— Em que está pensando? — ele perguntou. — Por que está olhando para mim assim?

— Assim como?

— Como se tivesse acabado de descobrir uma coisa.

— Até este momento, eu achava que odiava sexo — falei. — Mas com você é diferente.

— Dasha. *Dushenka* — ele disse; minha pequena alma. Ele alisou minhas pernas e minha barriga até eu me ver louca por mais. Acariciou e persuadiu até eu não conseguir diferenciar entre os dedos e os lábios, sua língua ou seus dentes, seus pelos ou sussurros, até eu não poder diferenciar entre o corpo dele e o meu.

Quando acordei, vi tons de cinza: paredes claras, lençóis de cetim madrepérola, um edredom fofo. Procurei meu relógio e vi que eram 22 horas. Eu me vesti e desci voando as escadas para a sala de estar para poder ligar para Boba e lhe dizer para não se preocupar, que eu estava tendo momentos maravilhosos.

— Maravilhosos? — ouvi uma voz atrás de mim.

Eu me virei e vi Vlad com uma toalha pequena enrolada na cintura. A luxúria latejou pelo meu corpo.

— Com fome? — Vlad perguntou.

Assenti e desliguei o telefone.

Ele pegou minha mão e me levou para a cozinha.

Eu o observei quebrar sete ovos (números ímpares dão sorte) e batê-los formando uma espuma. Ele riscou um fósforo e acendeu uma boca do fogão. Despejou os ovos em uma frigideira e a colocou no fogo. Eu fiquei de pé observando fixamente: um homem de Odessa que cozinha é tão raro quanto um homem que dá à luz. Eu pensava que nenhum dos dois era cientificamente possível.

Comemos direto da frigideira, dando comida um para o outro e nos beijando.

Ele: Há quanto tempo nós nos conhecemos?

Eu: Você tem extorquido dinheiro de mim há mais ou menos um ano e meio.

Ele: Não de você pessoalmente! Você acha que eu faço todas as rondas? Eu ia à transportadora porque gosto de você.

Eu: Que lisonjeiro!

Ele: Eu a observei durante meses e não podia acreditar que não tivesse um namorado. Aí, quando conversamos e você respondeu com essa sua língua ferina, eu gamei.

Eu: Mais cedo, o que você quis dizer com eu me sair bem?

Ele riu e agarrou a minha mão, me puxando escada acima novamente.

Capítulo 11

NA MANHÃ SEGUINTE, EU ME permiti um momento para me deleitar com o calor do corpo de Vlad e com a nossa noite juntos; depois me levantei e me vesti. Sacudi o ombro dele e pedi que me levasse para casa.

— Peça ao motorista para levá-la — ele resmungou.

Passei as unhas dos dedos pelas costelas dele e ele pulou.

— Estou acordado, estou acordado.

Ele me levou para casa em silêncio. Senti uma espécie de calamidade na calmaria e esperei estar errada.

— Não funciono bem pela manhã — ele finalmente falou enquanto entrava na minha rua. — Eu ligo para você.

Suas palavras me deram um grãozinho de esperança. Saltei do carro antes que ele parasse completamente, corri para o pátio e escada acima. Coloquei minha chave na fechadura, Boba abriu o trinco.

— Dasha, onde você estava? Não é do seu feitio ficar a noite toda fora.

Eu a abracei.

— Boba, eu passei momentos maravilhosos — falei, pensando na cumplicidade entre mim e Vlad.

Ela me puxou para a cozinha e começou a esquentar o café da manhã.

— Você deve estar faminta. Com quem você estava? Por que não me disse que não voltaria? Estava com uma amiga ou com um namorado?

Enfiei mingau de aveia na boca, para me dar tempo de formular uma resposta.

— Conheci um homem. Ele é diferente dos outros.

— Um norte-americano? — ela perguntou, esperançosa.

— Conto sobre ele depois, mas agora preciso me arrumar para o trabalho.

Eu me tranquei no banheiro. Debaixo da água que corria, ainda podia sentir a barba de Vlad roçando em minha barriga. Segurando os meus seios, imaginei que as minhas mãos eram as dele. Lágrimas correram com a água — eu estava feliz, mas um pouco triste também. Por que estava tão emotiva?

Vestida e fora de casa antes que Boba pudesse me questionar, apertei o passo pela calçada da cidade. Eu me sentia tão leve como uma pedra quicando na água.

Quando cheguei na Uniões Soviéticas, os sentimentos de nojo e vergonha voltaram. Homens escolhendo mulheres baseados no fato de elas terem 20 ou 29 anos, 1,74m ou 1,62m, serem louras ou morenas. Nós usávamos as mulheres para ganhar dinheiro. Nós as mandávamos para fora com estranhos. Era assustador. *Shto delat?* O que fazer? Não havia mais nada a ser feito. Quando Valentina voltasse de Kiev, eu pediria demissão e imploraria ao Sr. Harmon para me aceitar de volta.

Eu odiava o fato de fazer parte desse tráfico ignóbil.

Odiava olhar para o meu relógio a cada trinta segundos, imaginando quando Vlad entraria pela porta.

Valentina me dera várias tarefas, mas eu não queria pensar em mais dicas para homens solitários, não queria atualizar nossos catálogos. Ela havia me pedido para descrever a cidade e tirar fotos para o site. Durante três dias, escrevi uma ode a Odessa — destacando os escritores que a haviam visitado, de Puchkin a Balzac e Mark Twain e descrevendo nossos centros culturais, do *mus-comed*, o teatro de comédias musicais, ao museu marinho — o tempo todo tentando não pensar em Vlad. Durante três longos dias, fiquei no escritório, debruçada sobre meu caderno, olhando para a porta, espiando pela janela, esperando que ele viesse. Eu esperava que o telefone tocasse. Mas estava tão silencioso quanto em um domingo.

Será que estava funcionando? Levantei o fone. Havia sinal de discagem. Digitei um número.

— O que foi, minha flor? Você nunca liga do trabalho.

— Eu só... só senti saudades, só isso — sufoquei minhas lágrimas. Minhas lágrimas idiotas e ridículas.

Saí do escritório às 17 horas e peguei o caminho mais longo para casa, através do parque Shevchenko, passando pelo mar, de volta à cidade. Eu o via em todo lugar na praia, em cada sedã preto que passava, na minha cama antes de fechar os olhos.

Eu não dormia. Só ficava deitada acordada, ouvindo "Vocalise", de Rachmaninoff, sem parar. O andamento lânguido do dueto elegante e profundo. O latejar melancólico do piano. Ele se inclina sobre o piano enquanto toca as teclas. Olhos fechados. Os dedos se movem habilmente pelas cordas do cello. Uma mecha de cabelo escapa enquanto ela toca. A música tem um tom de arrependimento. Eu o desejava tanto. Minha boca doía. Ela se enchia de saliva e de repente minha língua e gengiva ficaram secas como a casca de uma árvore. Minha cabeça doía. Minha alma doía. Tentei pensar em qualquer coisa, menos em Vlad — em minha mãe, nas tarefas do trabalho, em Jane nos Estados Unidos — mas minha mente sempre voltava para ele. *Vlad-Vlad-Vlad*. Eu imaginava suas mãos nos meus quadris, meus lábios em seu pescoço, suas costelas flutuando nas minhas. Eu ficava deitada de barriga para baixo e agarrava o travesseiro debaixo do meu corpo até amanhecer.

Só fazia três dias. Ele viria.

Quatro dias.

Por que ele não ligou?

Cinco dias.

Será que aconteceu alguma coisa?

Seis dias.

Ele tem tantos rivais.

Comecei a ficar louca. Completamente louca. Eu tinha que sair do escritório. *O tipo de trabalho dele não era dos mais seguros... Quantos antes haviam sido mortos a tiros ou ficado presos em um carro que explodira? Quando havia um "acidente", todas as línguas de Odessa se agitavam. Eu não ouvira nada.* Peguei a câmera de Valentina e andei pelo bulevar, que tinha vista para o mar, o chão estava repleto de folhas caídas. Calma.

Respire. Eu amava as fileiras de rosas vermelhas que cresciam selvagens desde que os jardineiros deixaram de ser pagos para cuidar delas; a brisa fazia parecer que as árvores estavam sussurrando; as pessoas perambulando — jovens mães empurrando carrinhos de bebê, garotas rindo nos bancos do parque, meninos da Academia Naval com seus ternos e chapéus azuis, se vangloriando e esperando atrair a atenção de uma menina. *Por que ele não telefonou?*

Por ser primavera, Odessa transbordava de noivas em cetim e seda brancos. Os convidados das festas de casamento faziam fila para tirar fotos na Escadaria Potemkin e na prefeitura com suas imponentes colunas brancas. Esse é o dia mais feliz da vida de uma mulher — todos os olhos voltados para ela, uma noiva profundamente apaixonada, sonhos infantis de romance misturados ao desejo de uma mulher de ter um lar e uma família. Menininhas corriam para as princesas de contos de fadas encarnadas. As noivas lhes davam doces e prometiam, "se vocês forem boazinhas, minhas queridas, algum dia serão lindas como eu e todos os seus sonhos se tornarão realidade". Quem não quer acreditar no amor? Quem não quer que o momento dure? As noivas são nossos contos de fadas. *Por que ele não telefonou?*

Noivas são imprudentes e corajosas. Elas pensam com o coração, confiam cegamente (nesta sociedade duvidosa). O fotógrafo afastou a noiva de seu grupo. Ele não precisava dizer a ela para sorrir. Ela estava radiante. Radiante. Ele mexeu na cauda do vestido dela, virou seu queixo ligeiramente para a esquerda, e voltou para seu tripé. Rosas vermelhas, outro tipo de cetim, macio, contra a bochecha dela enquanto a foto era tirada. Uma fotografia dela sozinha para que depois, quando o sonho desmoronar, ela ainda tenha este momento, este retrato de quando estava no auge, para usar no catálogo matrimonial da Valentina.

Como eu me tornara cínica. Fiquei observando as noivas tirarem seus retratos por mais uma hora, sabendo como isso acabaria, mas ainda assim desejando que fosse eu.

Ele não ligaria.

* * *

Naquela noite, Boba e eu nos sentamos no sofá. A televisão estava ligada, mas nós não estávamos assistindo.

— Boba, lembra-se da noite que eu passei fora? Achei que nossa noite havia sido especial, mas ele não achou o mesmo.

Ela puxou minha cabeça para seu colo e acariciou meu cabelo.

— Isso acontece muito, minha flor, isso acontece muito. Os homens são como cães vadios, eles vão de casa em casa procurando um bom pedaço de carne. Quando o conseguem, vão para a próxima porta aberta.

Eu a agarrei pela cintura e enterrei minha cabeça em sua barriga, chorando até meus ombros se sacudirem, até o roupão dela estar impregnado com minhas lágrimas. Prometi a mim mesma que aquela seria a última vez que eu choraria por Vladimir Stanislávski. Prometi que toda vez que ele invadisse meus pensamentos, eu o empurraria gentil mas firmemente para fora da minha mente. Prometi ser mais cuidadosa no futuro, nunca mais baixar a guarda. Promessas que logo quebrei.

Enquanto ia andando para o trabalho na manhã seguinte, percebi que a cidade que eu antes amava agora começava a parecer uma prisão: eu andava apressada pelas ruas, contornando os prédios com os braços cruzados para proteger meus frágeis restos mortais, o olhar pressionado contra o chão. Meu corpo me traía: meu estômago, minha garganta e meu maxilar cerrado. Eu estava tão chorosa quanto uma viúva de guerra. Não conseguia controlar nada. Nem minha vida amorosa, nem minhas papilas gustativas, nem meus pensamentos, nem meu corpo, nem minhas reações. No trabalho, sentava-me em frente ao computador, meditando sobre minha vida. Tudo havia mudado. Antes eu gostava do meu trabalho; agora, me sentia encurralada. O mingau de aveia que eu adorava agora tinha gosto de argamassa. Antes eu queria ver Vlad, mas agora receava que ele estivesse conversando com outra pessoa, uma mulher linda e divertida e livre, e nem me enxergasse. Ou pior, que ele enxergasse e houvesse o terrível "Olá sim sim nós dormimos juntos tchau".

Quando o sino sobre a porta tocou, eu olhei para cima, esperando ver Vlad, e me odiei por ser tão ansiosa, tão ingênua, tão burra. Era o Sr. Harmon. Não fiquei decepcionada — fazia três semanas que não o via.

Ele estava com boa aparência. Muito boa. Havia perdido um pouco de peso e usava um terno azul-marinho com a gravata vermelha que eu lhe dera de Ano-Novo. Ficou de pé no vão da porta, inseguro, segurando um buquê de rosas cor-de-rosa. Fui até ele, abraçando-o como eu só abraçava Boba.

— Eu ia procurá-lo — falei, e comecei a chorar.

Ele me entregou um lenço. Eu assoei o nariz e chorei ainda mais. Não era só por causa do trabalho.

Ele me deu uns tapinhas sem jeito nas costas.

— Pronto, pronto. Você tinha razão. Preciso de você. Olga está pronta para ir para casa e ser uma artista novamente, se você voltar para o escritório. Por favor, volte.

— Achei que não precisava mais de mim — funguei.

— Fiquei perdido sem você — ele admitiu, e me entregou as flores. Uma dúzia! Não ia dar certo.

— Quantas vezes tenho que lhe dizer? Números pares são para enterros.

— Não consigo me lembrar de todas as suas superstições tolas — ele retrucou.

Não era tolice, era sério. Números ímpares dão sorte. Todo mundo sabe disso. Até mesmo ele. Ele fez isso de propósito, para me provocar. Puxei uma rosa do buquê, quebrei o talo e coloquei a flor na casa do botão de seu terno, depois ajeitei sua gravata e alisei sua lapela e tirei fiapos imaginários de seu ombro e da manga. Respirei fundo, cheirando as doces rosas, mais feliz do que me sentia há dias.

Rabisquei algumas palavras para Valentina explicando que Harmon precisava de mim.

— Vamos passar no cais — ele disse, abrindo a porta do carona de seu BMW surrado. — Acho que eu deveria comprar um carro novo.

— Não faça isso — falei, pensando no de Vlad. — Não vai querer que as pessoas pensem que é rico. Isso só traz problemas.

Quando os agentes da alfândega me viram, amontoaram-se ao nosso redor.

— Dasha, por onde você andou? Sentimos sua falta.

Eles me chamaram pelo diminutivo, um sinal de que gostavam de mim. Ou do dinheiro que eu lhes trazia. Todos os seis disseram que tinham dúvidas sobre nossos carregamentos. Que tipo de videocassetes eram esses? Que tipo de música? Contaminariam a juventude? Para que essas carnes e queijos estrangeiros? Os nossos não eram bons o suficiente? E quanto à comida pré-cozida cheia de produtos químicos? Só acrescente água e mexa? Não havia nada de natural nisso. Faria as pessoas pararem de trabalhar em seus jardins? Os agentes não tinham certeza se podiam deixar qualquer uma daquelas coisas entrarem no país.

Sorri.

— Todas preocupações válidas, todas preocupações válidas — falei, e ofereci amostras para acalmar suas apreensões.

Apesar de não poder entender as transações, já que falávamos russo, Harmon sorriu enquanto me observava. As negociações levaram quase a tarde toda. Fiquei grata pelo trabalho; ele mantinha a minha mente longe de Vlad. Na maior parte do tempo.

Boba fez minhas sobremesas favoritas, que comemos no jantar. A melhor foi seu bolo Napoleão, com camadas de bolo e creme que derretiam na boca.

De volta ao escritório da transportadora, onde era o meu lugar, as coisas haviam mudado. Os quadros de Olga e as fotos haviam sido retirados. As paredes estavam pintadas na minha cor favorita, um azul clarinho. Harmon devia ter feito os operários trabalharem a noite toda. Senti um respeito relutante por ele. Finalmente, ele entendia como eram as coisas em Odessa.

Quando fui me sentar à minha mesa de trabalho, Harmon insistiu para que eu ficasse com o escritório dele.

— Você faz a maior parte do trabalho — falou ironicamente.

Na mesa havia um buquê de rosas vermelhas. Vinte e cinco. Ele acertara. Eu nunca havia esperado essa valorização do meu trabalho. Nunca esperara esse esforço. Olhei para ele, quase desejando que dissesse alguma coisa. Em vez disso, ele se sentou à mesa da sala de reuniões e verificou formulários de pedidos dos supermercados de estilo ocidental que foram abertos recentemente. Eu o observei por um momento. Minha estima por ele aumentou. Ele havia feito tanto por mim. E não parecia querer nada em troca. Parei de pensar nele como Harmon e, pelo menos na minha cabeça, comecei a chamá-lo pelo primeiro nome: David.

Fazia mais de duas semanas que eu vira Vlad pela última vez. Ingenuamente, eu dizia a mim mesma que ele viria, se soubesse onde eu estava. Tentei não ficar cismada e odiava a forma como eu tinha me tornado tão sensível, pulando quando o telefone tocava, olhando na direção do corredor quando ouvia passos. Eu corria o risco de ultrapassar a linha entre o frágil e o simplesmente patético. Esse pensamento me fez aprumar a coluna e cerrar o maxilar. Por que eu permitia que um homem me deixasse tão infeliz?

Olhando para trás, as pistas estavam lá, eu só não as vira na época. Champanhe gelada, só para garantir. Uma cama king-size e lençóis de cetim, pelo amor de Deus. Ele era um jogador. Só um jogador. E eu era um baralho. Ele me tirara da caixa, me botara na mesa e fizera sua aposta. E eu fiz seu jogo, pensando que era algo especial. Sexo não era amor, Boba havia me dito. Como ela estava certa.

Para acalmar as coisas com Valentina, fui até a Uniões Soviéticas com uma garrafa de conhaque, uma orquídea e uma caixa de chocolates alemães. Eu não dissera a ela por que fora embora de repente, só que estava cansada e o emprego na transportadora pagava mais — motivos que ela podia entender.

— Vou sentir sua falta — ela disse. — Você é uma garota honesta decente.

— Isso me faz tão bem — resmunguei.

Ela caiu na gargalhada e me abraçou junto ao peito.

Valentina estava de excelente humor porque os regulamentos para os europeus ocidentais e os norte-americanos — especificamente os homens solitários dessas regiões — deveriam ser mudados em breve, permitindo que eles viessem à Ucrânia sem problemas e sem visto.

— Aqueles idiotas em Moscou! — ela exultou. — Eles estão dificultando a entrada no país. Os homens vão começar a vir para a Ucrânia porque é mais fácil. Eu vou ter mais clientes. No Duma russo há até conversas sobre tomar a nacionalidade das garotas quando elas emigrarem para o Ocidente, como nos tempos soviéticos. Acredita nisso? Os políticos russos certamente não acreditam no progresso...

É claro que, quando ela dizia progresso, queria dizer comércio.

Eu queria lhe contar o que acontecera com Vlad, mas algo me deteve. Quem quer admitir que foi enganado? Em vez disso, relatei a ligação de Katya.

— Valentina, o que você faria se o seu marido batesse em você?

— Não é óbvio? — ela perguntou, olhando para mim como se eu tivesse borche no lugar do cérebro. — Você sugere uma viagem para a dacha onde os vizinhos não estão tão perto, onde você tem um velho fogão à lenha ao alcance. Você o faz sentar à mesa da cozinha e dá a ele bastante vodca caseira, bem forte, para beber.

— Eu não sei fazer vodca.

Ela tomou um gole de conhaque.

— Vocês, garotas modernas! Não sabem fazer nada! Você deveria aprender, vodca caseira é potente. Útil em muitas situações. Ah, tudo era melhor antes da perestroika, as pessoas se viravam e não tínhamos todos esses problemas com alcoolismo e pobreza. O mundo se tornou triste, triste. — Valentina olhou pela janela por um instante, como se pudesse ver os tempos melhores da União Soviética na rua.

Ela voltou ao presente e continuou:

— De qualquer modo, quando ele desmaiar e cair em cima da mesa, você pega uma tora de lenha e bate nele. Até os tendões no seu pescoço se misturarem com o algodão da camisa. Até você não poder mais levantar a tora. Aí, você a joga no fogo. Sem provas. Aliás, querida, isso também cura alcoolismo.

Eu finalmente pensei em checar minha caixa de entrada. Havia 12 mensagens de Tristan, cada uma mais aflita do que a outra. Era vergonhosa a facilidade com que eu me esquecera dele. Escrevi imediatamente e expliquei que havia tido problemas técnicos, porque, tecnicamente, eu tivera problemas. Tristan respondeu: *Chega de escrever. Vamos nos encontrar. Logo.*

Pensei em Vlad e deixei que o que eu esperava ser a última onda de mágoa, raiva e decepção passasse pelo meu corpo antes de digitar minha resposta.

Sim.

Como penitência por tê-lo esquecido, enviei para Tristan um monte de fotos de Odessa. Ele então mandou algumas que havia tirado no Parque Nacional de Yosemite. Capturara pores do sol deslumbrantes, trechos desertos de estrada e pequenas plantas que nos fazem ver a vastidão deste mundo. Vendo as fotos das sequoias, os maiores seres vivos, eu podia sentir a casca úmida contra a minha pele.

Ele escrevia longas cartas todos os dias. Contou-me que seus bisavós eram russos. Eu lhe disse que eu era metade odessana e metade húngara. Ele falou que queria saber mais sobre seus ancestrais e eu lhe disse que também queria saber mais sobre os meus, apesar de que, honestamente, entre os estudos, o trabalho e a vida, eu mal tinha tempo para pensar em Boba, que dirá em meus ancestrais. Tristan sugeriu que nos encontrássemos em Budapeste e eu concordei prontamente. Seria interessante ver de onde meu pai viera e para onde ele fugira.

Dei a Tristan meu número de telefone e ele ligava nos finais de semana.

— Dora? Oi, é o Tristan — ele falou, um pouco tímido. A ligação estava ruim e, se falássemos ao mesmo tempo, não ouvíamos um ao outro.

— Daria — eu corrigi, e então pensei, talvez Dora seja um diminutivo, como Dasha.

— O que você disse?

Nós dois tentamos de novo. Nada. Só um zumbido que era mais alto do que a voz dele.

— Fale você — ele disse.

— Estou feliz que tenha ligado.

— Estou feliz que você esteja... — E o telefone ficou mudo. Isso acontecia em Odessa às vezes.

Mesmo que mal pudéssemos conversar por causa da qualidade ruim das linhas telefônicas, o esforço e a paciência dele me comunicavam tudo que eu precisava saber.

Na foto que mandou de si mesmo, Tristan usava um uniforme verde de escoteiro. Ele parecia sério. Gentil. Confiável. Ele gostava de crianças. Estava pronto para uma família. Para compromisso. Não era o tipo de homem que teria champanhe na geladeira só para garantir. Ele era um pouco sem jeito, mas isso significava que não usava os outros, como Vlad, e fiquei grata pelos silêncios constrangidos e por suas perguntas peculiares:

Você tem televisão?

Precisa de meias de náilon? Papel higiênico?

As pessoas ficam horas na fila?

A pergunta mais estranha foi: vocês têm calça jeans na Ucrânia?

Ele não sabia que os jeans foram inventados em Odessa?

Tristan mandou uma passagem de avião para Budapeste. Eu mal podia esperar para encontrá-lo e sair para ver os pontos turísticos. Minha primeira viagem para uma cidade estrangeira. A cada dia eu ficava mais e mais entusiasmada e alvoroçada no escritório, como uma abelha bêbada de pólen na primavera. Quando a prefeitura cortou a eletricidade, servi o restante do café em duas xícaras e David e eu nos sentamos na sala de reuniões e conversamos. Não havia nada que pudéssemos fazer além disso, uma vez que os computadores, as impressoras e o fax não funcionavam. Eu estava grata por ele não ter comprado um gerador. Passara a gostar daqueles momentos, quando éramos só nós dois em uma sala na penumbra.

— Por que você está aqui? — perguntei.

Ele riu.

— Eu me faço a mesma pergunta. Poderia dizer que o transporte marítimo está no meu sangue, já que meu avô fundou a empresa. Mas a verdade é que eu tive uns probleminhas e agora tenho que ficar aqui por dois anos.

Vita e Vera estavam certas? Odessa era o castigo dele? Devo ter dito essas palavras em voz alta, porque ele retrucou:

— Não tanto um castigo, mas uma espécie de redenção.

Eu esperei que dissesse mais, mas ele ficou em silêncio. Após um longo momento, ele mudou de assunto.

— E você? Por que ainda está aqui?

— Eu amo Odessa.

— Nunca viu outro lugar.

— Então você tem que dormir com duzentas garotas para saber qual quer? Tem que experimentar cinquenta sobremesas para saber que prefere chocolate?

— Não — ele falou. — Tem razão. Às vezes você simplesmente sabe.

— Não sei o que quero. Boba diz que eu deveria arrumar um norte-americano e ir embora de Odessa. E às vezes é isso que eu quero também. Quero ver o mundo, quero viajar, me apaixonar, conhecer pessoas, falar inglês o tempo inteiro, como fazemos no escritório. Mas fico com medo de largar tudo que já conheço.

— Odessa sempre estará aqui. Não chamam a cidade de Odessa-Mãe? Ela estará bem aqui, esperando por você, se quiser voltar. Você é jovem, deve ir, explorar, viver.

As luzes se acenderam, quebrando o encanto. Ainda assim nós ficamos na sala de reuniões. Pensei em Budapeste. Eu iria, exploraria, viveria. Ele se levantou e apagou as luzes. Fiquei feliz.

— Por que está tão feliz? — ele perguntou.

Eu não queria estragar tudo contando sobre a minha viagem.

— Ainda não está cansado da Olga? Posso encontrar uma boa moça odessana para você.

— Eu era casado com uma boa moça — ele disse. — Agora quero uma maluca.

Eu corei, satisfeita por voltarmos aos nossos velhos gracejos como se nada tivesse acontecido, apesar de as coisas terem mudado. Meu salário havia dobrado. O peão de Olga havia sido derrubado do tabuleiro. Por meio do sacrifício estratégico, eu ganhara.

Ele falou sobre seus planos para o casamento. Fiquei me perguntando se deveria avisá-lo — ela se voltaria contra ele como havia se voltado contra mim. Mas eu não queria perturbar a paz entre nós. Não queria feri-lo ou decepcioná-lo. E se ele não acreditasse em mim? Além do mais, todo mundo sabe que no xadrez — e em Odessa — é cada um por si.

— Seus pais devem estar curiosos a respeito de onde você trabalha. Por que não os convida para virem almoçar aqui?

Eu o encarei.

— O que foi? — ele disse. — Está preocupada com a barreira do idioma?

Eu estava preocupada com a barreira da morte. Como explicar que uma estava morta e enterrada e o outro estava morto para mim e para Boba? Ele sempre reclamava de seus pais intrometidos e rígidos. Não sabia a sorte que tinha. E eu não queria que ele sentisse pena de mim. Ergui o queixo um milímetro e falei:

— Vou convidar Boba, a minha avó.

— Você acabou de fazer aquele negócio.

— Que negócio?

— Com o queixo.

— Do que você está falando?

— Você tem uma conversa interna consigo mesma. Eu sei porque sua boca se mexe ligeiramente e às vezes você até resmunga. Você resolve alguma coisa, ergue o queixo e aí anuncia o que quer que tenha decidido.

Franzi as sobrancelhas. Obviamente, nós passamos tempo demais juntos. Um ataque é a única defesa. É o que dizemos em Odessa.

— E você? — eu perguntei. — Você limpa a garganta umas cinquenta vezes quando está nervoso. Esconde-se em seu escritório quando Vlad vem.

— Eu não me escondo. Estou ocupado.

— Ocupado se escondendo.

— Por que eu deveria lidar com ele quando você é tão melhor nisso?

— Você acha que um bom elogio vai livrá-lo dos problemas.

— A única pessoa que eu elogio é você. Você é praticamente a única coisa boa nesta cidade.

Infiel!

— Odessa é a melhor cidade do mundo, não se esqueça disso!

Ele ergueu as mãos como que para se defender dos meus golpes.

— Não me mate por traição. Só convide sua avó para almoçar amanhã.

Natalia Temofeevna. Ele tentou pronunciar cinco vezes antes de me pedir para escrever. Eu escrevi, mas ele se enrolou tantas vezes que falei:

— Chame-a de Boba. Todo mundo chama.

É claro que isso não era verdade. Nós só deixamos os estrangeiros usarem a versão mais simples dos nossos nomes.

Boba olhou o escritório tentando achar algo errado. Ela não podia evitar, era seu olho de águia. Mas não havia poeira em lugar algum e o chão era impecável. Ela assentiu, o que era quase um elogio.

— Ela é a mãe da sua mãe ou do seu pai?

— Da mãe.

Ele ofereceu o braço e Boba o aceitou. Ele a acompanhou até a sala de reuniões, onde ela se maravilhou com o banquete. A última vez em que eu o vira fazer um esforço tão grande foi quando o Sr. Kessler viera. Lagosta do Maine. Caviar do Danúbio. Champanhe da França. Harmon finalmente aprendera a beber como um odessano. Talvez na França eles escolham vinho branco para isso, tinto para aquilo. Em Odessa, o estouro da rolha serve como um chamado não oficial para a mesa. *Champagnskoye* combina com tudo — é o que nós dizemos.

— Ele fez um esforço tão grande por você — Boba murmurou.

— Por você, Boba.

— Um homem tão bonito...

— Misturar trabalho e prazer é como misturar picles e sorvete. Você teria namorado o seu chefe, Iuri Pavlovitch?

— Sim, se ele tivesse essa aparência.

Harmon abaixou os olhos para o caderno em que seu professor de russo escrevera algumas frases foneticamente.

— O tempo está bom — ele disse.

— É claro que está — Boba respondeu. — Estamos em Odessa.

Ele ergueu uma sobrancelha e olhou para mim.

— Estou vendo a quem você puxou.

— Puxei o quê? — perguntei.

Ele se voltou para Boba.

— Gostou do champanhe?

— Amarga. — *gorko*. Ela franziu o rosto. Acreditem, nós odessanos somos especialistas em amargura. — Da próxima vez, compre *champagnskoye* odessana. É leve e doce.

Parecia que ele não conseguia fazer nada certo. A manteiga era cheia de produtos químicos. Boba podia sentir isso na língua. Compre nossa manteiga natural no mercado, ela o aconselhou. "Como pode deixar que ele compre essas coisas?" — ela me perguntou. Disse a ele que a lagosta estava sem gosto, os legumes crus.

Harmon e eu levamos os pratos para a cozinha e esperamos o café ficar pronto.

— Ela odiou tudo — ele sussurrou mal-humorado.

— Não — eu corrigi. — Ela adorou. E gostou de você. Ela não se daria ao trabalho de criticar tudo se não tivesse gostado. É quando ela é educada que você deve se preocupar. Ela acha que você gastou dinheiro demais com ela. Só quer que você seja menos decadente da próxima vez.

— Sério?

— *Absolutno!* Quanto mais críticos nós somos, mais gostamos de vocês. Cuidado com pessoas que são gentis demais, elas não são sinceras — pensei em Olga e esperei que ele entendesse minha advertência sutil.

— Você deve ser a pessoa mais sincera que eu conheço — falou secamente.

Depois do café, Boba se levantou e disse:

— É melhor eu deixar que vocês dois voltem ao trabalho. Obrigada pela bela refeição.

Harmon a acompanhou até a porta e eu os segui. Boba apertou os olhos contra a luz do sol.

— Foi um enorme prazer conhecê-la. Da próxima vez, traga a sua filha — ele falou em um russo hesitante.

Boba olhou para mim. Sacudi a cabeça, mas ela contou a ele de qualquer modo.

— Filha morta.

O queixo de Harmon caiu. Boba deu uns tapinhas solidários na bochecha dele e desceu a Soviet Army Street.

— Quando?

— Eu tinha 10 anos.

— Por que não me disse?

Meu queixo se projetou para a frente.

— Não é da sua conta.

Ele suspirou.

— Por que não vai para casa? — Ele me dispensou tão eficientemente quanto eu o havia dispensado. Então ele amenizou o golpe: — Não gostaria de passar o resto da tarde com Boba?

— Vou limpar a sala de reuniões.

— Faça como quiser — ele respondeu.

— Eu sempre faço.

— Garota atrevida.

Ele se virou para voltar para sua sala. Agarrei o braço dele.

— Espere. Obrigada. Por tudo o que fez... por Boba.

Ele olhou para a minha mão em sua manga.

— Foi um prazer — falou automaticamente. — Qualquer coisa... por Boba.

Três dias antes de eu encontrar o Tristan, Jane telefonou e eu lhe contei sobre meu plano. Grande erro. Você nunca deve contar nada a ninguém.

— Você está maluca? — Ouvi um grito tão alto que todo mundo de Montana a Odessa também deve ter ouvido. — Ele pode ser um estuprador ou um assassino! Pode ser um aliciador de garotas para estrangeiros! Pode ser um pedófilo! Ele pode ser casado! O que você sabe sobre esse cara?

— Ele é professor.

— Que se dane! — ela guinchou. — Saia dessa! Saia dessa agora!

Jane nunca reagia assim. Normalmente era equilibrada e bem-humorada. Mas talvez estivesse certa. Ela era dois anos mais velha que eu e uma garota viajada. Mais do que isso, era norte-americana e conhecia os homens de lá. Talvez ele atacasse mulheres estrangeiras inocentes. Talvez fosse como a Milla em Donetsk e tivesse escrito para dez garotas simultaneamente. Eu não conseguia decidir se ia ou não. Mas não conseguia telefonar para Tristan para lhe dizer que não. Então eu não liguei. Como os dias após meu encontro com Vlad, como em um vazamento, os dias pingaram.

Ploft.

Ploft.

Ploft.

Shut-shut-shut.[1] Como já havia pedido uns dias de folga, fiquei em casa. Quando sentia arrependimento por não visitar Budapeste, eu repassava as palavras de Jane. Assassino. Aliciador de garotas. Pedófilo. Casado. Rasguei a passagem em pedaços até parecer um confete triste. Ele parecera tão sincero, como eu podia ter me enganado tanto? Olhei para meu relógio. Se eu tivesse ido, nós estaríamos jantando. Conversando e rindo sobre minhas suspeitas. Ele teria pegado a minha mão e me tranquilizado. Eu teria sorrido timidamente. O olhar dele teria acariciado o meu...

Mas Jane estava certa. Tristan, se é que esse realmente era o seu nome, era certamente um trapaceiro habilidoso que usava garotas burras como eu para transar.

Doía pensar assim — ele parecera genuíno. Mas Vlad também parecera. Tristan nunca fora meu namorado. Como Will, de Albuquerque. Eu nunca o vira ou tocara nele. Ele não era real. Então por que doía tanto? Talvez eu ainda estivesse sensível por causa da minha experiência com Vlad. Pensei em como havia permitido que me enganassem. De novo. Como eu podia ter pensado em voar para um país estrangeiro para encontrar um homem que não conhecia? Só uma idiota faria algo assim. Será que eu não tinha aprendido?

O toque do telefone interrompeu minha reflexão.

— Alô — eu atendi.

Com a voz mais baixa e triste que eu já ouvira, Tristan perguntou:

---

[1] Fechar-fechou-fechado. *(N. da T.)*

— Onde você está? Por que não veio?

Eu soube naquele momento que ele era um cara decente, um pouco sem jeito, um pouco bronco, só em busca de amor. Eu me sentei na poltrona preta que David me dera quando redecorara seu apartamento.

— Por que mudou de ideia?

Como eu podia lhe contar a verdade — que minha amiga me convencera de que ele era um estuprador? Que eu rasgara a passagem? Eu não aguentaria magoá-lo mais do que já havia magoado.

— Tristan — murmurei ao telefone. — Minha avó está doente. Terrivelmente doente. Não posso deixá-la. Eu tentei ligar, mas você já havia partido.

Esperei que ele respondesse, mas só conseguia ouvir estática.

— Você acredita em mim, não acredita? — Havia um pouco de Sereia em mim também.

Ouvi uma fungada.

— Não sei o que pensar — ele finalmente respondeu, com uma voz tão pequena quanto um grão de areia.

— Eu queria ir. Você acredita em mim, não é?

— É claro que acredito — ele fungou de novo. — Só estou aliviado. Não que a sua avó esteja doente, mas achei que tivesse mudado de ideia.

— Nunca — falei com convicção. Conversamos por mais alguns minutos e eu disse a ele que telefonaria do escritório no dia seguinte. Tarde demais, percebi que era incoerente ir do leito de morte da minha avó para o trabalho no espaço de um dia. Felizmente, meu descaramento ilimitado foi recebido por uma ingenuidade ilimitada. Às vezes queremos acreditar tão desesperadamente que engolimos mentiras sem mastigá-las. Boba me dissera com frequência que meu pai queria me ver. Nunca a questionei; eu queria acreditar.

Depois, fiquei sentada perto do telefone em um devaneio, me sentindo horrível com o que havia feito. Tentei culpar Jane por me convencer a não encontrar Tristan, mas não conseguia ficar zangada com ela. Ela tentara me proteger. Eu só podia culpar a mim mesma. Como podia deixar um homem pegar um avião para a Europa e deixá-lo esperando? No dia seguinte, liguei e pedi desculpas repetidamente. Ele me disse para "não esquentar", que ele iria direto para Odessa da vez seguinte. Falou com convicção e parecia feliz com sua decisão, mas eu estava assustada.

Boba começou a planejar o que iria cozinhar, um sinal certeiro de que ela aguardava ansiosamente a visita dele. Eu tinha sentimentos conflitantes. Queria vê-lo, mas também estava preocupada. E se ficasse entusiasmada de novo e ele desaparecesse como Will? E se ele me usasse e desaparecesse como Vlad? E se ele não gostasse de mim e desaparecesse como meu pai? Eu queria pedir conselhos a Jane, mas tinha medo de que ela me convencesse a não encontrá-lo de novo.

Jane era cética em relação a empreitadas russo-americanas. Para ganhar dinheiro para pagar a faculdade, ela traduzira cartas para um fazendeiro de 57 anos viciado em mulheres de Moscou. Ele se correspondeu com uma dúzia de moscovitas, encontrou algumas e voltou para casa levando uma jovem noiva, que disse a Jane que não aguentava o espaço aberto da estepe dura de Montana. Quando ela voltou para a Rússia, o fazendeiro sofreu por dois meses, e então pulou em cima do cavalo de novo e o cavalgou até Moscou. É verdade que já havíamos tido alguns clientes que retornaram às nossas sociais. Valentina me disse que havia pensado em uma nova campanha — se seu primeiro casamento com uma garota não der certo, o segundo é de graça.

Tanto Valentina quanto Boba me empurravam na direção de Tristan (estrangeiro é melhor).

Eu esperava que as coisas dessem certo com ele, que me amasse, que quisesse que eu fosse para a Califórnia, o Estado Dourado, que tivéssemos uma família e fôssemos felizes. Mas, na minha vida, quantas coisas haviam saído do jeito que eu esperava?

Capítulo 12

TRISTAN FOI CEDO PARA CASA. Ele disse que não conseguia aproveitar Budapeste sem mim. Confessou que fora a primeira vez que pegara um avião, a primeira vez que visitara um país estrangeiro. Eu me senti ainda pior por tê-lo deixado esperando. Sabia que ia ter que aprender a confiar nele.

— Eu sinto muito — digitei as palavras vinte vezes.

— Por favor, não se sinta mal. Sua avó estava doente. Não foi culpa sua. Eu queria ter ido visitá-la. Podia ter ajudado a cuidar dela. Ela está melhor? E você?

— Muito melhor — escrevi. Isso era verdade. Eu estava confiante de que ele era um bom homem e que nosso encontro estava predestinado.

Três semanas depois, no dia de sua chegada, fiz algo que nunca fizera antes. Liguei para David e disse que estava doente. Ele me disse para descansar. É verdade que eu estava tão nervosa que não dormia fazia dois dias. *Choose-chose-chosen.*[1]

Fiquei de pé na frente do espelho e puxei meu cabelo em um coque, como fazia para trabalhar. Solteirona. Tirei os grampos e escovei o cabelo. *Become-became-become.*[2] Em meu terninho preto, eu parecia estar indo para uma reunião de negócios. Vesti uma saia curta e uma bata esvoaçante de camponesa. Minha mão tremia enquanto eu passava rímel

---

[1] Escolher-escolheu-escolhido. *(N. da T.)*

[2] Tornar-tornou-tornado. *(N. da T.)*

e cobria minhas pálpebras com partículas pretas. Eu nunca estivera tão nervosa em toda a minha vida. *Begin-began-begun.*[1]

E se as coisas não dessem certo?

E se dessem?

— Dasha, Dasha — minha Boba falou. — Não há motivos para ficar preocupada. Ele é só um homem. Há milhões. Você vai encontrar o certo.

Assenti e passei pela fonte dos desejos, pelos punhados de glicínias que se agarravam ao prédio, até chegar à rua. Em vez de pegar o ônibus, fiz sinal para o que nós odessanos chamamos de "táxi informal" e negociei um preço justo para ir e voltar do aeroporto. Quando o motorista me perguntou "Vai buscar alguém?", eu contei a mentira que havia preparado para David, caso ele me visse com Tristan.

— Um primo norte-americano que quer conhecer suas raízes.

— Eles querem visitar, mas nunca ficar — ele disse amargamente.

Eu me arrependi da mentira. Há algo nos taxistas, esses homens e mulheres que sabem tudo sobre a cidade, que nos veem nos melhores momentos — a caminho de um casamento ou da ópera — e nos piores — após um encontro desastroso — que nos leva a fazer confidências a eles. O silêncio me deixou sozinha, desconfortável com meus pensamentos e temores. Perguntei:

— Qual é sua outra profissão?

— Sou cirurgião.

Médicos ganham uma miséria. Todo mundo tinha que fazer bicos — os trabalhadores fixos e os temporários — para manter o nariz acima da maré de pobreza que varre a Ucrânia. Por que outro motivo eu estaria pensando em me casar com um total estranho? Eu ansiava por estabilidade. Apesar de ganhar um bom salário hoje, podia ficar desempregada amanhã — sem a caridade ou as indenizações oferecidas no Ocidente. A empresa para a qual eu trabalhava estava sob constante escrutínio do governo, que queria mais impostos. Apesar do "aluguel" que pagávamos, só nos últimos seis meses aconteceram três atos de antissemitis-

[1] Começar-começou-começado. *(N. da T.)*

mo, e nenhuma prisão ou investigação, uma vez que ninguém havia se machucado. É claro que o motivo verdadeiro era o fato de sermos uma empresa israelense e ninguém em Odessa gostava de judeus. Se eu fosse a gerente da filial, teria caído fora. Eu não sabia por que David ficava. Até eu queria ir. Era por isso que estava a caminho do aeroporto. Tristan era minha passagem para ir embora.

Enquanto o motorista estacionava, fui ver se o voo estava no horário. E esperei que o homem que dera a volta em metade do mundo atravessasse o portão de desembarque. Conforme as pessoas saíam, fiquei nas pontas dos pés e tentei vislumbrar seu cabelo castanho e seus olhos azuis. Quando o vi, percebi mechas de cabelo branco. Obviamente, as fotos de si mesmo que ele havia me mandado haviam sido tiradas dez anos antes, talvez mais. Eu sabia que ele estaria cansado por causa de voos tão longos. Eu sabia sua idade. Só não esperava que ele parecesse tão... velho. E estava usando tênis e calça jeans. Eu não o imaginara de smoking, mas imaginara que faria um esforço para o nosso primeiro encontro.

Considerando a reação de Tristan quando me viu, fiquei impressionada.

— Prazer. Em conhecê-la. Dora. Uau. Finalmente vê-la. Uau. Estar aqui. Uau. Você é muito linda.

— Daria. É um prazer conhecê-lo — Eu estava decepcionada. Sabia que ele era mais velho, mas não era o que eu esperava... Boba me estimularia a procurar algo positivo. Ele tinha olhos azuis suaves e um sorriso tímido. Viera dos Estados Unidos para estar comigo. Era um homem de verdade. Um homem decente. Não um canalha.

Tristan ficou olhando para mim; parecia não ter palavras. Eu também não sabia o que dizer. Havíamos escrito tantas cartas, mas agora, frente a frente, estávamos mudos. Era mais fácil encarar a tela de um computador do que uma pessoa de verdade. Eu devia ter ensaiado para este momento. *Swim-swam-swum.*[1] *Dive-dove... doven?*[2] *Do-did-done.*[3]

[1] Nadar-nadou-nadado. *(N. da T.)*

[2] Mergulhar-mergulhou-mergulhado. *(N. da T.)*

[3] Fazer-fez-feito. *(N. da T.)*

O motorista disse:

— É melhor eu pegar as malas desse cara. Ele está tão encantado por você que é capaz de esquecer.

Tristan estava boquiaberto. A caminho do carro, sua mão veio na minha direção, como se quisesse segurar a minha mão ou colocar a palma na parte de baixo das minhas costas. Ela hesitou perto do meu corpo por um minuto e então voltou inerte para o lado dele. Quando o motorista abriu a porta do Lada, ele disse:

— O norte-americano não olha para você como se fosse seu primo.

Eu sorri.

— Somos uma família muito unida.

O motorista riu. Os odessanos estão acostumados a ouvir mentiras, mas gostamos quando o mentiroso se dá ao trabalho de inventar uma história. Fiquei preocupada que Tristan achasse esquisito andar no carro de um estranho, então apresentei o motorista como meu tio. Ele riu, deu um tapa na coxa e disse "tio Vadim!". Éramos passageiros não oficiais em um táxi não oficial. Para que a polícia não suspeitasse que éramos pagantes, eu me sentei na frente e coloquei Tristan atrás.

O aeroporto era perto de Odessa, chegamos à cidade em dez minutos. Passamos voando por tampas de bueiro gigantescas, por ruas de paralelepípedos, pelos arranha-céus soviéticos de concreto do bairro moderno, até o coração da cidade. Perguntei ao Tristan o que ele achava da cidade enquanto atravessávamos Odessa.

— É diferente de tudo o que já vi. Eu não sabia que havia... hã... tantos prédios bacanas. Quer dizer, é claro que você me mandou todas aquelas fotos lindas. Hãã... Sabe, o que estou tentando dizer é que é até melhor pessoalmente.

Eu sorri, encorajada pelas palavras dele; ele continuou a me contar suas impressões. Era interessante ouvir um nativo de língua inglesa. A pronúncia era tão estranha. Nenhuma virava "ninhuma". O som "hã" era salpicado nas frases como canela na torta de maçã da Boba.

Quando o motorista abriu o bagageiro para pegar as malas de Tristan, ele me entregou um pedaço de papel com seu telefone e a palavra *takci* escrita.

— Não tenha vergonha de ligar para o tio Vadim se precisar de uma carona. E espero um convite para o casamento — ele falou em russo. Eu corei. — Adeus e boa sorte — ele disse para Tristan em inglês.

— Você tem uma bela família — Tristan falou.

— Obrigada. Bem-vindo à nossa casa.

Quando Boba ouviu minha voz, ela desceu as escadas para o pátio. Suas mãos estavam entrelaçadas na altura do coração. Ela olhou de mim para o Tristan e eu nunca vi uma felicidade tão evidente em seu rosto.

— Que homem bem-apessoado. E ele veio lá de longe por você — ela falou. Boba era muito sábia. — Diga a ele que eu disse oi e bem-vindo à ensolarada Odessa.

Eu traduzi e Tristan se virou para ela e disse:

— OLÁ. É UM PRAZER CONHECÊ-LA.

Nós o acompanhamos escada acima até a sala de estar, onde havíamos coberto a mesa da cozinha com uma toalha bordada e com minhas comidas preferidas: um prato de beterrabas tão vibrantes que animariam qualquer dia triste de inverno; uma salada de batatas tão deliciosa que ninguém jamais iria embora sem implorar à Boba pela receita; sanduichinhos abertos; caviar de berinjela, que era mais gostoso do que caviar de verdade; peixe do qual Boba catara as espinhas manualmente (o que deixou suas mãos nodosas cobertas por centenas de cortes semelhantes aos feitos por papel); pão preto ainda quente da padaria. Tanto eu quanto Boba éramos vegetarianas, mas ela preparara um coelho para Tristan (antigamente, quando a comida era escassa, vendedores inescrupulosos vendiam gatos sem pele como se fossem coelhos; agora eles eram vendidos e servidos com as patas peludas e os dentes da frente intactos para provar que estava tudo correto).

— Dasha, convide o cavalheiro para se sentar — minha avó falou, retorcendo as mãos nervosamente.

— Não quer se sentar? — perguntei, e enchi o prato dele com as delícias de Boba. Enquanto eu esticava a mão para um dos pratos favoritos de Odessa, uma fatia de pão coberta por uma camada grossa de manteiga e sardinhas adoráveis, Tristan sussurrou:

— Não estou com fome.

— Por favor, não recuse, você vai ofender minha avó.

— Estou com um pouco de dor de estômago — ele sussurrou. — Vejo que tiveram muito trabalho, mas talvez eu possa esperar até mais tarde para comer.

A pobre Boba não conseguia entender. Quando repeti as palavras dele em russo, ela ainda não entendia.

— Nunca vi um homem recusar uma refeição — ela disse por entre lábios cerrados. Em Odessa, comida não é apenas nutrição, é amor e respeito. Quando convidamos alguém para nossa mesa, ela está coberta de pratos caseiros preparados especialmente para o convidado. Quando convidamos alguém para a nossa casa, o fazemos para ser nosso amigo.

— Tristan, por favor, entenda, recusar comida em Odessa é como se recusar a apertar a mão de alguém.

Ele olhou para o rosto inflexível de Boba e pegou o sanduíche aberto.

— Eu como a cabeça e o rabo?

Eu assenti.

Ele mordeu e mastigou lentamente. Vi não só que ele não estava com fome como que não gostava de sardinhas. Ele tentou esconder tomando um gole do suco caseiro de Boba entre cada mordida. Mas terminou o sanduíche sem dar uma palavra. Aí, começou a cortar a carne. Ele sorriu para mim e eu balancei a cabeça, encorajando-o. Era importante ter a benção da minha avó.

Boba e eu não comíamos fazia dois dias, estávamos muito nervosas. Depois que Tristan começou a comer, nós também começamos. Era visível que ele não gostava de coelho, mas, depois que experimentou a salada de batatas, ele exclamou:

— Meu Deus, é incrível. Posso morrer feliz agora.

Eu não precisava traduzir suas palavras. Todo mundo dizia a mesma coisa a respeito da salada de batatas de Boba. Antes que pudéssemos servir o bolo, os olhos de Tristan começaram a se fechar lentamente e então a se abrir tremendo. Eu o conduzi ao meu quarto, o quarto de hóspedes durante sua estadia.

Boba e eu comemos sobremesa, só nós duas, como havíamos feito tantas vezes no passado. Algumas coisas nunca mudariam. Ergui minha taça de *champagnskoye*.

— À adorável anfitriã e suas mãos de ouro!

— À minha linda neta! — Boba brindou. — Que ela tenha sorte no amor!

Eu a beijei rapidamente três vezes nos lábios, como é nosso costume.

Boba acariciou meu cabelo e disse:

— Um homem prometeu: "Querida, quando nós nos casarmos, eu estarei lá para dividir os problemas e as tristezas." Sua noiva falou: "Mas eu não tenho nada disso..." O homem retrucou: "Eu disse, quando nós nos casarmos...".

Eu ri.

— Ele gostou mesmo da salada de batatas — Boba falou.

— É claro que gostou.

— O que você achou do rapaz?

Dei de ombros. Como podia dizer à minha avó que ele não fazia meu coração feliz?

— Ele é legal. É cedo demais para dizer.

— Cedo demais para dizer? — Ela jogou as mãos para o alto e olhou para o teto. — Ele é norte-americano. Veio lá de longe. Foi educado, tão educado que comeu comida que não gosta para não ofender. Ele disse que não mora com os pais e que tem um emprego estável. O que mais você está esperando? Uma mensagem de Deus assinada por todos os 12 apóstolos?

Meu queixo caiu. Quem era essa mulher? Boba nunca tentara me forçar a namorar. Ela sempre dissera para não me apressar e fazer uma escolha sábia. Que a escolha de um parceiro para a vida era a mais importante que uma mulher podia fazer.

— O que está dizendo?

— Pare de ficar se arrastando por causa de Vladimir Stanislávski. Ele não é o homem certo para você. Dê uma chance a esse homem. Não estou dizendo que tem que se casar amanhã. Tente conhecê-lo. Deixe que ele a conheça. Não quer uma família? Não quer filhos?

— Você sabe que sim, Boba. Mais do que tudo. — Por vontade própria, meu lábio inferior começou a tremer. Por que Boba estava me atacando daquele jeito? Eu havia esquecido Vladimir Stanislávski, ele era só uma manchinha. Eu mal podia vê-lo. Como ela podia pensar que eu estava me arrastando por ele?

— Não fique ofendida, minha neta. — Ela acariciou meu rosto. — Se você quer uma família, se quer quebrar A Maldição, vai ter que abrir seu coração e olhar além das aparências. Demônios bonitos são só isso: demônios. Eles não vão fazê-la feliz. Não a longo prazo. Tanto eu quanto sua mãe descobrimos isso.

Parecia que tudo havia sido dito. Sem dizer palavra, nós nos levantamos da mesa e começamos a levar os pratos da sala de jantar para a cozinha. Enquanto eu cobria o prato de beterraba com outro prato para que ela não secasse na geladeira, Boba falou:

— Quando eu era moça, minha vizinha Alla me pediu para fazer minha salada de batatas para a noite em que convidou seu namorado Arcady para jantar. É claro que eu fiz e é claro que ela disse que tinha feito o prato. Ele a pediu em casamento naquela mesma noite. Tenho certeza de que foi a salada de batatas que fechou o negócio.

— Eu também tenho certeza de que foi. — Ela me contava essa história toda vez que preparava a salada de batatas. Eu ouvira todas as suas histórias pelo menos cem vezes.

— Uma noite, anos depois, quando estava meio de pileque, ele me contou que se casara com a mulher errada. Ele só descobriu depois do casamento que eu tinha feito as famosas batatas. Homens! Fazem qualquer coisa pela minha salada.

Naquela noite, enquanto eu estava deitada na cama, fiquei olhando para o teto e pensando no que Boba dissera. Eu era preconceituosa e dura com as pessoas. Precisava ser mais flexível.

Na manhã seguinte, Tristan saiu do banheiro depois de um longo banho. Seu cabelo estava molhado e os olhos brilhavam. Sua aparência estava melhor do que no dia anterior. Ou talvez, depois das palavras fortes da Boba, eu o visse de maneira diferente.

— Dormiu bem, Tristan?

— Adoro quando você diz meu nome. Soa tão sexy.

Corei e fiquei feliz por deixá-lo feliz.

Boba sorriu enquanto o observava devorar o *vareniki* — ou raviόli — de queijo que ela fizera para o café da manhã.

— Ah, o apetite dos jovens — ela falou, satisfeita.

— Isso é sensacional — ele disse. — Vocês estão me mimando demais.

A voz dele parecia rouca. Eu esperava que ele não tivesse deixado a janela do quarto aberta na noite anterior. Era garantia de ficar com tosse.

— Você gostaria de sair e explorar a cidade? — perguntei, já com medo de encontrar conhecidos.

— Incomoda-se se ficarmos em casa? Acho que peguei uma gripe.

Boba assou um frango, fez purê de batatas e foi visitar pessoas na antiga vizinhança, para que Tristan e eu pudéssemos ficar sozinhos. Se ainda morássemos no bairro dormitório, os vizinhos teriam arrumado desculpas para pegarem emprestada uma xícara de farinha para poderem entrar e conhecer nosso hóspede. Em nosso antigo prédio, as velhas sabiam das coisas antes que elas acontecessem. Por sorte, nossos novos vizinhos — jovens estrangeiros — não ligavam para nós.

Em nossa tranquila sala de estar azul, Tristan e eu ficamos sentados nas poltronas de David.

— Você tem um apartamento tão bonito — ele falou. — Pequeno. Aconchegante. Quando estava na faculdade, eu morava em um dormitório, mas fiquei muito feliz em voltar a morar em uma casa.

— Na cidade, só podemos sonhar em ter uma casa própria. Eu sempre morei em apartamento. O que faz com que você goste tanto de morar em uma casa?

— Gosto principalmente do jardim. E de plantar frutas e legumes. Nada me deixa mais feliz do que estar em contato com a natureza. Eu adoro trabalhar no jardim, de joelhos com as mãos na terra. Isso provavelmente parece estranho, mas me sinto ligado a algo maior do que eu. — Ele olhou para mim, como se estivesse preocupado com que eu não o fosse achar másculo.

— É exatamente como me sinto quando ando à beira-mar.

— É uma sensação ótima, não é?

— A melhor.

— Adoro minhas rosas. Minha mãe também as plantava e quando as vejo florir, penso nela. — A voz dele estava baixa quando disse isso e ele olhou para mim quase que timidamente, como se estivesse envergonhado.

— Nossos pais sempre moram dentro de nós, não é?

— Graças a Deus — ele respondeu.

Ficamos sentados em um silêncio constrangedor por um instante. Talvez estivéssemos cada um pensando em nossas famílias, em nosso passado e no que o futuro traria. Eu estava procurando algo para dizer. Uma forma de melhorar o clima, que havia ficado sombrio demais. Finalmente, me decidi por:

— Do que você mais gosta em lecionar?

Ele sorriu.

— Adoro trabalhar com jovens. O dinheiro pode não ser dos melhores, mas adoro saber que os estou ajudando. Como esse garotinho, Adam. Ele está na quarta série, tem 9 anos, e sua cabeça vai para a frente e para trás como um boneco de mola porque seu pai costumava sacudi-lo. Todos os dias ele me traz um desenho de um avião. Você só se sente mal por essas crianças e quer que eles tenham algum tipo de futuro. Ele mal conhece o alfabeto, mas, cara, como desenha bem! Ele está na minha tropa de escoteiros. Se eu puder ajudar essas crianças, ajudá-las a ter boas lembranças da infância... Além disso, quero ter filhos e acho que é um bom treinamento... E você? Do que mais gosta no seu trabalho?

A resposta que eu não podia dar era sentar-me na penumbra da sala de reuniões com David, bebendo café frio e conversando sobre literatura.

— Fazer tours. Gosto de apresentar minha cidade natal para as pessoas.

— Talvez possamos sair mais tarde. — Ele esfregou o queixo e o pescoço.

— Sua garganta está doendo?

Ele assentiu.

— Chá preto com geleia de framboesa resolverão isso. — Fui para a cozinha para preparar um pouco para ele. Ele me seguiu e pegou as xícaras no armário. Isso me surpreendeu — a maioria dos homens de Odessa se sentaria à mesa e esperaria ser servido. Coloquei três colheradas grandes da geleia caseira de Boba em cada xícara e três colheradas pequenas de folhas de chá na chaleira. Quando o chá ficou pronto, eu o despejei nas xícaras e abri uma lata dos biscoitos de Boba e encorajei Tristan a prová-los.

Ele pegou seu chá e a lata de biscoitos e saiu da cozinha

— Aonde você vai?

— Vou voltar para a sala.

— Normalmente nós tomamos o chá aqui. A cozinha é o aposento mais aconchegante da casa.

— As cadeiras na sala são mais confortáveis. Venha.

Ele estava certo.

De volta à sala, ele olhou para mim e disse:

— Estou tão feliz por estarmos finalmente aqui, frente a frente. Era tão frustrante ligar para você e não conseguir falar.

— Eu sei. Meu chefe também odeia as linhas telefônicas em Odessa. Uma vez ele ficou tão zangado que jogou o telefone longe.

— Que idiota. Parece que ele precisa fazer umas aulas para controlar a raiva.

— Ele não é tão mau.

Enquanto falávamos, Tristan segurou minha mão. Senti seu olhar de admiração. Eu também estava interessada nele, um estrangeiro da Califórnia, e esperava que a curiosidade dele se transformasse em algo mais. Pequenas faíscas podem criar um grande fogo, é o que dizemos em Odessa. É verdade que ele não era tão culto quanto alguns clientes nas sociais, mas, diferentemente deles, viera por minha causa. Minha. Ele não carregava uma prancheta para comparar e dar notas para as mulheres que conhecia.

Yelena	25	garçonete	sem filhos	bom inglês
Vika	22	dançarina	1 filho	nenhum inglês
Anya	29	advogada	divorciada — sem filhos	inglês OK

— Este chá é sensacional — ele disse. Jane também usava essa palavra o tempo inteiro. Devia ser típico dos norte-americanos. — Nunca ninguém cuidou de mim desse jeito...

— Você está em Odessa agora. A cidade mais hospitaleira do mundo.

— Da galáxia — ele concordou. — Parece ser um lugar lindo.

— E é. Eu amo Odessa. Adoro isso aqui. Mas...

— Mas?

Odessa sempre estará aqui. Não chamam a cidade de Odessa-Mãe? Ela estará bem aqui, esperando por você se você quiser voltar. Você é jovem, devia ir, explorar, viver.

— Fico imaginando se não há mais.

— Mais?

— Eu quero... eu quero... — Eu não conseguia articular as ideias que desejava expressar. Baixei os olhos para as minhas mãos.

— Está tudo bem — ele disse. — Às vezes também tenho dificuldade de encontrar as palavras.

Eu sorri, grata.

— *Ti-krasivaya.* — Você é linda. E então ele disse olá e obrigado em russo.

— De nada — eu respondi. — Como...?

— Eu queria dizer algumas palavras no seu idioma, então passei a ouvir umas fitas no meu carro. Eu deveria ter dito olá em russo para sua avó ontem, mas estava nervoso demais.

— Obrigada — falei. — Que presente adorável e inesperado.

Havia algo no ar, de repente. Algo explosivo e frágil. Ele se inclinou na minha direção. Eu me inclinei na direção dele. Nossos lábios se tocaram. Ele tinha gosto de framboesas quentes.

Depois de um momento, ele se afastou.

— Não quero que pegue minha gripe.

Eu sorri timidamente.

— Não me importo.

Conversamos a tarde toda. Fiquei surpresa com o quanto tínhamos em comum. Por exemplo, nós dois gostávamos dos Beatles. Nós dois queríamos dois filhos. Nós dois sonhávamos ir para Paris. Nós dois amávamos o mar. Ele adorava olhar minhas fotos e eu adorava ser fotografada. Nenhum de nós dois entendia por que as pessoas achavam futebol tão interessante. Se tivéssemos que escolher entre ser feliz ou rico, nós dois escolheríamos ser feliz.

E vinte anos não era tanto assim, era? Boba e eu éramos amigas queridas, assim como Valentina e eu, apesar de uma diferença de trinta anos. A maioria das mulheres se casava com homens mais velhos. Afinal, como aprendemos na aula de biologia, as meninas amadurecem mais rápido do que os meninos. A idade de Tristan significava experiência adicional, o que era bom, não era?

No jantar, servi para o Tristan uma grande porção do purê de batatas de Boba e uma coxa suculenta.

— Não precisa me servir — ele falou. — Deveria servir a si mesma. As damas primeiro.

Nenhum homem de Odessa jamais pensaria assim, muito menos diria algo do tipo.

— Você cozinha bem — ele disse.

Eu deveria ter admitido que não conseguia sequer tocar na carcaça de um frango, muito menos assá-la à perfeição como Boba fizera. Mas eu queria que ele pensasse o melhor de mim. Então falei:

— *Spacibo.*

— Não há de quê — ele respondeu em russo. *Nechevo.*

— É gostoso ficar sentada aqui com você. Normalmente estou tão ocupada com o trabalho que nunca chego em casa antes das 19 horas. Minhas amigas acham que faço coisas demais. Que quero coisas demais.

— Bem, não estaríamos sentados aqui se você não fosse tão trabalhadora, se não tivesse arrumado aquele segundo emprego. Não há nada errado em ter sonhos. Nos Estados Unidos, nós dizemos: "Mire na Lua. Se errar, você ainda estará entre as estrelas."

— Em Odessa, nós dizemos: "Mantenha os pés no chão e a cabeça fora das nuvens."

— Isso é deprimente. Temos que tentar, não? Quer dizer, se eu não tivesse me inscrito na Uniões Soviéticas, estaria sentado sozinho em Emerson em vez de estar aqui com você nesta cidade sensacional.

* * *

Duas noites depois, Tristan se proclamou "recuperado da diferença de fuso horário" e fomos explorar a cidade.

— Este lugar está meio maltratado, mas é bonito — ele disse. — Tem cheiro de óleo diesel.

Eu não conseguia me concentrar no que ele estava dizendo. Olhei por cima do ombro, preocupada em dar de cara com um amigo ou colega de trabalho. *Catch-caught-caught.*[1] Eu não contara a ninguém sobre ele, não queria estragar tudo. Tanta coisa podia dar errado. Ele podia simplesmente desaparecer, como Will fizera. Vita e Vera podiam tentar afastá-lo, ou pior, contar para David. Olhei para trás de novo. E de novo. Odessa é como uma aldeia. Nunca andei mais do que dois quarteirões sem encontrar um conhecido. Ainda assim, esta noite a minha sorte não estava esmorecendo.

— Nada está escrito em inglês.

— Bem, você está em Odessa — falei causticamente. — Quantas placas escritas em russo há em São Francisco?

— Temos um bairro chamado Russian Hill — ele disse.

Eu queria conhecer a cidade dele mais do que tudo. Esqueci minha irritação anterior. Estava louca para ver os Estados Unidos e Tristan podia fazer com que isso acontecesse. Então ele reclamou que a cidade fedia. As coisas não eram perfeitas aqui — por isso tantas pessoas queriam ir embora.

Quando cruzamos para a Puchkinskaia Street, ele parou e ficou olhando para os paralelepípedos dourados, que faziam com que a rua parecesse ter sido pavimentada com ouro.

— Ora, é a verdadeira estrada dos tijolos amarelos[2] — ele exclamou. — Como pode ser?

Finalmente algo em minha cidade natal o impressionava. Recitei a informação do meu guia de viagens.

[1] Pegar-pegou-pego. *(N. da T.)*

[2] Referência ao filme *O mágico de Oz. (N. do E.)*

— Eles são feitos de barro e permanecem na fornalha até ficarem vitrificados.

Ele pegou a minha mão e exclamou:

— Uma estrada de tijolos amarelos de verdade! Estamos muito longe do Kansas, Dorothy!

Às vezes ele dizia coisas que eu não conseguia entender. Como em meu primeiro filme norte-americano — *Manhattan*, de Woody Allen. Eu havia comprado minha entrada com semanas de antecedência e o carregava comigo aonde quer que fosse. Mal podia esperar para ouvir nativos de língua inglesa e fui sozinha para que ninguém pudesse me distrair com comentários ou piadas. No cinema, as luzes diminuíram e eu fiquei olhando para a tela e me remexendo na cadeira, pronta para o momento que iria mudar minha vida. Eu me sentei no escuro e continuei no escuro. Entendia todas as palavras e nenhum dos significados. Foi profundamente frustrante entender tudo e nada. Por que Tristan falava sobre o Kansas? Por que havia me chamado de Dorothy?

Fiz com ele o mesmo tour que fazia com os outros clientes da Uniões Soviéticas, e então o levei para uma discoteca modesta na praia. O bar servia a nossa vodca, *kognac* e *champagnskoye*, e não bebidas estrangeiras (e preços estrangeiros) de boates como o Crazy Horse. As portas de correr de vidro da discoteca eram abertas para a noite. Metade da boate era uma pista de dança, a outra metade um restaurante com mesas cobertas com toalhas brancas até o chão. O porteiro deu uma olhada para a calça jeans e a camiseta de Tristan e sacudiu a cabeça. Eu lhe entreguei discretamente algumas notas e expliquei:

— Meu amigo é estrangeiro.

Ele franziu o cenho, mas nos deixou passar. Tristan olhou para os jovens dançando.

— Eles são perfeitos. Pele perfeita, cabelo perfeito, corpos perfeitos.

Olhei para eles, mas não vi nada de incomum. Ele estava mais interessado na juventude do que na arquitetura. Perguntou quantos anos eles tinham, o quanto custava vir a uma boate como aquela. Por que estava tão impressionado? Aquele lugar não era incomum. Havia dúzias deles em Odessa.

— Nos Estados Unidos, temos um problema com a obesidade — ele explicou. — Além disso, muitos adolescentes lutam contra a acne. Eu lutei. Vai ver quando chegar aos Estados Unidos.

Estados Unidos. Ele parecia tão confiante quando dizia isso. Eu só esperava que ele não desaparecesse. Como Will. Como Vlad.

— Todo mundo tem uma aparência tão... boa — ele continuou. — Usam roupas bonitas, até mesmo chiques — ele parecia surpreso. Olhou para os rapazes de camisa e calça social que dançavam com garotas esguias em vestidos de verão esvoaçantes, que mostravam as pernas bronzeadas.

— Por que é tão difícil de acreditar? — perguntei, interessada nas observações dele. Ele esperava que andássemos maltrapilhos? Nós tínhamos nosso orgulho. Andar arrumado era nossa maneira de dizer que podíamos ser pobres, mas não éramos oprimidos.

— Acho... e isso vai soar mal, mas nós, norte-americanos, sempre acreditamos que somos os melhores e que sabemos mais, mas olho para esses garotos e penso que eles sabem viver.

Eu ainda não entendia o que ele queria dizer. Ele passou o dedo pela minha testa franzida e tentou explicar seus pensamentos e sua cultura.

— Nos Estados Unidos, quando os garotos saem... — Eu devo ter parecido confusa, porque ele começou de novo: — Quando jovens saem, é para ver o quanto conseguem beber e quão rápido ficam bêbados.

— Estranho — eu falei.

— Mas aqui eu vejo os garotos dançando e se divertindo com moderação. Eles não estão se embebedando, estão fazendo uma refeição, se encontrando e dançando. Isso é bom. Na idade deles, eu estava bebendo dentro da minha caminhonete debaixo de uma ponte com um amigo.

Por que alguém faria isso?

Uma música lenta começou e ele me tirou para dançar. Descansei minhas mãos de leve nos ombros dele. Ele acariciou minhas costas, quase até meu traseiro. Os caras na pista de dança olharam para mim. A expressão deles dizia: "O que você está fazendo com esse coroa?"

Para fugir dos julgamentos, fechei os olhos e descansei o queixo no ombro de Tristan. Ele entendeu isso como um bom sinal e me puxou mais para perto. Ouvi Vlad dizer "Nisso, como em tudo, você vai se sair bem". Imaginei que era Vlad que beijava a minha têmpora, Vlad que me abraçava apertado, Vlad que me queria.

Quando a música acabou, abri os olhos e fiquei surpresa ao ver Tristan. Eu me afastei e olhei para o chão, consternada. Quando olhei para cima novamente, vi que os olhos dele brilhavam com a mesma paixão que eu sentira apenas alguns momentos antes.

Uma música rápida começou e eu mexi os quadris e estiquei os braços acima da cabeça. A tensão deixou meu corpo e fechei os olhos, ficando naquele momento com Tristan. Quando os abri, ele olhava para mim. Eu sorri. Ele me beijou. Pareceu um floco caído de uma árvore fazendo cócegas nos meus lábios. Suave. Sedoso.

Eu o beijei de volta.

— Diga o meu nome — ele sussurrou.

— Tristan.

— Tree-stahn — ele repetiu baixinho.

Na manhã de segunda-feira, fui trabalhar preocupada. E se Tristan saísse do apartamento e se perdesse? Ele não conseguia nem ler as placas nas ruas. Não havia cor nas minhas bochechas e eu suava frio como uma garrafa de vodca tirada da geladeira. Não conseguia deixar de me inquietar. David me aturou durante duas horas antes de dizer:

— O que há com você? Se ainda está doente, vá para casa. Não quero pegar o que quer que você tenha.

Era difícil dizer o que eu tinha. Enquanto andava de volta para casa, tentei entender tudo o que se passava em minha mente. Eu estava nervosa. E confusa. Antes de conhecer Tristan, eu tinha a imagem de um professor romântico em minha mente. Eu me apaixonei por uma ilusão que havia criado. Eu me debrucei em cima de suas cartas, lendo o que queria nelas. As fotos que ele me mandara de si mesmo tinham uma década, portanto eu imaginara um homem jovem, viril. Agora que ele estava aqui, eu tinha que admitir que a realidade era bem diferente do que eu imaginara.

Em Odessa, os homens ou são amantes ou conhecidos. Quando uma mulher diz "ele é meu amigo", presume-se que ela queira dizer "ele é meu namorado". Quando o romance acaba, o relacionamento também chega ao fim. Amor ou nada. Eu passara algum tempo com Jane e seu namorado, Cole. Mesmo depois que terminaram, ele era cordial e se preocupava com ela. Eles conversavam e riam como amigos. Era isso que eu queria: amor e amizade duradouros.

Quando Boba abriu a porta, eu disse olá e ela me mandou falar baixo.

— Ele está descansando.

Parece que eu havia me preocupado com nada. Ele estava ali, a salvo. Boba me puxou para a cozinha e me fez sentar.

— Pensou no que eu falei? — ela perguntou.

— Pensei, Boba — falei humildemente.

— Ele fala com você e a trata como uma igual — ela disse. — E pagou tanto por uma passagem de avião. Ele é melhor do que qualquer homem que você vai encontrar aqui.

Talvez ela tivesse razão.

Tristan estava pronto para sossegar e começar uma família. Eu também. Tristan era uma pessoa séria que ansiava por amor e companheirismo. Eu também. Tristan tinha um emprego estável. Eu não podia dizer isso sobre Vlad nem sobre qualquer outro homem que tivesse namorado. Tristan havia telefonado e escrito fielmente, apesar do custo alto; Vlad prometera ligar, mas não ligara — e telefonemas locais eram gratuitos. Tristan atravessara um oceano para me ver; Vlad não podia se dar ao trabalho de atravessar a cidade. Tristan era um cavalheiro e nem sugerira que esperava algo de mim. Eu queria alguém que me amasse e me respeitasse. Alguém fiel e sério. Alguém pronto para ter uma família. Ao pensar em todos os meus colegas de classe do sexo masculino, colegas de trabalho, vizinhos e namorados, vi que o único que não havia me decepcionado era Tristan. E ele prometera um futuro dourado na Califórnia. Não era difícil fazer a escolha. Os Estados Unidos lindos ou a Ucrânia sob a sombra escura e comprida da Rússia. Tristan: estável, maduro, gentil. Vlad: volúvel, imaturo, insensível. Era verdade que eu não sentia uma eletricidade com Tristan como sentira com Vlad. Mas isso era bom. Aquelas faíscas haviam me chamuscado e eu ainda estava dolorida. Não queria me machucar de novo. Tristan era a escolha inteligente.

Ele saiu do quarto esfregando os olhos. Suas pernas não estavam muito firmes e ele tropeçou. Colocou a mão na parede para se equilibrar. Olhou timidamente para nós, que o observávamos, sentindo-se constrangido. Ele parecia vulnerável e, de certa forma, mais atraente para mim.

— O pobrezinho precisa de alguma coisa para comer — Boba alardeou, e acariciou o braço dele, puxando-o para a cozinha.

Depois que ele comeu, eu de repente quis ficar sozinha com ele e perguntei se ele queria dar uma volta. É claro que, em Odessa, todos os caminhos levam ao mar. Ele assentiu e sorriu.

— Então você é filha única — ele disse enquanto andávamos pela praia. — Já quis ter irmãos e irmãs?

— Já. — Pensei no bebê de Olga, Ivan. — Um irmãozinho teria sido o paraíso.

— Eu gostaria de ter tido uma irmãzinha. Cresci em uma casa de homens. Minha mãe morreu quando eu tinha 4 anos, então éramos só meu pai, meu irmão mais velho Hal e eu. Talvez seja por isso que eu nunca fiquei muito à vontade com as mulheres... simplesmente nunca soube o que dizer ou como dizer. Por isso gostava de namoro virtual. Eu podia pensar no que dizer e escrever no meu tempo. Não ficava nervoso e mudo. Estava na minha sala, não em algum restaurante chique tentando causar uma boa impressão, mas usando o garfo errado e derrubando comida na camisa.

Ele era tão fofo. Eu não sabia que os homens se preocupavam com essas coisas.

— Estou bancando o idiota completo aqui, não é? — ele perguntou.

— Não, não. É claro que não! Eu estava ouvindo. Entendo o que você falou, também fico nervosa em encontros.

— Por quê? Quer dizer, você é linda.

Pensei em Vlad.

— Alguns caras aqui fingem que são sérios — Boba estava certa. Eu tinha que parar de me arrastar por causa dele. — Quer dizer, alguns caras da minha idade só querem se divertir. Eles não pensam em casamento ou em começar uma família. Eu sim.

Ele pegou a minha mão.

— Eu também.

Só espero que seu útero não tenha murchado. Instintivamente, meu braço se enrolou em volta da minha barriga.

— Não acha que sou velha demais, acha?

Ele olhou para mim como se eu fosse maluca.

— Uma... garota que eu conhecia disse... que eu era velha demais... e que nenhum homem jamais iria me querer.

— Ela deve ser seriamente perturbada. Meu Deus, quem não iria querer você? Você é trabalhadora, inteligente e linda. Se alguém aqui é velho demais, sou eu.

— Não! — Eu parei de andar. Ficamos de frente um para o outro. — Não. Eu quero um homem que seja maduro. Que saiba o que quer.

— Tem certeza? — Ele desviou o olhar. — Eu me sinto um papa-anjo.

— Isso parece bom. — E, depois que ele disse essas palavras, eu percebi que parecia mesmo. Eu não ficava nervosa com ele como ficava com Vlad. Ele não pedia nada de mim. Não me pressionava de forma alguma como os outros homens que eu conhecera. — Estou pronta para...

— Começar uma família.

Os lábios dele estavam frios nos meus e pareciam pedir o amor que eu ansiava dar.

Mas eu tinha que ter certeza e decidi testá-lo uma última vez. Contei a ele sobre as sociais, a *champagnskoye* rolando solta, o fato de haver quatro garotas deslumbrantes para cada homem. Tecnicamente, ele pagara para ser membro da Uniões Soviéticas. Será que Tristan queria ir a uma social só para ver?

Não, ele respondeu. Ele estava comigo agora.

Capítulo 13

Na noite antes de partir, Tristan me pediu para levá-lo de volta à praia.

— Não quero ir para casa — ele disse. — Só quero ficar em Odessa com você.

— Longe dos olhos, perto do coração — eu filosofei, apesar de também ficar triste quando pensava que ele ia partir.

Na areia quente, ele ajoelhou na minha frente e colocou minha mão entre as suas.

— Você é a mulher mais linda que já conheci. Linda por dentro e por fora. Estou apaixonado e quero me casar com você. Venha para Emerson comigo.

Eu só conseguia pensar *Califórnia*. E que ele havia me escolhido.

— Eu adoraria.

Nós nos beijamos. Um beijo lento, doce. Agradável, mas não ardente. Lembrei a mim mesma que ardente só faz você se queimar. A paixão era perigosa. O que eu sentia por Tristan era mais seguro.

De volta ao apartamento, ele foi para o quarto e voltou com uma caixa embrulhada em papel prateado, um presente dos Estados Unidos. Sentou-se ao meu lado no sofá e a colocou no meu colo.

— O que é?

— Abra — ele disse suavemente.

Removi o papel lentamente, e então abri a caixa, que continha um computador portátil.

— Isso é demais — sussurrei.

— Não é o suficiente — ele falou. — Agora você pode me mandar e-mails de casa.

Tristan seguiu o fio do telefone até a parede, só para descobrir que não havia como conectar, porque não havia tomada — o fio desaparecia direto dentro da parede. Não podíamos ligar o computador porque as tomadas de energia elétrica eram diferentes na Europa. Não seria possível usar o presente dele imediatamente, mas não tinha importância. O computador já cumprira seu propósito. Ele mostrava que Tristan era um homem generoso e que não era avarento. Ele devia ser rico.

— Obrigada — eu disse.

— Diga isso com um beijo.

Coloquei minhas mãos em seus ombros e encostei meus lábios nos dele. Ele suspirou. Eu não podia acreditar que um norte-americano estivesse interessado em mim. Que tinha vindo lá de longe e que eu teria a chance de morar na Califórnia. Todos os meus sonhos estavam se tornando realidade. Ele me puxou para o colo. Eu passei os dedos pelo cabelo dele.

— Puxa, é tão bom estar com você — ele falou, roçando seus quadris nos meus.

— Digo o mesmo. — Ouvi as fechaduras girarem e tentei me desemaranhar dele antes que minha avó entrasse. — Acha que Boba poderia vir morar conosco?

— O que você quiser — ele sussurrou, e me puxou mais para perto. — O que você quiser...

Antes de partir, Tristan me entregou uma passagem de avião só de ida. Estava marcada para dali a um mês, logo depois da minha entrevista no consulado dos Estados Unidos. Tivemos sorte em conseguir uma entrevista tão rápido. Eu sabia que a espera normalmente era de quase dois meses. Pelo menos o meu trabalho na Uniões Soviéticas havia me preparado para a burocracia assustadora que estava por vir.

Boba e eu dançamos pela cozinha, nos abraçando e cantando "Estados Unidos, Estados Unidos, Califórnia, Califórnia". Eu não consegui dormir à noite. Só ficava olhando para o teto e pensava em como tudo seria maravilhoso. Eu teria um carro. Uma casa. Um jardim. Nós nos casaríamos e teríamos dois filhos. Uma menina chamada Nadezhda, um menino chamado Ivan. Não, um menino chamado Alan.

Eu não ousava dizer a ninguém que ia embora. Boba também não. Não queríamos estragar tudo. Mantivemos o segredo para nós mesmas, mesmo quando parecia que íamos explodir com a notícia. Eu não conseguia me concentrar em nada relacionado ao trabalho. Ficava sentada à minha mesa e imaginava minha nova casa em São Francisco. Seria vitoriana, com certeza. Eu teria uma varanda. Nos dias ensolarados, andaria pela praia. Nos dias chuvosos, me apoiaria na beirada da janela e leria. Eu teria amigos inteligentes, engraçados e viajados. Teria um carro. E um salário enorme. Um cartão de crédito American Express. Tempo livre para tomar um café em um bar ao ar livre. Eu iria a galerias e peças e restaurantes. Faria compras em butiques exclusivas. Passaria horas em livrarias repletas de romances e revistas em inglês.

E quando eu pensava que a vida não podia ficar melhor, ela ficou. Jane telefonou para dizer que ela e seu amigo chegariam de trem em duas semanas. Ela manteve sua promessa e eu estava felicíssima. Só conseguia pensar em ver minha velha amiga e começar minha nova vida. Mas eu não podia contar nada para ela. Nada! Ela me convenceria a não ir e eu ficaria presa aqui.

— Você está linda! Radiante! — Jane irrompeu quando me viu na plataforma.

Eu lhe entreguei um buquê de rosas, o presente típico que os odessanos dão aos amigos que estão de visita. Ela me abraçou e me rodopiou.

— Você está tão diferente! Em êxtase. Quais são as novidades?

— Só estou feliz em ver você. — E era verdade, mas não toda a verdade.

Jane havia cortado sua cabeleira ruiva e, em seu lugar, havia cabelos curtos. Seus olhos cor de mel brilhavam por trás de óculos com armação de tartaruga e ela estava rosada e cheinha.

Ela me apresentou ao Tans, que era velho o suficiente para ser seu avô.

— Tans? — eu perguntei.

— Edward Tansley III — ele disse. — Todo mundo me chama de Tans.

Ele era mais baixo do que ela, tinha cabelo grisalho ondulado e um bigode preto. Estava sempre tocando nela — acariciando seu braço, seus ombros, sua nuca. Eu estava ansiosa para conversar com Jane, só com ela, sobre Tristan, sobre a Califórnia, sobre o futuro. Em determinados momentos, temi que minhas novidades fossem sair pela minha boca como o som de um trompete. Foi melhor que Tans estivesse ali para garantir meu silêncio. Fiz apenas perguntas superficiais, tipo "O que são caipiras?", uma vez que Tristan se considerava um. Jane prendeu a respiração. Quando perguntei sobre Emerson (que eu não conseguira encontrar em mapa algum), Tans disse que não tinha certeza, mas achava que podia ser perto de Sonoma, a região dos vinhos. Jane olhou para mim astutamente e perguntou:

— Sobre o que são realmente essas perguntas?

Mudei de assunto e perguntei a ela como se sentira quando fora lecionar em Odessa.

— Nervosa, mas entusiasmada. Eu não sabia o que esperar, o que trazer, como agir.

— Como assim?

— Quando vim para cá, não parei para observar como as coisas eram feitas. Simplesmente ataquei como um general louco. Um general louco e mimado de 23 anos. Eu não respeitava a hierarquia e as regras implícitas. Achava que os meus colegas de trabalho deviam seguir a minha liderança e respeitar meus sentimentos e ideias. Eu me indispus com a minha chefe imediatamente porque reagi antes de olhar as coisas sob o ponto de vista dela. Se eu fosse um pouco mais esperta, um pouco mais sábia, as coisas teriam sido diferentes.

Eu assenti. Lembre-se disso, falei para mim mesma. Observe. Esteja pronta para se adaptar. Não seja precipitada. Não presuma. Espere. Ouça. Pense.

Jane suspirou, como se estivesse revivendo momentos dolorosos.

— Querida — Tans a abraçou. — Como alguém poderia não amá-la? Você é tão sincera, tão verdadeira. É isso que eu amo em você. Você é a exceção. Rara. Linda.

— Isso eu não sei. Você está certo em relação a uma coisa. Eu era diferente. Era óbvio. Eu não era ucraniana. Na maior parte do tempo, eu não me incomodava de me destacar. Mas houve dias em que foi difícil.

Comparada às garotas odessanas, Jane não parecia elegante. Suas roupas eram amassadas — ela dissera que não tinha paciência para passar. Suas Birkenstocks batiam com força no chão e, quando chovia, a lama espirrava da barra de suas calças cor de creme até a parte de trás de suas coxas.

— Se está planejando uma viagem longa, leve os livros e as fotos que realmente ama — ela falou, o que me fez pensar que podia ler os meus pensamentos. Ela olhou para mim, mesmo quando desviei o olhar. Eu ficava indefesa sob o olhar dela. Jane me conhecia bem o bastante para saber que eu estava escondendo algo, mas, como uma verdadeira odessana, ela também sabia que não devia bisbilhotar.

Eles ficaram por uma semana. Nós nos encontrávamos todos os dias e passeávamos pela praia à noite. Até saímos com o ex-namorado ucraniano dela, Misha. Enquanto Jane conversava com ele, Tans sentou-se ereto e encolheu a barriga. Misha era ligeiramente mais jovem do que Jane e é claro que sua barriga era tão reta quanto a tábua de passar de Boba. Seus olhos acinzentados pairavam sobre ela e os lábios dela se curvaram em um sorriso tímido.

Misha tentou pagar nossas bebidas, mas Tans não deixou.

Na noite seguinte, quando Jane e Tans embarcaram no trem noturno para Kiev, Misha trouxe uma garrafa de *champagnskoye*. Nós brindamos e lhes desejamos *bon voyage*. Eu também me desejei *bon voyage* secretamente.

Depois que bebemos as últimas gotas, abracei Jane e sussurrei:

— Vou estar nos Estados Unidos antes de você.

— O quê?

Eu sorri e disse rapidamente:

— Nada. É só uma brincadeira.

Ela queria dizer mais, mas o apito tocou e Misha e eu tivemos que sair do trem. Ele parou um carro para mim e pagou adiantado ao motorista. Eu me virei para olhar para ele e, enquanto ele desaparecia de vista, fiquei pensando se não subestimara os homens de Odessa. Em Misha, Jane havia encontrado uma pessoa atenciosa, forte e amorosa. Ela me contou que o havia convidado para ir para os Estados Unidos com ela; ele disse que queria ir, mas não podia abandonar sua mãe, que acabara de ficar viúva.

Conforme se aproximava a hora de eu ir para Kiev para pegar meu visto, visitei cada um dos meus amigos, incluindo Valentina. Não para dizer adeus. Eu só queria vê-los mais uma vez.

Em meu último dia na transportadora, meus olhos começaram a se encher de água. Eu sentiria saudades de Odessa e do meu emprego ali. Sentiria falta de David. Enxuguei os olhos e ele perguntou:

— O que houve? Precisa de ajuda? Está com problemas de dinheiro?

A solicitude dele só me deixou mais triste.

Eu lhe havia dito que ia tirar uma licença para cuidar de uma tia em Kiev.

— Escrevi uma lista de instruções para a sua próxima secretária. — Ele abriu a boca e eu acrescentei: — Incluindo instruções sobre como agir no cais, para que tudo corra tranquilamente para todos os envolvidos.

Ele puxou cinco notas novinhas de cem dólares da carteira, dizendo:

— Tome isto. Os subornos no serviço de saúde neste país são uma loucura.

Eu não podia acreditar na trajetória do nosso relacionamento. Tínhamos passado de caçador violento e presa sobressaltada para uma guerra fria constrangedora após o incidente, para adversários durante o começo da fase de Olga e finalmente para um laço de amizade. Eu ia sentir saudades dele. Eu já sentia saudades dele.

Olhei para o dinheiro, oferecido por amor, sem nenhuma condição atrelada. Eu o abracei bem forte.

— Obrigada, David. Obrigada.

Ele beijou meu cabelo e disse:

— Volte logo. Eu preciso de você.

Recusei o dinheiro — eu não ia precisar dele nos Estados Unidos. Mas, em casa, descobri que ele havia enfiado as notas na minha bolsa.

* * *

Eu abraçava Boba constantemente, perguntando a ela diversas vezes se estava fazendo a coisa certa.

— É claro! Quem você vai encontrar aqui? — ela perguntou. — Eu não a criei para que lavasse as meias de algum homem à mão e o servisse de joelhos. Vá para os Estados Unidos! Eles têm coisas que nós não temos, suas vidas são fáceis de uma maneira que as nossas nunca serão. Olhe para as minhas mãos, Dasha — as unhas eram curtas, a pele seca e esticada; veias haviam inchado como cadeias de montanhas e manchas marrons salpicavam a paisagem. — Essas mãos passaram uma vida inteira lavando lençóis, roupas, fraldas e toalhinhas menstruais, enfiando-os em baldes de água fervente. Não quero isso para você. Quero que seja livre. Livre de trabalhos servis, livre para ter um emprego que pague bem porque você é qualificada, não porque o chefe quer se aproveitar; livre para viver a sua vida sem ter que se preocupar com racionamentos ou como vai pagar as contas.

Eu a abracei forte.

— Não quero que fique sozinha.

— Eu não me incomodo. Passei por longos períodos de solidão. Não sei se esse homem é o amor da sua vida, mas ele tem olhos gentis e é educado. Ele não fumou ou se embebedou enquanto esteve aqui. Você estará melhor com ele do que com um ucraniano. Melhor lá do que aqui. Deus a está ajudando. Agora vá.

Enquanto eu me ajoelhava na frente da minha mala enorme, Boba passava rapidamente da sala para o meu quarto, trazendo livros e fotos. Coloquei na mala minhas melhores roupas, para não chamar atenção nos Estados Unidos. Eu não queria que ninguém pensasse que eu era pobre. Comecei a me preocupar. As pessoas de lá me aceitariam? Eu teria um choque cultural? Provavelmente não — tudo era perfeito lá. Eu seguiria o conselho de Jane e observaria em silêncio. Eu não julgaria e me adaptaria. Minha cabeça estava mergulhada na mala e em pensamentos quando ouvi passos pesados atrás de mim.

— Eu levo todas as fotos que você quiser, mas não posso colocar nem mais um livro! Babel, Puchkin, Akhmatova e Tolstoi já está bom! — eu falei.

— Eu não trouxe nenhum livro — uma voz grave disse atrás de mim.

Fechei os olhos. Quantas semanas esperei para ver Vlad? Eu nem me permitia mais pensar nele. Eu o trancara fora do meu coração e da minha mente. Ainda assim, ao ouvir sua voz, meu coração traiçoeiro se abriu para recebê-lo. Eu não me virei. Continuei rearrumando meus sapatos e meus livros.

— Tudo bem se não quiser olhar para mim — Vlad falou do vão da porta. — Eu também não quero olhar para mim. Estou envergonhado.

Eu não me mexi.

— Tenho uma confissão. Na manhã depois da nossa noite juntos, eu estava acordado. Na verdade, não havia dormido. Eu estava aterrorizado, sentindo emoções que nunca sentira antes, desejando uma esposa, uma família, coisas que eu não sabia que queria um dia antes. Eu quero passar a minha vida com você. Quero me casar com você.

Eu me aprumei e o encarei. Suas maçãs do rosto foram o que percebi primeiro — ele perdera peso. Ele tirou os óculos escuros. Os círculos escuros embaixo de seus olhos eram quase roxos. Suas bochechas e queixo estavam salpicados por uma barba por fazer. Sua boca era sensual.

— Eu, eu, eu. Você só se preocupa com você e com o que você pensa e sente. É igualzinho a todos os outros caras que já namorei: egoísta, inconstante e volúvel. Onde estava há alguns meses? Onde você estava?

— Em Irkutsk, para ver meu irmão e cuidar de uns negócios por lá. No início, disse a mim mesmo para ficar lá até não sentir mais nada por você. Depois de três meses, percebi que meus sentimentos nunca iriam desaparecer. É por isso que estou aqui.

Quanto tempo eu esperara para ouvir essas palavras? Quanto tempo esperara para vê-lo? Mesmo que quisesse me jogar nos braços dele e aceitar, meu orgulho não permitiria. Em vez disso, revirei os olhos e zombei:

— Você fala como se eu fosse uma espécie de doença. Acha mesmo que só fiquei sentada sofrendo? Eu fui em frente.

Ele fez um gesto para as roupas espalhadas pelo quarto.

— O que é isso? Aonde você vai?

Como eu queria me gabar de que estava indo para a embaixada dos Estados Unidos para pegar meu visto e de que ia para São Francisco no dia seguinte. Eu só disse "Para Kiev". Temia que ele tivesse formas de me fazer ficar. E, pior, que eu ficasse feliz com isso.

— Deixe-me levá-la de carro. — Ele atravessou a sala para ficar na minha frente.

— Não preciso de você. Por favor, vá embora. — Olhei pela janela. Eu não queria olhar para ele. Não queria enfraquecer.

— Por que está levando tantos livros e roupas? — ele perguntou, pegando a minha mão. Eu a puxei com um safanão e fui até a porta. — Quanto tempo planeja ficar?

— Tirei uma licença do trabalho... para tomar conta de uma tia doente. Não sei quanto tempo ficarei lá.

— Você não tem nenhum familiar além da sua avó.

— Essa mulher era... uma amiga da minha mãe. Eu sempre a chamei de "tia". Preciso terminar de fazer a mala. Por favor, vá embora. — Mas fiquei bloqueando a porta. Uma parte de mim não queria que ele fosse. Não, não só uma parte. Eu toda.

Ele ficou de joelhos e se aproximou de mim com uma caixa de couro verde na mão.

— Estou prostrado diante de você, minha linda. Estou esticando a minha mão. Estou lhe oferecendo o meu coração, estou lhe oferecendo um anel de brilhante de 7 quilates.

Eu sorri para ele. Minhas lágrimas caíram e molharam suas bochechas.

— Minha pequena alma — ele murmurou enquanto deslizava o anel no meu dedo. Eu ergui a mão; a pedra cintilava. As mãos dele descansaram nos meus quadris e meu corpo se lembrou das sensações de prazer e saciedade que eu expulsara da minha mente. Ele beijou minha barriga respeitosamente; eu segurei seu rosto e passei as mãos pelo cabelo dele. Ele suspirou e passou os braços em volta da minha cintura.

Finalmente, ele se levantou e me pegou nos braços. Uma rajada suave de vento soprou pela janela. No momento em que ele se inclinou para me beijar, meu nariz se contorceu.

Vodca.

Eu dei um passo para trás. Meus olhos se estreitaram, minha determinação voltou.

— Você andou bebendo?

— Os rapazes queriam comemorar minha volta a Odessa e meu noivado. Eu estava nervoso em vir aqui, então bebi mais do que o normal.

Não sei o que me deixou mais furiosa — o fato de ele presumir que eu cairia em seus braços e aceitaria seu pedido ou de ele precisar de um drinque (vários, pelo cheiro) para aumentar sua coragem. Minha mãe amara um alcoólatra que fugira ao primeiro sinal de problemas. Essa não seria eu. Vlad seria um marido horrível e um pai ainda pior. Se me casasse com ele, eu estaria presa. A brisa mandara um sinal que eu havia sido uma tola em ignorar. Tirei o anel, coloquei-o de volta na caixa e pus uma pedra em cima de todas as minhas fantasias ingênuas.

Estiquei a mão com a caixa.

— Vá embora.

Ele se recusou a pegá-la.

— Qual é o problema?

Eu cruzei os braços e desviei o olhar.

— Está zangada porque fui embora?

Eu não falei nada.

— Entendo que se sinta traída. Eu a deixo ir para Kiev. Eu te amo, posso esperar. Não a culpo por ser orgulhosa ou por querer me fazer passar pelo inferno que a fiz passar.

Deixar ir para Kiev? Ele era tão arrogante, pensando que eu estava só esperando que ele voltasse para que o meu mundo continuasse a girar de novo. Ele achou que eu simplesmente me entregaria e cairia em seus braços e em sua cama king-size. Tentou me entregar a caixa, mas eu não descruzei os braços. Ele o colocou na minha mala e se virou para mim. Apoiou as mãos nos meus ombros e os apertou de leve. Eu me soltei. Odiava ter caído na conversa dele de novo.

— Eu quero que você seja minha. Quero que use o meu anel. Dasha, prometa que no minuto que voltar a Odessa, nós vamos conversar.

Eu quase ri, mas mordi o lábio, olhei em seus olhos e falei:

— Você tem minha palavra de honra. Quando eu voltar a Odessa, nós vamos conversar.

Fiquei tão feliz em fazer essa promessa, que também me fiz uma: eu nunca voltaria. Jamais. Nem mesmo se estivesse infeliz. Então me permiti rir, grandes sons de alegria. Quem poderia ser infeliz nos Estados Unidos?

Vlad sorriu de volta, como se minha risada de alguma forma dissesse respeito a ele. Ele era tão vaidoso. Como eu podia ter gostado dele? Ele tentou me beijar, mas eu contra-ataquei seu movimento tão rápido que só o que ele conseguiu foi uma boca cheia de cabelo. Ele pegou minha mão e a beijou. E saiu.

Depois que ele foi embora, Boba voltou para o quarto e perguntou:

— Este era...?

Quando assenti, ela escarneceu.

— Bandido. Você está melhor sem ele.

Ela fez o sinal da cruz da forma ortodoxa russa, batendo na testa, peito, ombro direito, ombro esquerdo, e cuspindo três vezes. Entreguei o presente de Vlad para Boba e pedi a ela que o devolvesse a ele ·

Liguei para o tio Vadim e pedi que ele nos levasse à estação de trem. Ele colocou minhas malas no bagageiro.

— Vai visitar seu primo norte-americano. Acertei. Diga-me que acertei!

— Ela só vai passar um tempo em Kiev — Boba falou, encerrando a especulação dele.

Conforme nos afastávamos do meio-fio, vi um sedã preto fazer a mesma coisa. Tio Vadim disse:

— Você tem um admirador. É ele o motivo para você ir para os Estad... hmm, Kiev?

— Um dos motivos — admiti.

Quando chegamos à estação de trem, eu podia sentir o olhar de Vlad enquanto seu Mercedes passava por nós. Tio Vadim pegou minha bagagem e nós três nos dirigimos para o meu compartimento. Boba puxou uma garrafa de *champagnskoye* e taças de plástico de sua bolsa. Nós brindamos e os dois me desejaram sorte. Tio Vadim saiu para nos dar um momento de privacidade. Boba tirou a caixa de couro verde da bolsa e a pressionou na palma da minha mão.

— Pegue, Dasha. Se algum dia quiser voltar para casa, você pode vendê-lo.

Eu não queria dizer a ela que não ia voltar, não queria que meu último instante com minha Boba fosse uma discussão, então peguei o anel e o enfiei na corrente de prata que David me dera para comemorar nosso primeiro mês juntos, a coloquei de volta embaixo da camisa. O diamante valia o suficiente para que, se alguém o visse, eu estivesse em perigo.

— Se você se casasse com Vlad, ia precisar de um guarda-costas para proteger esse anel — Boba observou. — Vou sentir a sua falta. Vou sentir tanto a sua falta, minha flor, mas você está tomando uma decisão sábia.

— Eu te amo, Boba. — Lágrimas corriam pelo meu rosto. Eu a abracei forte, apertei a minha bochecha contra a dela. Nossas lágrimas se misturaram. Eram amargas e salgadas, como o mar Negro.

Capítulo 14

ESTAR NO AR, VOAR POR entre as nuvens, é um milagre. Um milagre do homem. Podemos fazer tantas coisas maravilhosas quando tentamos. Viajei 24 horas para chegar a São Francisco. De Kiev para Varsóvia, de Varsóvia para Atlanta, de Atlanta para São Francisco. A corrida de obstáculos nos aeroportos não foi nada comparada ao dia de pé do lado de fora do portão da embaixada, esperando para receber o visto.

Odessa é uma cidade amigável com muitos cafés e arquitetura pitoresca no centro da cidade. Estranhos reclamam juntos enquanto esperam pelo bonde. É fácil conhecer pessoas porque os odessanos são curiosos e abertos. Como os Estados Unidos, Odessa recentemente comemorou seu bicentenário. Por outro lado, Kiev tem mais de mil anos. As pessoas são mais educadas do que simpáticas. A capital é cinza e reservada, sua arquitetura formal foi feita para impressionar e até mesmo intimidar. Infelizmente, eu não tinha tempo para explorar as avenidas imponentes e os ricos museus. Eu tinha hora marcada na embaixada dos Estados Unidos.

Uma vez lá, esperei do lado de fora da cerca alta com dúzias de outras pessoas. Sabíamos o dia das entrevistas, mas não a hora, por isso ficamos enfileirados ao longo da parede durante horas até nossos nomes serem chamados. Então ficamos dentro da embaixada durante horas. Não havia uma única cadeira, nem mesmo para os aposentados. Também não havia banheiro. Eu temi que fosse explodir, mas não ousava correr para um restaurante no mesmo quarteirão para usar o banheiro. O oficial disse que, se não estivéssemos lá quando nossos nomes fossem chamados, teríamos que marcar outra hora — e eles estavam com as agendas cheias por semanas.

Eu esperara tanto tempo que tive medo de terem me esquecido. Mas todas as garotas diziam isso. Você espera e espera. *Stand-stood-stood.*[1] Eu me lembrei de Irina, uma garota com um senso de humor adorável. Ela teve seu visto de noiva negado por causa de uma piadinha que fizera durante sua entrevista. Quando o oficial lhe perguntou sobre o casamento com John, ela respondeu:

— Se eu gostar da casa dele, caso com ele.

As garotas diziam que os oficiais norte-americanos não tinham senso de humor e nenhuma boa vontade podia persuadi-los. Treinei as respostas para as perguntas que elas me disseram que foram feitas. Em que dia vocês se conheceram? Seus pais aprovam a união? O que vocês dois têm em comum? Onde foram em seus encontros?

Quando chegou minha vez, entreguei a pasta com o pedido de visto, fotos coloridas, as informações sobre os impostos pagos por ele, meu passaporte e provas de que Tristan e eu nos conhecíamos: fotos de nós dois juntos, cópias da conta telefônica dele para provar que ele ligava com frequência e uma pilha de e-mails. Fui levada a uma salinha e uma oficial fez um gesto para que eu me sentasse.

— Quando vocês ficaram noivos? — ela perguntou.

Por algum motivo, essa pergunta me perturbou. Até aquele momento, eu não havia pensado em mim mesma como uma noiva. Parecia um grande passo, de certa forma maior do que ir para os Estados Unidos. Eu estava pensando em termos de meses, não em termos de uma vida inteira.

— Nós não estamos exatamente noivos. Quer dizer... ele pediu a minha mão, mas eu disse a ele que tinha que pensar. É um grande passo.

Ela escreveu furiosamente. *Write-wrote-written.*[2] O que foi que eu disse?

— Então está aqui para pedir um visto de *noiva*, mas não está noiva? — Ela parecia cética.

---

[1] Aguentar-aguentou-aguentado. *(N. da T.)*

[2] Escrever-escreveu-escrito. *(N. da T.)*

Fiz um gesto para os documentos que ela tinha diante de si.

— Nós nos correspondemos há algum tempo. É que só nos encontramos há um mês, quando ele veio para Odessa. Quero conhecê-lo melhor antes de assumir um compromisso para o resto da vida — continuei a tagarelar, falando mais para mim mesma do que para ela. Noiva. Uma nova vida. Um passo irreversível. Qual seria a coisa certa a fazer? Enquanto eu falava, ela sorria cinicamente. Eu podia ler cada pensamento que passava por seu cerebrozinho redondo. *E você quer conhecê-lo melhor nos Estados Unidos. Ou até mesmo conhecer alguém melhor enquanto estiver lá.*

A mulher olhou para as minhas fotos com Tristan e perguntou:

— Está realmente interessada nesse cara ou só quer um Green Card? — Por entre os dentes, ela resmungou: — Malditas noivas por envio postal.

Mas ela concedeu o visto.

O aeroporto de Varsóvia não era nada especial, mas o de Atlanta era como um sonho. Eu não havia percebido como minha vida em Odessa era nebulosa até entrar em um prédio onde parecia que ninguém jamais havia fumado. Tudo era tão impecável e deslumbrante — as paredes, as janelas, o tapete. Era dia, mas as luzes estavam acesas. Havia arte nas paredes, como se fosse um museu. Ninguém empurrava ou reclamava. Absorvi o inglês, as pessoas sorridentes, os restaurantes, as butiques. Eu estava nos Estados Unidos agora. Sim, é isso que eu quero.

Sim.

Embarquei no avião seguinte — o último — para São Francisco.

Apesar de estar cansada, saí do avião para começar minha nova vida. Enquanto esperava pelas minhas malas, fui ao banheiro e fechei a porta do reservado. Reservado não era a palavra certa — como um cavalo em um estábulo, qualquer um podia me ver. Havia 3 centímetros entre a divisória e a porta! Além disso, a porta não ia até o chão. Que estranho! Quando terminei, juro que ouvi o rugido de um jato grande decolando atrás de mim. Mas, quando me virei, era a água limpa caindo no vaso de porcelana. Pensei nos banheiros públicos em Odessa. Mesmo no teatro, eles eram apenas pegadas de porcelana em volta de um buraco. Em suas melhores roupas, as mulheres tinham que se agachar como cães.

Fui até a pia para lavar as mãos, mas não conseguia ver como abrir a água. Observei a mulher ao meu lado. Ela passou as mãos embaixo da torneira prateada; a água saiu. Olhei para mim mesma no espelho. Meu cabelo estava começando a sair do coque e eu o penteei e o prendi de novo. Uma garotinha olhou para mim e disse timidamente: "Você é uma moça bonita." Eu agradeci e lhe dei uma bala. Ela olhou para a bala, mas não a pegou. Sem problemas. Enquanto passava as mãos debaixo do secador, eu não podia acreditar que estava finalmente na Terra dos Livres, Lar dos Corajosos. Talvez um dia eu fosse uma cidadã norte-americana.

Enquanto esperava na esteira das bagagens, olhei para as pessoas. Altas, baixas, magras, gordinhas, completamente naturais, totalmente plásticas. Uma enorme variedade de rostos e traços. A moda me surpreendeu. Havia alguns homens e mulheres de negócios de terno, mas quase todo mundo usava jeans desbotados e tênis gastos ou chinelos. Os jovens usavam seus jeans na altura dos quadris — roupas de baixo e dobras de pele ficavam visíveis. Que estranho que no país mais rico do mundo as pessoas parecessem tão pobres e usassem roupas que vestiam tão mal. No meu terno preto e saltos, eu me senti arrumada demais.

Peguei minhas malas e saí pelo portão de desembarque. Tristan foi a primeira pessoa que vi. Sorri tremulamente, ele deu um sorriso largo e se aproximou. Sua aparência era muito melhor do que quando chegara em Odessa: estava bronzeado e suas bochechas estavam rosadas. Eu estava pálida e cansada. Ele me abraçou. Suas mãos passearam pelas minhas costas, meus braços, meu cabelo. *Hold-held-held.*[1] *Run-ran-run.*[2]

— Como você está? — ele perguntou. — Parece cansada. Espero que os voos não tenham sido muito longos. — Ele parecia vibrar de entusiasmo. Eu também estava entusiasmada por ter vindo de tão longe.

---

[1] Segurar-segurou-segurado. *(N. da T.)*

[2] Correr-correu-corrido. *(N. da T.)*

Tristan me guiou para seu veículo, uma caminhonete empoeirada. Ele abriu a porta do carona para mim.

— Quer parar e comer alguma coisa?

Eu balancei a cabeça, envergonhada por como o havia alimentado à força quando ele chegara em Odessa. Eu não sabia que uma pessoa se sente enjoada após um voo longo, como se estivesse com a barriga cheia de hélio.

— Vamos direto para casa, então.

Na estrada, fiquei olhando para os carros. Tantas cores e tamanhos. Todo mundo dirigia muito rápido, como se fosse uma corrida. Ao longe, eu podia ver os arranha-céus de São Francisco. Tristan estava falando comigo e tentei ouvir, mas meus ouvidos pareceram se fechar também quando cercava minhas pálpebras.

Ele apertou a minha coxa.

— Podemos conhecer o lugar quando você não estiver com tanto sono.

A estrada era lisa. Apesar de eu estar radiante por estar nos Estados Unidos, o barulho do motor me embalou e dormi. Quando encostamos na entrada de sua casa, Tristan sacudiu meu ombro. Ele apertou um botão e a porta da garagem subiu. Inacreditável! Uma privada automática, torneira automática, porta automática. Tudo automático. Quando viu meu deleite, ele falou:

— Tome, aperte o botão.

Eu apertei e a porta escorregou de volta para baixo. Era tolice ficar encantada com coisas tão pequenas, mas elas realmente destacavam as diferenças entre meu velho mundo e o novo.

Tristan pegou minha mão e me guiou para sua casa. A madeira escura combinava com as plantas e as árvores em volta. Havia rosas cor-de-rosa perto da porta da frente. As janelas eram grandes e não tinham nenhuma grade. Devia ser um bairro seguro. Percebi uma chaminé — será que havia uma lareira, como nos filmes? Ele me surpreendeu me pegando no colo e me carregando pela porta. *Bite-bit-bit.*[1] *Sweep-swept-*

---

[1] Morder-mordeu-mordido. *(N. da T.)*

swept.[1] Obviamente ele já me considerava sua noiva. De volta ao chão, eu me senti tocada por seu gesto romântico. Tinha certeza de que Tristan não dormiria comigo para desaparecer depois.

— Aqui estamos — ele falou, olhando para mim com expectativa.

— Sem dúvida — respondi, me sentindo constrangida. Eu não sabia como me comportar com ele ou o que ele esperava. Pela minha experiência, os homens sempre queriam alguma coisa. Ele esticou a mão como se me encorajasse a olhar. A casa toda parecia estar banhada em luz. Paredes brancas, carpete bege. Pôsteres emoldurados do Parque Nacional de Yosemite. Fotos de crianças sorridentes na geladeira. Ele tinha filhos? Minha mente disparou. Ele disse que nunca havia se casado. Havia mentido? Ou eram ilegítimos? Sacudi a cabeça para esvaziála dos pensamentos horríveis. Eu tinha que aprender a confiar nele. Ali não era Odessa, onde eu sempre tinha que estar atenta. Ali estava nos Estados Unidos, este era o Tristan, meu professor gentil. Ele fora a Odessa para me encontrar, me pedira em casamento e pagara a minha passagem para São Francisco. Era claramente um homem decente com boas intenções.

Fui da porta para a sala de estar, passei pela cozinha até a sala de jantar. Tudo era um grande espaço aberto. Nenhuma barreira entre os aposentos, só luz. Adorei, principalmente a lareira de tijolos

— Sua casa é *linda*. Tão luminosa, tão arejada.

— Eu mesmo a projetei — ele falou, parecendo orgulhoso e feliz. Eu também estava feliz.

Ele me mostrou o quarto, o escritório e o banheiro, que ficavam no corredor do lado oposto à entrada. Eu mal havia começado a relaxar quando Tristan colocou as minhas coisas no quarto dele. A surpresa roubou a minha fala, mas só por um instante.

— Ainda não somos casados — eu o lembrei secamente. — Não me importo de dormir no sofá. — Boba dizia que os homens não compram a galinha quando conseguem os ovos de graça. Eu aprendera com Vlad que isso era verdade, e não cometeria o mesmo erro de novo.

---

[1] Arrebatar-arrebatou-arrebatado. *(N. da T.)*

Tristan disse que respeitava meus sentimentos e levou minhas coisas para o escritório. Transformamos o sofá daquele cômodo em uma cama. Apesar de serem apenas 20 horas, eu fui direto dormir. Nem lavei o rosto.

Acordei às 6 horas, como sempre fazia em casa. Uma vez Jane me dissera que a diferença de fuso horário era terrível, mas não pareceu me afetar. Fiquei deitada na cama e escutei. Nenhum carro buzinando, nenhum bebê chorando, nenhum vizinho gritando, ninguém batendo com os pés acima de mim. Era tão calmo. Se não fosse pelo som dos passarinhos, eu teria tido medo de ter ficado surda.

Eu me levantei e fiz café. A cafeteira de Tristan não era tão sofisticada quanto a que David havia me dado. Enquanto o café ficava pronto, olhei para fora de todas as janelas, e davam para árvores. Parecia mais o campo do que um subúrbio. Onde eu estava?

Tristan saiu de seu quarto já vestindo jeans e uma camiseta.

— Sinto muito deixá-la por conta própria hoje, mas não tenho nenhum dia de férias sobrando, pois os usei em Budapeste.

Seu tom era reprovador?

— E em Odessa, onde nos conhecemos e onde você usufruiu da hospitalidade da minha Boba — eu o lembrei. — Os professores nos Estados Unidos trabalham no verão?

Ele pareceu surpreso com a minha pergunta.

— Eles trabalham no verão? — perguntei novamente. — Você tem que limpar a sua sala? Em Odessa, os professores são responsáveis por suas salas e devem fazer toda a manutenção antes de 1º de setembro. Minhas amigas professoras pintam as paredes de suas salas e uma delas até colocou linóleo para esconder o chão de cimento.

— Não — ele disse. — Os professores não têm que fazer nada disso nos Estados Unidos. Temos aulas de recuperação no verão.

— Aulas no verão? — perguntei ceticamente. Eu nunca ouvira falar em aulas no verão.

— Para crianças que precisam de ajuda extra.

— Talvez eu possa ir com você hoje, seria interessante ver onde você trabalha.

— Não!

Meus olhos se arregalaram com a recusa imediata dele.

— Não, deve descansar. Vá com calma no seu primeiro dia aqui. Além do mais, os garotos são tímidos.

Supus que, se não se saíam bem na escola, fazia sentido não quererem ser observados.

Ele abriu o armário, tirou uma caixa grande, despejou o conteúdo em uma tigela e acrescentou leite. Sentou-se à bancada e mastigou os pedacinhos secos. Aquilo me fez lembrar de uma novidade recente em Odessa — comida pronta para animais. Nossa vizinha estrangeira comprava isso para seu gato.

— Quer um pouco? — ele perguntou.

Eu sacudi a cabeça.

— O que é?

— Cereal. Faz bem para a saúde.

Ele escorregou a caixa pela bancada para mim. Li os ingredientes e não consegui pronunciar a maioria. Pedi aveia para fazer mingau, que era o que Boba sempre preparava para mim. Perguntei se poderia ligar para minha avó para lhe dizer que havia chegado. Ele resmungou:

— Aperte discagem rápida 1.

— O quê?

— Me desculpe, querida. Eu fico morto pela manhã. — Ele me abraçou.

Pensei em como Vlad estava na manhã seguinte e perguntei:

— Está arrependido de ter me convidado?

— Não! Deus, não. — Ele discou o número e me deu um beijinho na boca. — Tenho que ir para o trabalho. Fale com a sua avó. Estarei em casa às 17 horas.

— Alô? Boba, Boba, sou eu. Você não ia acreditar nisto aqui. Igual à televisão. É tão lindo. A casa dele é tão grande. Mas não estamos na cidade. Estamos no subúrbio.

— Você tomou a decisão certa — ela falou.

A voz dela chiava na linha. Ela estava tão longe. Eu me sentei aturdida e toquei a superfície felpuda do sofá branco. Olhei para as paredes brancas. Imaginei Boba sentada à mesa da nossa cozinha olhando para o nada. Ela me pressionara tanto para deixar Odessa que me convenceu de que eu estaria certa deixando-a para trás. Ainda assim, quando o trem saiu da estação e eu vi seu rosto em um momento desprevenido — a tristeza, a desolação —, percebi que sua firmeza era só um disfarce. Ah, Boba.

Finalmente, a curiosidade levou a melhor sobre a morosidade e eu explorei minhas novas cercanias, esperando obter uma impressão da vida de Tristan, de sua personalidade. Entrei no quarto dele primeiro, imaginando se seria como o de Vlad.

Tristan tinha uma cama grande com um edredom de flanela xadrez. Nenhum livro na mesinha de cabeceira, só um telefone e um relógio digital. Quando me virei, vi que a parede estava coberta com todas as fotos que eu havia lhe mandado. Eu na praia. Boba e eu no sofá. Eu no escritório (eu havia cortado o David da foto, mas sua mão ainda descansava no meu quadril).

O telefone tocou. Eu atendi.

— Oi, querida. Já estou com saudades.

Ele era tão atencioso.

Na cozinha, olhei a máquina de lavar pratos, o eletrodoméstico que minha avó mais desejava. Passando na frente da geladeira grande e brilhante, ouvi um barulho e abri a porta. Cubos de gelo caíam dentro de uma caixa de plástico. Boba não ia acreditar! No armário no qual Tristan guardava seu cereal havia latas de sopa industrializada e caixas de recheio Stovetop e Rice-a-Roni, a delícia de São Francisco. Na sala de jantar, encontrei prateleiras de livros. Volumes de fotografia, como *Um dia na vida da União Soviética*, um conjunto de enciclopédias e dez livros sobre a Guerra Civil. Ele não tinha muitos romances, mas tinha o mais importante já escrito: *Anna Karênina*. Isso era um sinal tranquilizador.

Passando para a sala de estar, dei uma olhada em sua coleção de CDs (músicas dos anos 1960) e videocassetes (filmes de ação). Andei pelo corredor branco até o quartinho com uma máquina de lavar e uma secadora. Do lado de fora, na varanda dos fundos, fiquei ouvindo o silêncio e inalei o ar puro, que tinha cheiro de musgo e sol. Passei os braços em volta do corpo.

Achei que haveria mais barulho no subúrbio.

— Olá! — uma mulher gritou.

Ela estava dentro da casa. Eu corri de volta para dentro. A intrusa tinha bochechas coradas e cabelo crespo e seus olhos estavam arregalados enquanto ela olhava para mim. Eu também olhei para ela. Em Odessa, ninguém vai entrando. Mantemos as portas trancadas o tempo todo.

— Deus, você deve ser Dora. É um prazer tão grande conhecê-la. — Ela colocou um prato de biscoitos na bancada e me abraçou. — Prazer. Eu sou a Molly.

— Daria. Estou feliz em conhecer um dos amigos de Tristan.

— Minha nossa! Eu o conheço desde que comecei a namorar meu Toby. Ele e Tristan eram os melhores amigos no ensino médio e isso já faz bem uns vinte anos. Aqueles na geladeira são os meus filhotes.

Olhei para as fotos dos dois adoráveis louros. Eu teria que aprender a confiar nele. Acontece que eu estava acostumada com as pessoas mentindo — vendedores no mercado diziam que tinham as frutas mais frescas, mas, quando chegava em casa, elas estavam estragadas; o governo mentiu após aquele acidente em Chernobyl — Gorbachev disse que não havia acontecido nada grave; todo o tempo que Olga e eu passamos juntas era uma mentira. As coisas seriam diferentes aqui.

— Querida, só passei para ver se você precisa de alguma coisa e para convidá-los para um churrasco amanhã.

Eu agradeci a ela por pensar em mim. E esperei ansiosamente pela minha primeira festa norte-americana. Que tipo de comida ela serviria? Jane havia me contado sobre o Natal e o Dia de Ação de Graças, quando sua mãe fazia tortas, purê de batata, peru recheado e molho de cranberry. Quais seriam as especialidades da Molly?

Quando Tristan chegou em casa, ele me beijou e perguntou:

— O que vamos comer no jantar?

Minha cabeça se levantou em um pulo. Ele esperava que eu preparasse uma refeição?

— Eu não sei cozinhar — admiti.

A testa dele se franziu.

— Mas no site de encontros dizia que todas as moças sabiam cozinhar, costurar, tricotar, lavar roupas à mão e passar. E você fez o jantar para mim em Odessa...

Lie-lay-lain.[1] *Lie-lied-lied.*[2]

— Na verdade — eu baixei os olhos para o carpete bege — foi a minha Boba quem cozinhou todas as refeições. Eu nunca aprendi a cozinhar. Ela dizia que minha carreira seria mais importante do que aprender a fazer borche. Mas os sites estão certos, essas são habilidades que as nossas mulheres têm.

Ele ficou em silêncio por um longo momento.

— Então você não sabe cozinhar nada? Você mentiu?

— Desculpe. — Mordisquei o lábio inferior, esperando que ele dissesse alguma coisa, mas ele só olhou para mim. E se ele me mandasse para casa porque eu não sabia cozinhar? — Está arrependido por ter me escolhido?

— Não. — Ele me tomou nos braços. — Aposto que sabe fazer outras coisas.

Havia um brilho em seus olhos.

— Aposto que sim — eu confirmei, pensando na minha habilidade de afastar os homens com palavras.

— Podemos cozinhar juntos. Posso ensiná-la a cozinhar.

— Eu gostaria.

Ele me abraçou.

— De qualquer maneira, eu não quis dizer que deveria ter cozinhado. É o seu primeiro dia aqui. Vamos relaxar. Dar um tempo. Quis dizer, o que vamos pedir? Pizza? Tacos? Hambúrguer? Eles entregam.

Comida entregue na porta?

Nós decidimos por pizza, metade queijo, metade suprema.

— Viu? — ele falou enquanto desligava o telefone. — Você não precisa saber cozinhar ou limpar. Você está nos Estados Unidos. Só me diga o que quer e é seu.

---

[1] Deitar-deitou-deitado. *(N. da T.)*

[2] Mentir-mentiu-mentido. *(N. da T.)*

Eu olhei para a lareira.

— Adoraria acender o fogo, mas acho que vamos ter que esperar até estar frio lá fora...

— Não — ele disse. — Vou só aumentar o ar-condicionado e vamos acendê-la.

Ficamos sentados no sofá comendo pizza em pratos descartáveis e olhando o fogo. Depois do jantar, jogamos os pratos e a caixa nas chamas. Eu nunca vivera assim antes.

Sabendo que teríamos um banquete na casa de Molly, eu não comi nada no café da manhã ou no almoço. Estava animada para conhecer os amigos de Tristan e usei meu vestido azul-escuro, que acariciava minhas panturrilhas quando eu andava. Quando Tristan saiu de seu quarto usando jeans, fiquei surpresa, mas não falei nada. Ele, por outro lado, disse:

— Por que tanto preto? Você sempre parece que está indo para um enterro, querida.

Olhei para o vestido, e em vez de me sentir bonita, me senti como um corvo arrumado demais. Em Odessa, como na maioria das cidades, as pessoas usam roupas escuras. Eu não tinha dinheiro sobrando para comprar roupas casuais — tudo o que eu comprava tinha que ser adequado para o trabalho. Quando chegava em casa do escritório, vestia um robe que Boba fizera para mim.

Fomos até a casa de Molly de carro, apesar de Tristan dizer que era uma caminhada de apenas 15 minutos. Perguntei se podíamos comprar um buquê para ela, mas ele insistiu que não era necessário. Eu me sentia pouco à vontade visitando alguém de mãos vazias. Em Odessa, só os porcos mais mal-educados e incultos não levariam um presente para a anfitriã.

Uma faixa em cima da porta proclamava: "Bem-vinda, Dora!" Eu sorri. Eles quase acertaram. Eu queria tocar a campainha, mas Tristan disse que éramos da família e entramos. O interior parecia com o da casa de Tristan — paredes brancas e carpete bege. Frases de diversas conversas chegaram até mim. Tristan avançou, mas eu queria parar e ouvir, saborear o momento. Estar cercada por inglês. Minha ex-professora Maria Pavlovna ficaria tão animada ao ouvir aquelas palavras.

— Foi tipo, minha nossa!

— Ele está doidão. Ele nunca ficou doidão antes.

— Ela não devia forçar a barra.

— O galo na cabeça dele saltou 5 centímetros. Ele estava na escada frágil, não na boa. É tão difícil tirá-lo do telhado!

Era isso o que eu queria, inglês ao meu redor, o tempo inteiro. Pessoas rindo e conversando. Era fabuloso.

Quando entramos na sala de estar, a conversa parou. Tristan deu um sorriso largo e colocou o braço em volta dos meus ombros. As pessoas ficaram olhando. Eu não me senti ofendida. As mulheres de Odessa são deslumbrantes.

— Esta é a minha nova noiva.

Nova noiva? Isso fazia parecer que ele tivera outra. Não! Pare de ser tão desconfiada!

Eles ficaram mais um momento em silêncio, até um homem se aproximar, pegar a minha mão e a sacudir vigorosamente.

— Então você é a russinha que o Tristan salvou.

Salvou?

Uma mulher da idade de Tristan me entregou uma pilha de livros infantis surrados.

— *Os três porquinhos* — eu li em voz alta. — Obrigada.

— São para ajudá-la a aprender inglês — ela disse alto e devagar.

— Obrigada.

— Aposto como está grata por estar aqui — outra falou. — Você é tão bonitinha.

— Não está feliz por estar nos Estados Unidos, querida? Aposto como era difícil na Rússia.

— Na verdade, eu sou da Ucrânia.

— Rapaz, aquele comunismo. É dureza — um homem disse enquanto esfregava a barba.

Os outros me cumprimentaram da mesma maneira. Era interessante eles me considerarem uma espécie de refugiada.

— Eu venho de Odessa, uma cidade portuária no mar Negro. Temos o terceiro teatro mais bonito do mundo. O clima é ameno e as pessoas vêm do mundo todo, principalmente de Moscou, Kiev e São Petersburgo, para passar um tempo em nossas praias. Odessa fica na Ucrânia. A Ucrânia e a Rússia são separadas e distintas.

Era impressão minha ou os olhos deles haviam ficado vitrificados? Eles não disseram nada nem fizeram nenhuma pergunta. Talvez eu devesse ter usado o exemplo profundo de Valentina... uma vez, em uma social, ela bebera muita, muita vodca e eu a ouvi explicando a antiga União Soviética para um norte-americano, que felizmente também bebera demais:

— Veja, meu caro, a URSS é como um seio — ela falou com sua voz grave enquanto passava as mãos em seus peitos grandes, para dar ênfase. — Pense nos russos como a parte branca e carnuda. É a maior parte, mas quem se concentra nela? Ninguém. Todo mundo olha para os mamilos. Menores, porém mais coloridos e interessantes. A parte que nutre o mundo. O mamilo é a Ucrânia, o celeiro da antiga União Soviética.

Eu sorri com a lembrança, com as pessoas gentis na minha frente.

— Ela está adorando isto aqui — Tristan falou. — A primeira coisa que fez foi brincar com o controle remoto da garagem. Para cima e para baixo, para cima e para baixo. Não foi, querida? — Ele me imitou, com olhos arregalados e boca aberta. — Caramba, no minuto em que eu saio para trabalhar, ela provavelmente vai para fora e fica apertando o botão e olhando a porcaria do negócio subir e descer.

As pessoas riram. Eu me senti uma idiota e jurei nunca mais ser pega desprevenida.

— Ela está corando — uma mulher disse. — Você não deveria envergonhá-la.

Tristan me abraçou.

— Sinto muito, querida. Estou só brincando.

No final, os risos diminuíram e o foco passou para outras coisas, particularmente o time de futebol americano do ensino fundamental

Molly entrou na sala e falou:

— Por favor, Senhor, não deixe que o Peter quebre algum osso. Não acredito que o deixo jogar. Aquele garoto ainda vai me matar. — Ela me puxou para longe de Tristan e me guiou até a cozinha. — Estamos tão felizes que Tristan a tenha encontrado. Sirva-se. Não fique tímida.

Olhei para a mesa e li os rótulos berrantes dos sacos grandes: Doritos, Cheetos, Fritos. Também havia molhos comprados prontos, picles, ketchup, latas de refrigerantes e cerveja, um balde de salada de batata e uma bandeja de tomate, alface e cebola. Fiquei decepcionada. Em Odessa, o tempo e o esforço gastos para planejar uma refeição são o termômetro da importância do convidado.

Um homem abriu a porta de correr e perguntou:

— Quem quer uma salsicha?

Molly sussurrou algo no ouvido dele. Ele olhou para mim e disse:

— Você deve ser a Dora. Eu sou o Toby. Estamos muito felizes em conhecê-la.

Ele me abraçou. Eu levaria um tempo para me adaptar a essa saudação efusiva. Ao olhar para mim de cima a baixo, ele deu um tapa nas costas de Tristan e falou:

— Você mandou bem, mano!

Meu estômago rugiu; eu tossi para camuflar o barulho. Molly me deu um prato descartável no qual coloquei tomate, alface, cebola e picles. As pessoas empilharam comida em seus pratos e nos sentamos a uma mesa de piquenique. Enquanto me observava devorar os vegetais, Toby falou:

— Para uma coisinha magra assim, você come muito. Não quer um cachorro-quente?

Antes que eu pudesse dizer que era vegetariana, Tristan disse:

— Os russos são tão pobres que nunca comem carne, por isso ela não gosta. Provavelmente não sabe qual é o gosto.

As pessoas assentiram, como se Tristan fosse uma autoridade porque tinha estado lá uma vez durante cinco dias. Reprimi um comentário mordaz e falei:

— Na verdade, muitos russos e *ucranianos* gostam de comer carne, mas eu sou vegetariana.

Quando eu tinha 13 anos, a minha turma passou uma semana cuidando dos animais em uma fazenda comunitária. Foi a primeira vez que fiquei cara a cara com o meu jantar. Como eu podia comer algo com olhos? Com alma? Depois disso, Boba e eu nunca mais comemos carne.

— Não há nada errado em ser vegetariana — Molly disse gentilmente. — Minha sobrinha que estuda em Berkeley também é.

As pessoas comiam e conversavam sob o sol quente. Dei um gole no meu refrigerante azedo e escutei. A mulher que me dera os livros infantis falou:

— Não gosto daquela Rita. Brownie precisa de uma cirurgia no quadril e ela não quer pagar. Quando ela se recusou a pagar 2 mil dólares, bem, eu soube exatamente o tipo de pessoa que ela era... Disse que não falaria com ela novamente a não ser que tratasse aquele cachorro direito.

Quando entendi que os 2 mil dólares eram para a cirurgia de um cachorro, a Coca saiu voando da minha boca. Comecei a tossir, e Tristan me deu um tapa nas costas.

— Está tudo bem, gata? — ele perguntou.

Ele e Toby foram pegar outra cerveja. Os alarmes na minha cabeça dispararam. Eu não saíra da Ucrânia para evitar nossos homens problemáticos só para viver com um alcoólatra norte-americano. Tinha que ser cuidadosa. Meu visto de três meses me daria tempo de conhecê-lo.

— O que acha de Emerson? — a mulher sentada à minha esquerda perguntou. Ela usava uma blusa e uma saia de tie-dye e seu cabelo era tão comprido que ela podia praticamente sentar em cima dele. O céu estava azul e estávamos sentados em um jardim. Era tão idílico quanto as cenas que eu vira em programas norte-americanos de televisão. Eu me belisquei e respondi.

— Ainda não acredito que estou aqui. Só faz dois dias, mas até agora eu gostei da tranquilidade. Há quanto tempo você está aqui?

— Há dez anos. Eu me mudei para fugir de Los Angeles. Tenho minha própria loja em Paloma, uma cidade ao longo da estrada. Faço velas perfumadas e sabonetes.

— Eu adoraria ver a sua loja. — Que mulher bem-sucedida: uma artista *e* uma mulher de negócios. Parecia que tudo era possível nos Estados Unidos.

Um pequeno diamante brilhou em sua mão esquerda. Instintivamente, minha mão foi para o meu tórax, para sentir meu próprio anel, escondido de olhares bisbilhoteiros.

— Seria grosseiro perguntar se está noiva?

Ela riu.

— De forma alguma. Sim, eu estou noiva há oito anos. — Ela fez uma pausa para deixar a surpresa passar. — Sabe, meu noivo e eu viemos de direções opostas e a primeira coisa que cada um de nós fez foi construir uma casa. Para o meu chalé de madeira, eu fiz tudo, desde cavar o buraco, despejar o cimento e cortar e empilhar as toras. Jason se esforçou da mesma maneira em seu domo geodésico. Mas agora ne nhum de nós dois quer se mudar. Então passamos metade da semana na minha casa e metade na dele.

As pessoas tinham problemas muito diferentes. Em Odessa não havia casas suficientes. Casais jovens e não tão jovens frequentemente tinham que morar com seus pais. Os norte-americanos tinham tantas casas que não conseguiam decidir onde morar.

— De onde você conhece o Tristan? — perguntei.

— Não o conheço muito bem. Molly me convidou porque sou sua melhor amiga. Meu nome é Serenity, aliás.

Ela esticou a mão.

— Daria.

— Eu não achei que *Dora* parecesse ucraniano — ela falou, com uma risada.

Molly cortou um bolo de chocolate e perguntou quem queria um pedaço. As pessoas disseram "Eu! Eu!". Mas eu não disse nada.

— Quer um pedaço? — Molly perguntou, com seus olhos calorosos e amigáveis e um gêmeo louro enroscado em volta de cada uma de suas pernas nuas. A lâmina da faca estava cheia de cobertura. O ar tinha cheiro de chocolate. Minha boca parecia seca e vazia como um deserto. Como eu queria uma fatia daquele bolo molhado e pecaminoso.

— Não, obrigada — falei educadamente. E esperei. Ela não insistiu. Em vez disso, virou-se para Serenity, que disse:

— Não precisa me perguntar duas vezes.

Molly deu a ela a minha fatia.

Em Odessa, uma anfitriã oferece educadamente e o convidado educadamente recusa. Depois da Grande Guerra Patriótica, quando a comida era escassa, uma anfitriã nem sempre tinha alimentos sobrando. E os convidados certamente não aceitariam a comida se não havia o suficiente. Então um sistema foi criado. A anfitriã oferece, o convidado recusa. Assim, ninguém fica mal. Se está sendo sincera, a anfitriã vai oferecer de novo e de novo, insistindo para que o convidado partilhe. Só então o convidado pode aceitar. Naquele dia, aprendi uma lição importante. Nos Estados Unidos, as pessoas não perguntam duas vezes.

Se você quer alguma coisa, é melhor pegar.

No sábado, acordei cedo e esperei por Tristan. Ele visivelmente não era uma pessoa matutina. Andou com os braços esticados como um zumbi até a cozinha e despejou cereal em sua tigela.

— Talvez possamos ir a São Francisco hoje — eu disse.

Ele riu.

— Querida, a cidade fica a 12 horas de distância. É longe demais para uma viagem de um dia. Que tal fazer uma trilha?

— A viagem do aeroporto não pareceu tão longa.

— Você adormeceu depois de 15 minutos. É uma viagem de quatro horas.

— Mas você disse que morava perto de São Francisco. Foi o que disse.

— Falando relativamente, nós moramos perto de São Francisco. Podíamos morar em Miami. Isso sim seria longe! — Ele riu de novo.

Pensamentos varreram a minha mente como rajadas de vento. Será que ele estava falando a verdade? Onde nós estávamos? Minha garganta se contraiu e eu senti o espaço aberto de Emerson, não mais ancorada pelos prédios, museus, hotéis, restaurantes, teatros e tráfego — elementos que haviam sido constantes para mim. Eu me afundei no sofá e tossi, tentando fazer minha garganta reabrir.

— Vamos lá, querida — ele disse alegremente. — Vamos sair para a natureza, isso vai ajudá-la a respirar melhor.

Ele me puxou e saímos para passear na floresta. Eu o segui por entre as árvores. Nenhum de nós dois falou muito. Eu não conseguia deixar de pensar que ele tinha mentido. Ele havia me dito que morava perto de São Francisco. Fora o que dissera. Quatro horas. Uma eternidade. Tentei tirar o melhor da situação, como Boba sempre me mandou fazer. Respirei fundo e olhei para a beleza silenciosa da floresta (tudo era tão quieto que eu achava inquietante...). Olhei para as flores perto da trilha e perguntei:

— Qual é o nome desta flor?

— A cor-de-rosa? É Liza Jane.

Não pude evitar. Eu ri.

— A branca é o Russel — ele acrescentou.

— E aquela árvore? — Apontei para o pinheiro alto.

— É a Melissa — ele respondeu.

— É um prazer conhecê-la, Melissa — eu disse. Nós dois rimos.

Ele esticou a mão e eu entrelacei meus dedos nos dele.

Naquela noite, liguei para Jane em Montana. Ela não podia acreditar que eu estava nos Estados Unidos.

— Mas é óbvio que está — ela falou. — A linha telefônica está tão boa. — Nós calculamos que eu chegara nos Estados Unidos apenas horas antes dela. — Então não estava brincando quando disse que estaria aqui antes de mim. E foi por isso que fez tantas perguntas sobre a Califórnia... e caipiras.

Ela me perguntou com quem eu estava. Eu não falei nada.

— Conte-me em russo — ela pressionou. Como ela podia saber que Tristan estava por perto fingindo não escutar?

— Ele mentiu. Falou que morava perto de São Francisco — eu disse a ela rapidamente em russo. — Mas ele mora a quatro horas de distância.

— Na verdade, não é uma mentira — ela respondeu em russo. — Minha irmã mora a cinco horas dos meus pais e nós consideramos isso perto. É no mesmo estado e não é uma estrada ruim. Talvez uma pessoa de Nova York ou Odessa tenha uma percepção diferente de distância.

Percepções diferentes. Uma ideia interessante.

— Como ele é? — ela perguntou.

— Gentil, paciente. A casa dele é grande. Ele me deu um computador. Tem amigos legais.

— Quando eu visitar o Tans, podemos passar um fim de semana em São Francisco.

Quando desliguei o telefone, Tristan perguntou:

— Por que estava falando em russo?

— É o meu idioma pátrio.

— Eu sei algumas palavras. Talvez você possa me ensinar outras. — Os lábios dele roçaram os meus. — Como se diz "beijo"?

— Eu beijo você. *Tseluyou.*

— *Slyouyou.*

Ele parecia os marinheiros bêbados nos nossos navios.

— *Slyouyou, slyouyou* — ele falou, se inclinando na minha direção. Passou os braços em volta de mim e me beijou novamente. — Case-se comigo.

Eu o beijei para não responder.

Capítulo 15

NOSSAS CARTAS NUNCA COMEÇAM COM o desprezível "querido". Saudações — no verdadeiro estilo odessano — têm duas linhas. E sem vírgula também — só um ponto de exclamação serve para uma saudação apropriada.

Olá, minha querida Boba!
Saudações do Sonho Americano!

Tudo aqui é maravilhoso e automático — você nem tem que dar descarga na privada. Inacreditável! A estrada que liga o aeroporto à casa do Tristan é tão lisa quanto trilhos. Por mais entusiasmada que estivesse, eu caí no sono, você acredita?

Tristan disse que seria fácil para mim conseguir emprego como engenheira. Falou que pode realmente conversar comigo a respeito. Fiquei preocupada com a possibilidade de ele se chatear quando descobrisse que eu não sei cozinhar. Mas ele disse que gosta de cozinhar, que quer que a gente cozinhe juntos. Disse que pode me ensinar. E, enquanto isso, pode ligar para o restaurante e lhes dizer o que queremos comer e eles nos entregam! Como nos filmes!

A casa de Tristan é enorme! Ele tem uma lareira e nós nos sentamos e conversamos na frente de um fogo crepitante. Nos Estados Unidos, eles têm ar-condicionado. O ar frio circula através de aberturas para você não ficar com calor. Tristan e seus amigos têm esse aparelho. O supermercado também. Lembra-se do nosso velho apartamento e de como ele ficava no verão? Como brincávamos dizendo que já estávamos no inferno?

Ele disse que não ganhava muito dinheiro como professor, mas obviamente estava sendo modesto. Ele deve ser rico. Não só não mora com os pais como tem uma casa própria — todo mundo tem uma casa própria e o próprio jardim. Não há nem um único apartamento neste subúrbio todo — você pode acreditar?

Ele falou que quer ter filhos comigo. Falou que podemos ser uma família de verdade.

Com todo o meu amor,

Dasha

No Parque Nacional de Yosemite, exatamente três semanas depois de minha chegada, cercados por sequoias e samambaias, Tristan se ajoelhou e me presenteou com um anel. Minha mão voou para o meu peito, onde senti outro anel de noivado quente contra o meu corpo. *Give-gave-given.*[1]

— Não estou aqui nem há um mês. Há tanta coisa que não sabemos um sobre o outro...

— Eu sei que quero me casar com você. Você é tão linda — ele falou, escorregando o anel no meu dedo. — Quero que todos vejam que você pertence a mim. Eu te amo. — Ele se levantou e me deu um abraço apertado. *Find-found-found.*[2]

Fiquei olhando para o anel.

— Não precisa me responder. Só pense a respeito. Você e eu felizes nos Estados Unidos.

À noite, continuávamos a conversar no sofá. Ele me contou sobre seu irmão mais velho, Halibut, um pastor que todo mundo chamava de Hal e que morava perto de Seattle.

— Depois que minha mãe morreu, nosso pai simplesmente desapareceu. Ele estava lá, mas ao mesmo tempo não estava, sabe o que quero dizer? Eu devo tanto ao Hal. Ele segurou as pontas. Assegurou-se de

[1] Dar-deu-dado. *(N. da T.)*

[2] Encontrar-encontrou-encontrado. *(N. da T.)*

que tivéssemos comida na mesa, de que eu fosse para a escola. Eu estava sempre forçando a barra, mas Hal me trazia de volta e se assegurava de que eu fizesse a coisa certa. — Tristan sacudiu a cabeça. — Ele ainda me ajuda. Quando eu disse a ele como me sentia em relação a você, ele pagou sua passagem, pois o meu cartão estava estourado.

Eu não tinha certeza do que ele queria dizer. Estourado?

Ele me beijou suavemente, acariciou as minhas costas e passou os dedos pelo meu cabelo. Suas mãos desceram cada vez mais. Não sei por que a mão dele no meu seio me fez ficar dura, por que o corpo dele no meu me deixava mais rígida do que a tábua de passar de Boba. Depois de alguns minutos, eu o afastei. Disse a mim mesma que a minha reação era normal e que desta vez eu não esqueceria o provérbio mais famoso de Odessa: nem todos que fazem amor fazem um casamento. Eu não seria enganada de novo.

Tristan se desvencilhou de mim e falou:

— Obrigado por se guardar para mim. É claro que eu a respeito.

Eu não o corrigi, grata por ele ter inventado para si um motivo para minha recusa involuntária para uma união praticamente perfeita.

Jane e eu decidimos nos encontrar em São Francisco para um fim de semana prolongado. Eu estava tão ansiosa para encontrá-la. Na caminhonete de Tristan, eu não conseguia ficar quieta. Meus pés batiam no chão de nervoso.

— Sua amiga mora no bairro dos esnobes — Tristan disse, irritado.

— Você vai adorar a Jane. — Eu só não tinha certeza se ela ia adorá-lo. Algo estranho havia acontecido: nos quilômetros de Emerson para São Francisco, ele ficara mal-humorado.

Conforme a caminhonete subia cada vez mais, eu vi as casas vitorianas que apareciam nas fotos e nos filmes. Entre os quarteirões, tive vislumbres da baía. Que cidade deslumbrante!

Estacionamos atrás de um Jaguar. Jane veio correndo da casa, seguida por Tans. Meus olhos se encheram d'água quando a vi. Fazia semanas desde que vira um rosto familiar. Ela me tomou nos braços e cantarolou todas as palavras que eu precisava ouvir. Ela as disse todas em russo.

— Você é tão corajosa, tão bonita, tão inteligente. Vai dar tudo certo, vai ficar bem. — Olhando para o anel no meu dedo, ela acrescentou: — Só não tome nenhuma decisão precipitada. O tempo dirá.

Quando dei um passo para trás, passei os dedos pelo cabelo dela, que estava mais rebelde do que nunca. Eu estava tão feliz em ver a minha Jane que não conseguia parar de tocá-la. Acariciei seu rosto, seus braços. Alisei rugas imaginárias em sua blusa branca. Enfiei uma mecha solta de cabelo atrás de sua orelha, passei meu braço em volta do dela. Tocá-la era como tocar minha cidade natal de novo, como se eu segurasse um pedaço de casa nas minhas mãos.

Tans me deu um abraço entusiasmado e beijou minhas bochechas, queixo e testa, fazendo cócegas no meu rosto com seu bigode. Tristan olhou para eles de forma circunspecta. Tans percebeu a cara azeda de Tristan e o cumprimentou de homem para homem, com um aperto de mão forte e uma frase indicando que eles deviam dar um tempo para nós mulheres ficarmos sozinhas. Tans acompanhou Tristan pelos degraus da elegante casa vitoriana de quatro andares e o guiou para dentro. Lançou um olhar para Jane, que dizia *Ele não é um de nós.*

O apartamento era espaçoso e escuro. As persianas estavam abaixadas. Talvez porque Tans soubesse que ficava mais bonito com a luz difusa. Ele parecia consciente de coisas desse tipo. Atravessamos o corredor na penumbra até a cozinha, o coração da casa, que estava repleta de amigos — Jane dizia que Tans odiava ficar sozinho, por isso sempre havia pelo menos dez pessoas em seu apartamento. A mesa era uma tora de madeira cercada por cadeiras diferentes umas das outras. Toquei as bocas grandes do enorme fogão e senti saudades de Boba e de Odessa.

Jane me apresentou a Zora e Gambino — contadores de dia, músicos à noite. Lea, uma mulher sem ângulos, que só possuía curvas, cantava com Zora. Quando ela olhou para mim com um pouco mais de intensidade, Jane me disse em russo que a mulher era "rosa" (na gíria de Odessa isso significa lésbica). O melhor amigo de Tans, Jonothan, usava uma camisa de seda e era jovem o bastante para ser filho dele. Em russo, nós o chamaríamos de *smooglie*, trigueiro. Também diríamos que ele era encorpado, porque seus ombros e bíceps eram musculosos como os de Vlad. Ele ficou olhando para Jane, que cuidadosamente o ignorou. A irmã de Jono, uma corretora de valores esguia, estava tão orgulhosa de seu fio-dental decorado com uma borboleta brilhante que baixou as calças para mostrá-lo a todos.

— Venham conhecer minha amiga Daria — Jane falou.

Ela levantou as calças, perguntou "Isso é um anel de noivado, *ma cherie*?" e tomou minha mão nas suas. Ela franziu os olhos para o diamante e disse:

— Querida! Essa poeirinha não é motivo para se casar! É motivo para se divorciar.

Tristan ficou vermelho e Jane virou-se para ela. Minha mão voou para o meu tórax.

— Comporte-se! — Jono advertiu. — Ou pode passar a noite em uma sala de reuniões alugada no Sheraton com outros vagabundos.

Ela estremeceu com a ameaça.

— O tamanho não tem importância — eu disse a ela, pegando a mão de Tristan. — As intenções sim. Tristan telefonava fielmente, escrevia todos os dias e viajou até Odessa, na Ucrânia. Nenhum outro homem que eu conheço teria empenhado tanto tempo, esforço e dinheiro.

Tristan olhou para mim com gratidão e os amigos de Tans olharam para mim com interesse. Pensei em Vlad, que teria se defendido. Então me lembrei de como ele me dera joias e desaparecera depois de conse guir o que queria.

Talvez para apagar o constrangimento, Tans tomou Jane nos braços e falou:

— Vamos dançar, querida.

Jane riu, mas não disse não. Eles dançaram juntos. Eu sorri; eram um casal tão improvável. Jane era 12 centímetros mais alta e três décadas mais nova. Tans viu meu olhar. Olhei em seus olhos e vi algo perturbador neles. Mas logo depois ele sorriu e eu vi que estava sendo ridícula. Por que eu tinha que ser tão desconfiada? Por que não podia relaxar e curtir, em vez de avaliar tudo e todos?

Quando a música acabou, Tans disse a todo mundo que eu era de Odessa. Ele descreveu as pessoas graciosas e a linda arquitetura. Gambino perguntou se a escadaria era tão majestosa na vida real quanto era em *O encouraçado Potemkin*. Jono recomendou um livro sobre o mar Negro. Zora disse que seus bisavós viviam a trinta minutos de carroça de Odessa. Eles emigraram em 1910 depois que um massacre incendiou muitas casas em sua aldeia.

Eles eram tão gentis que quase chorei de alívio. Ninguém presumiu que, porque eu era da Ucrânia (sim, eles haviam ouvido falar na Ucrânia!), eu era miserável ou que Tristan havia me "salvado". Na verdade, eles achavam que eu o havia salvado! Jane, Tans e seus amigos me viam como eu realmente era.

A biblioteca pessoal de Tans era mais rica do que a biblioteca sobre rodas de Emerson, que passava apenas uma vez por semana, às sextas-feiras, de 9 horas ao meio-dia. Na sala de jantar, repleta de prateleiras com livros encadernados de couro, havia um bufê constante em uma mesa formal. Suco de laranja fresco. Café tão forte que poderia ter sido servido na Turquia. E comida. Ah, a comida! Homus tão cremoso. Uma salada de batatas tão leve e dourada que rivalizava com a da minha Boba. Dólmãs embrulhados à mão. Desde que eu saíra de casa meu estômago não ficava tão feliz. Comida — como ela alimenta a alma, as lembranças, as necessidades que nem sabemos que temos. Mais de uma pessoa me observou devorando trouxinhas de arroz embrulhadas em folhas de parreira.

Jane e eu nos sentamos na frente de Tans e dissemos a ele como tudo era maravilhoso. Ele se deleitou com nossos elogios, seu bigode se retorceu de prazer. Tristan se afundou ao meu lado.

— O que eu vou comer? Isso é tudo diferente — diferênti.

— Quer experimentar a salada de batatas? — Jane perguntou. — Está deliciosa. Quase tão boa quanto a de Boba. Deixe-me pegar um prato para você.

Em Odessa, as mulheres servem os homens. Jane me contara que nos Estados Unidos as mulheres não servem ninguém. Sabia que esse era um grande gesto da parte dela e fiquei grata.

Ele se animou quando ela pôs o prato na frente dele.

— Boba fazia mesmo a melhor, não é?

Tans protestou, bem-humorado, que a dele era a melhor.

— Talvez em São Francisco — Jane disse.

— Vamos dar a ele a Califórnia — Tristan falou.

— Mas Boba tem o título universal — eu concluí.

Eu estava feliz por eles se darem bem. Por todo mundo estar se esforçando. Como eu queria que Jane gostasse dele.

Havia um constante ir e vir de artistas, cantores e intelectuais. Era *isso* o que eu esperava quando Tristan me dissera que morava perto de São Francisco. Era *isso* que eu queria. Eu me sentia à vontade com aquelas pessoas. Elas eram sagazes, inteligentes e divertidas. Várias me puxaram para o lado e disseram: "Quando decidir deixar esse idiota, eu a ajudo. Ligue-me." As mulheres me deram 50 dólares escondido para que eu não ficasse completamente dependente dele. Tentei recusar, mas elas insistiram que eu poderia lhes pagar de volta. Apesar de gostar da gentileza, fiquei constrangida por Tristan e magoada por ele ter sido rejeitado, por Tans, Jane e seus amigos. Eles não o estavam vendo da melhor maneira, em seu aquário em Emerson, rodeado por jardins de família. Mas também podia entender por quê.

Como sempre, acordei às 6 horas. Alguns dos convidados de Tans estavam indo embora. Sentei-me à mesa da cozinha com um copo nas mãos cheio de café pelando e saboreei o momento. Eu gostava de acordar cedo, para ter o mundo só para mim. Quando Jane se juntou a mim, conversamos em russo durante horas. Tínhamos a cozinha só para nós e não havia ninguém ali para se ofender com a nossa fuga para outro idioma. Tans parecia entender como era importante que Jane e eu tivéssemos tempo juntas. Ele tentou ocupar Tristan. A maior parte do dia, ela e eu ficamos mudando de aposento para aposento. Com a interferência de Tans, Tristan estava sempre um aposento atrás.

Pedi à Jane para me contar sobre Montana, sobre a vida com Tans. Eu tinha tanta vergonha de falar sobre a minha vida. Como podia explicar? Como podia contar à Jane coisas que nem eu mesma entendia? Como me apaixonara por Tristan antes de conhecê-lo. Como ali, naquele momento, eu não tinha certeza se ainda o amava. Como eu podia contar a ela quando mal admitia para mim mesma?

Depois do almoço, Tristan atenciosamente se ofereceu para levar Jane e eu para fazermos um tour por São Francisco. Eles nos levou ao Fisherman's Wharf, que estava apinhado de turistas, mas eu apreciei seu gesto mesmo assim e comprei alguns postais para Boba. Fomos a um parque, onde famílias faziam piqueniques, crianças brincavam, amigos jogavam frisbees, casais se abraçavam na grama. Em Emerson, as pessoas andavam ou corriam exatamente trinta minutos para se exercitarem ou nem isso. Elas iam de carro para o mercado, mesmo se morassem a apenas três quarteirões de distância. Fiquei admirada com essa multidão de pessoas que, como eu, ficavam felizes em passar um dia glorioso ao ar livre.

Tristan se ofereceu para nos pagar um chá no Jardim Japonês. Jane e eu encontramos uma mesa e ele foi fazer o pedido. Eu me sentia orgulhosa por ele ter nos proporcionado um dia tão *adorável*. Eu queria que Jane gostasse dele.

Ele voltou com uma bandeja.

— Vocês acreditam nisso? Onze dólares por um chá?

A vergonha tomou conta de mim. Jane pagara sua passagem para São Francisco e ele reclamava sobre gastar alguns dólares. Eu mal podia encontrar o olhar dela. Um odessano nunca falaria sobre o preço. É falta de educação.

— Esqueceram de nos dar guardanapos. — Ele voltou ao balcão.

Em seu russo característico (Jane soava como uma velha senhora odessana, porque seu vocabulário e inflexão haviam sido aprendidos com sua vizinha, uma aposentada mal-humorada com cabelo lilás), ela disse:

— Onze dólares por um chá?

Nós rimos.

— Sério — ela continuou. — Tans e seus amigos podem ser intimidadores. Provavelmente não é fácil para Tristan. Foi gentil da parte dele nos levar para passear hoje.

— Foi mesmo — concordei, feliz por ela gostar dele, pelo menos um pouco. — Os homens só gostam de reclamar para que prestemos atenção neles.

— Toque a buzina e elogie-o — ela falou enquanto ele voltava com um punhado de guardanapos.

— Biiip! — eu ri como uma colegial.

Meus olhos encontraram os de Jane e eu caí na gargalhada. Ela também.

— O que é tão engraçado? — Tristan perguntou.

Como eu podia lhe dizer que era *ele* que achávamos divertido?

Eu adorava os Estados Unidos. Adorava as ruas largas e limpas. Adorava as casas espaçosas de madeira fincadas em gramados verdes insuperáveis. Eu adorava as opções no supermercado — das comidas prontas aos produtos de limpeza. Adorava morar em um lugar onde ninguém roubava lâmpadas dos corredores, onde ninguém mijava no elevador, onde a poeira não cobria os meus sapatos, as ruas, as calçadas, os prédios. Eu adorava a luz que entrava pela casa de Tristan. Adorava a distância entre as casas. Privacidade. Que conceito maravilhoso. Eu adorava a tranquilidade. Sem garrafas batendo umas nas outras, sem ninguém batendo os pés no andar de cima, nenhuma briga de família vazando pelas paredes, nenhum bebê chorando, nenhuma TV aos berros. Era como se alguém tivesse apertado o botão "mudo" da trilha sonora da minha vida.

Eu adorava morar em uma casa — não acordar com o cheiro da torrada queimada de um vizinho pela manhã, não dormir com a música tecno de outro à noite. Não sentia falta das brigas domésticas da casa dos Sebova — a senhora gritando que o marido era um alcoólatra, o marido gritando que, se era, era por causa dela. Eu não sentia falta das marteladas incessantes de Petr Ivanovich.

Nos Estados Unidos, as casas eram únicas. Assim como as pessoas. Era tudo tão pessoal. Até as placas de carro tinham mensagens — de *Vai, Packers!* em um jipe a *Valeu, Pai* em um conversível vermelho. Se havia uma criança no carro, havia um sinal de "Bebê a Bordo". Eu não podia dizer que os norte-americanos mostravam seus corações a todos, mas eles mostravam seus logotipos no peito. Nike. Coca-Cola. Pepsi. A bandeira estava em todos os lugares — em suéteres, carros, penduradas do lado de fora das casas, assim como das lojas e escritórios. Em Odessa, ninguém usava uma bandeira da Ucrânia no peito, posso lhes dizer isso. Em Odessa, a placa da padaria dizia *Hleb*, ou pão; aqui, era a Pequena Padaria da Mamãe. Aqui não é só "restaurante". É Café da Ruby ou Casa das Panquecas da Tia Sarah.

Acima de tudo, eu adorava ouvir o idioma, todas as contrações e contradições que minha professora de inglês Maria Pavlovna nunca nos ensinara: *gimme, gotta, gonna, wanna*. Talvez ela não soubesse que elas existiam. Eu anotava palavras novas em meu caderno. Janota. Rosnado. Metido. Ferrado. Mano. Mesmo que eu não as reconhecesse, frequentemente compreendia o significado pela expressão da pessoa.

Eu adorava os Estados Unidos. Adorava que os motoristas me deixassem atravessar a rua em vez de tentarem passar por cima de mim. Adorava os funcionários dos correios, tão alegres quando eu mandava cartas para Boba. Adorava a forma como completos desconhecidos conversavam comigo. Quando fui ao consultório médico para fazer um exame de sangue, a enfermeira saiu toda de branco, parecendo uma estrela brilhante, e disse com uma voz linda: "Daria Kirilenko, estamos esperando por você." Eu me senti uma princesa. No supermercado, um adolescente colocava minhas compras em uma sacola. Nas lojas, as vendedoras me perguntavam se eu estava procurando algo em particular. No café, a garçonete trazia um copo de água gelada com o cardápio e dizia "Não se apresse". Todo mundo falava "Oi, como vai?". Essas pequenas delicadezas me enchiam de gratidão. Nenhum estranho era gentil assim em Odessa a não ser que quisesse alguma coisa.

Às vezes eu olhava em volta, admirada. Mas os norte-americanos não pareciam perceber a gentileza que os cercava. Como eles não davam valor às coisas. Tudo era fácil aqui. Tudo funcionava o tempo inteiro — sem racionamento, sem apagões. Tudo era perfeito.

Meu visto expiraria em seis semanas. Eu estava apaixonada pelos Estados Unidos, mas não por Tristan. Talvez eu aprendesse a amá-lo, assim como mingau de aveia. Como passei a gostar de David. Eu não sabia o que fazer. Podia ligar para Jane, que me diria que eu não devia me casar com ele. Ou podia ligar para Boba, que diria o contrário.

Eu disquei e falei:

— Não sei o que devo fazer.

— Você foi para os Estados Unidos para se casar.

— Acho que não o amo — falei com a voz baixa.

— Ele a ama? — Boba perguntou.

— *Da.*

— Meu pequeno rouxinol, dê uma chance a ele. Não há nada para você aqui. Você procurou um emprego como engenheira durante seis meses e acabou como secretária. Pense em sua amiga Maria, que se formou em primeiro lugar na classe do conservatório e que tem uma voz de anjo. E, em Odessa, ela é garçonete. Não está certo. Simplesmente não está certo. Mas é assim que as coisas são. Não volte para casa. Não há nada para você aqui. Lembre-se da sorte que tem por estar nos Estados Unidos. A paixão esmorece. O amor cresce. A segurança é a coisa mais importante.

Ela estava certa. Eu devia me casar com Tristan. Fora para isso que eu viera. Ele queria se casar comigo, queria filhos comigo. Era honesto, decente e confiável, ao contrário de Vlad. Ele fora um perfeito cavalheiro. E era norte-americano.

E, se eu me casasse com ele, poderia ficar nos Estados Unidos.

Parte II

Três coisas neste mundo ele amava:
O coro das vésperas, pavões brancos
E mapas usados dos Estados Unidos.

Ele não gostava de crianças chorando,
Chá com geleia de framboesa
Ou mulheres histéricas.

E eu era sua esposa.

— Anna Akhmátova

Capítulo 16

Minha querida Boba, a melhor avó do mundo!
Saudações de Emerson!

Espero impacientemente por uma carta sua. Por favor escreva! Isso me faria muito feliz.

Você ficaria surpresa com muitas coisas aqui. As pessoas têm jardins, mas não hortas. Elas compram as frutas e vegetais no supermercado. Não fazem nenhuma compota, você acredita nisso? A amiga do Tristan, Molly, diz que já tem o suficiente para fazer sem se preocupar com isso. Ela anotou os nomes das melhores marcas para que eu não ficasse confusa sobre quais escolher. Há mais de cem tipos de xampus e pastas de dente. Há tantas marcas diferentes de geleias. A melhor geleia de framboesa daqui não é nem de perto tão saborosa quanto a sua... No ano que vem, planejo plantar meus próprios tomates, batatas e morangos. O que mais você acha que eu deveria plantar?

Os rouxinóis são gordinhos e felizes aqui. As pessoas são receptivas e simpáticas. Você consegue exatamente o que quer. Em um café em Odessa, temos sorte de conseguir café de verdade em vez daquele instantâneo. Temos sorte se chegar quente à mesa. Em São Francisco, quando Jane e eu saímos para tomar café, ela pediu um "cafeinado com metade de leite desnatado extraquente com pouca espuma e uma dose de baunilha". Quando foi a minha vez de pedir, eu não sabia o que dizer! Pode imaginar o olhar que a garçonete lhe lançaria se você pedisse algo assim em Odessa?

Sinto saudades da sua voz, das suas piadas, das suas histórias. Não quer pensar em vir nos visitar? Quando estava em Odessa, Tristan disse que você poderia vir morar conosco. Espero que você pense a respeito. Quero que veja este paraíso por si mesma.

Com todo o meu amor,

Dasha

FREEZE-FROZE-FROZEN.[1] *RING-RANG-RUNG.*[2] COLOQUEI O VESTIDO de veludo que Boba fizera para mim. Tristan estava bonito com sua calça cáqui e sua camisa social azul que eu levara uma hora passando a ferro. Ele segurou minha mão bem forte. As palmas estavam suadas. As minhas também. Ele não parava de colocar mechas de cabelo atrás das minhas orelhas. Eu não parava de soltá-las — eu as havia deixado soltas de propósito. Aos poucos, todo mundo chegou. *Todo mundo.* Todo mundo não era ninguém que eu conhecesse. Quarenta pessoas — as mulheres de vestido, os homens de jeans, as crianças agitadas subindo nos móveis e derrubando luminárias — entupiam a sala de jantar. Dei doces aos pequenos e lhes disse que logo eles seriam adultos e todos os seus sonhos se tornariam realidade. Mães atormentadas me entregavam caçarolas. Eu aceitei seus presentes com o sorriso e as palavras gentis que Boba incutira em mim.

Boba.

Senti uma pontada no coração. Se ao menos ela pudesse vir. Ou minha mãe. Ou até Jane. Aí eu me lembrei que não estava falando com Jane. Não depois do que ela me dissera. Ela ainda telefonava, implorando para que eu me abrisse, mas eu só falava do tempo até ela cansar e desligar.

Hal, uma versão mais velha e com mais maxilar do que o Tristan, me apertou de um jeito que parecia um alicate de desmonte de carros. Ele

[1] Congelar-congelou-congelado. *(N. da T.)*

[2] Tocar-tocou-tocado. *(N. da T.)*

era pastor e sua esposa Noreen, cuja expressão tensa dava a impressão de que seus sapatos eram dois números menores, era metida a virtuosa.

— Você é uma garota de muita sorte por passar da pobreza à riqueza — ela falou. — Todas as mulheres no seu país sonham em vir para os Estados Unidos. Devia ser grata por tudo o que esta família fez por você. A outra garota não ficou nem um pouco grata.

— Que outra garota? — perguntei.

Noreen olhou para Hal.

— Uma das ex-namoradas de Tristan — Hal disse. — Você tem que perdoar a Noreen, ela acha que ninguém é bom o bastante para ele. — O tom dele era frio como o inverno siberiano e ele segurou o braço de Noreen tão apertado que ela estremeceu.

Atrás deles, Molly revirou os olhos e piscou. Noreen e Hal se afastaram e eu fiquei olhando para todos aqueles estranhos. Enquanto as pessoas conversavam em volta de mim e sobre mim, mas não comigo, eu me lembrei do zumbido de mil moscas.

E pensar que este era o dia do meu casamento.

Coloquei a mão no peito. É claro que pensei nele, e em como teria sido nosso casamento em Odessa. Uma cerimônia íntima, com certeza, seguida por um banquete preparado por mim e Boba. Bem, na maior parte pela Boba, mas eu teria ajudado. Copos erguidos para mim, a linda noiva; um brinde ao noivo, com sorte no amor; outro à Boba, por ter criado uma neta assim; uma palavra final de elogio para a mãe dele, tão corajosa por ter criado três filhos fortes. Vlad e eu daríamos um pedaço de pão um na boca do outro para que nunca passássemos fome, mergulhado em sal para que a vida sempre tivesse sabor. Ele sorriria carinhosamente. Eu lamberia o sal de seus dedos.

Não. Eu balancei a cabeça. Aquele gângster não era bem-vindo a esta comemoração.

Todos entraram em seus carros e dirigiram até a floresta. Tristan declarou que, uma vez que eu não fora à missa por todo o tempo que estava nos Estados Unidos, era como ele: "não carola". Pensei em contar a ele sobre as sinagogas em Odessa que haviam sido destruídas, o antissemitismo violento. Eu queria lembrá-lo que a religião fora proibida no Império Soviético. Após a perestroika, as pessoas ficaram temerosas de retornar. Muitos, como eu, não sabiam como voltar.

Mas permaneci calada, temendo que ele entendesse errado de novo, como quando disse que eu não comia carne porque não havia nenhuma. Ele obviamente tinha problemas de interpretação.

Além do mais, ele dissera, depois de gastar tanta "grana" para me trazer para os Estados Unidos, não tínhamos dinheiro sobrando para "coisas frívolas como cerimônias de casamento". Ele decidiu que faríamos o nosso como Deus queria, em uma área da floresta na periferia de Emerson. Trocamos nossas alianças solenemente. O único som era o dos pássaros cantando. Parecia um bom sinal.

Voltamos para a casa de Tristan para a "refeição comunitária". Não havia necessidade de gastar dinheiro com um bufê, ele dissera, e pedira que seus amigos preparassem a comida. Para mim, nossa recepção não pareceu nem um pouco com uma comemoração, só um enorme piquenique traga-o-que-quiser com tigelas e pratos descartáveis empilhados em uma mesa de jogo nas últimas. Em Odessa, nenhuma mulher jamais pediria aos convidados para cozinharem seu próprio jantar. Em Odessa, as mulheres preparavam banquetes, e esse esforço mostrava o quanto elas se importavam. Tentei sorrir. Nos Estados Unidos, eu havia percebido que as pessoas sorriam quando estavam felizes, mas também quando estavam nervosas ou inseguras. Ninguém percebeu que meu sorriso era do tipo melancólico. Eles me abraçaram e me chamaram de querida. Me desejaram sorte e perguntaram se eu estava feliz. Eu sorri.

Tudo havia acontecido muito rápido. Tristan e eu fomos fazer uma trilha no domingo à tarde, uma semana depois de voltarmos de São Francisco. Ele estivera nervoso a manhã inteira, gaguejando e desconcentrado. Nós nos sentamos em um cobertor desbotado e comemos sanduíches de queijo. Após o almoço, ele ficou de joelhos e me puxou para que eu ficasse também. Segurando a minha mão nas suas, olhou nos meus olhos e perguntou:

— Você me fará o homem mais feliz do mundo? Quer se casar comigo?

A ternura se espalhou pelo meu corpo quando eu entendi o quanto fora difícil para ele reunir coragem para fazer o pedido. Sem necessidade de vodca.

— Esta é a última vez que vou perguntar — ele falou e apertou a minha mão. — Eu sei o que quero. Mas isso tem que ser o que você também quer.

Pensei no que eu queria: segurança. Um lar. Um filho. Uma família de verdade. Um fim para a maldição familiar. Era isso que Boba queria para mim. Tristan havia provado suas intenções, diferente de Vlad. Olhei nos olhos dele e vi uma simplicidade gentil. Eu podia confiar nele. Ele me amava. Queríamos as mesmas coisas. Para que esperar? Joguei meus braços em volta do pescoço dele.

— Sim!

Ele me beijou e me beijou e me abraçou apertado. Foi bom. Eu estava felicíssima em saber que ficaria nos Estados Unidos com um homem confiável. Ele nunca iria simplesmente desaparecer. Ele sempre estaria ali.

— Temos que nos casar imediatamente — ele disse quando chegamos em casa.

Eu assenti, surpresa com a convicção na voz dele, com a pressa do nosso noivado. Mas não fora para isso que eu viera para os Estados Unidos?

— Não quero que você mude de ideia — ele brincou. Ligou para Molly no viva-voz. Eu a ouvi gritar "Ah, meu Deus! Parabéns!", chamar Toby e então gritar "Ah, meu Deus!" de novo. Tristan perguntou se ela achava que podíamos realizar o casamento dentro de uma semana. Ela disse que organizaria tudo: convites, bufê, local. Ele respondeu que tinha um "orçamento", uma palavra que quer dizer "sem dinheiro", e sugeriu que fizéssemos a recepção em casa.

Liguei para Jane e a convidei para ser minha madrinha.

— Ah, meu Deus! É claro!

Percebi que Deus está sempre na boca dos norte-americanos, em suas cabeças, em seu dinheiro.

— A cerimônia é sexta-feira.

— Esta sexta? — ela gritou.

— Qual é o problema?

— É tão de repente. Você tem um visto de três meses. Não quer usar esse tempo para conhecê-lo melhor?

— Sei tudo o que preciso saber; nós queremos as mesmas coisas. Para que esperar?

Ela disse que tinha que pedir para tirar uns dias e verificar preços de passagens. Ligou uma hora mais tarde.

— A tarifa de última hora é mais de mil dólares. Por que sexta? Por que em um dia de semana? Por que tão rápido?

Ela já sabia as respostas. Só queria que eu as dissesse. *Ele não quer que Jane ou Boba venham. Quer que nos casemos o mais rápido possível. Ele não quer me dar tempo para pensar.* Esses pensamentos estavam em algum lugar do meu cérebro. Eu não sou burra. Mas saber e admitir são duas coisas diferentes.

— Ele é muito mais velho. E você não o conhece há muito tempo. Você o ama?

A única defesa é o ataque, é o que dizemos em Odessa.

— E você? Aquele Tans é praticamente um aposentado! Você o ama?

— Sim, eu o amo. Mas não, não vou me casar com ele.

— Você pode se dar esse luxo. Você é cidadã norte-americana. Eu estou aqui com um visto.

— Você o ama? — ela repetiu.

Eu queria amá-lo.

— Por favor, por favor, espere — ela implorou. — Não tem pressa. Vocês terão a vida inteira juntos.

Ouvi as notas nervosas em sua voz: preocupação, ansiedade, medo. Mas eu não havia pedido sua opinião. Não queria ouvir que estava sendo precipitada ou que estava errada.

— Quando você me dava conselhos em Odessa, eu sempre a escutei — ela falou. — Sempre confiei em você. E você sempre tinha razão. Por favor, confie em mim agora. Não faça isso. Não faça. Vamos tentar achar outra solução. Talvez você possa conseguir um visto de trabalho. Ou encontrar outra pessoa.

Eu queria ouvir que estava tomando a decisão certa. Ela estivera errada em relação a Budapeste. Eu podia ter confiado em Tristan. Eu deveria ter ido. Ela estava errada em relação a isso. E perversamente, a forma como ela falou "não" me fez querer dizer "sim". Ela não entendia Tristan da maneira como eu entendia. Não sabia como ele podia ser gentil e atencioso. E ela era praticamente uma solteirona. O que sabia sobre casamento? Eu me afastei de Jane, a voz da razão.

— Tenho que ir. Preciso falar com Boba.

Não foi o casamento dos meus sonhos. Eu ainda tinha sorte. Estava nos Estados Unidos. Teria minha própria família. Faria novos amigos. Olhei para Molly, que recebia as pessoas, limpava e organizava o dia inteiro. Ela até cozinhara *vareniki* para a recepção. Eu estava comovida com a gentileza dela e coloquei três raviólis de batata no meu prato. Deus ama três, é o que dizemos em Odessa.

— Espero que esteja bom — Molly falou.

Eu dei uma mordida e assenti.

— Minha Boba sempre diz que a primeira vez é boa, mas a segunda é ainda melhor. Obrigada por trazer um pedaço de Odessa para Emerson.

— O prazer é todo meu. Fiz a massa sem usar ingredientes prontos, como a receita dizia. Vocês, garotas ucranianas, com certeza não fazem as coisas da maneira mais fácil.

Tão verdadeiro.

Baixei os olhos para meu buquê e toquei as pétalas vermelhas. Na noite anterior, o marido de Molly, Toby, viera até a casa de Tristan. Parecendo tímido, disse que tinha recebido ordens de convidá-lo para uma cerveja.

— Uma despedida de solteiro informal — explicou.

Tristan não queria sair, mas Toby provou ser persuasivo.

— Vamos lá, cara. Desde quando você diz não para uma cervejóvski?

— Cervejóvski! Rá! Não sabia que você falava russo.

E lá foram eles. Enchi a banheira, com a intenção de tentar relaxar e refletir sobre a minha nova vida. A ficha da realidade — o fato de que eu estaria presa a esse homem pelo resto da vida — começava a cair. Fiquei cada vez mais nervosa. Será que Jane tinha razão? Eu deveria esperar? Agora que a data estava marcada, era tarde demais para ter dúvidas? Entrei na água com pensamentos que se tornaram tão escuros quanto o chá preto favorito de Boba.

Eis uma coisa que toda mulher em Odessa sabe: os homens se perdem; os homens vão embora. Eles vão para o mar, eles vão para olhar. Eles partem para a guerra, para fazer fortuna, saem para beber com os amigos. Mas as mulheres, elas ficam. Nós esperamos, imaginamos. Penélope foi a *odessitka* original. Ela esperou Odisseu voltar para casa. Ela esperou, chorou, imaginou, talvez tenha até rezado. Que exemplo. (Que idiota!, Jane havia dito.) As mulheres não vão embora. Elas não entram com pedidos de divórcio. Elas aguentam. Aprendemos nas aulas de biologia que as mulheres amadurecem mais rápido, que são mais fortes, vivem mais tempo, podem parir filhos, podem suportar mais, *suportam* mais, ponto. Pergunte a qualquer *odessitka*. Ela lhe dirá que nossos homens partiram para uma guerra depois da outra, que Stalin os matou e que agora há mais mulheres do que homens. E você não precisa ser um capitalista para entender o conceito de oferta e procura.

Odessitki são ensinadas a serem cultas, bem criadas, femininas, inteligentes, a trabalharem duro, resolverem problemas, aguentarem o tranco, aceitarem que um dia poderemos estar sozinhas... nós temos o poder de permanecer. Paciência. O homem é o rei do castelo, mesmo que seu castelo seja uma *communalka*. Nenhuma provisão é feita para sua esposa. Às vezes, fico imaginando: quando os marinheiros voltam para o mar, suas esposas ficam aliviadas?

Assim que botei o pé para fora da água morna, a campainha tocou. Eu me vesti rapidamente e abri a porta. Molly e Serenity agarraram minhas mãos e insistiram em me levar. Elas riam, inquietas, e pareciam felizes. Felizes. Eu fui com elas. Dirigimos até um bar com luzes néon, o que parecia mágico para mim. O Step On Inn. Cinco mulheres esperavam por mim em uma mesa coberta de caixas embrulhadas em papéis brilhantes e laços. Apresentações foram feitas.

— Queríamos lhe dar um chá de panela/despedida de solteira! — Serenity exclamou.

— Obrigada. Muito obrigada — murmurei, emocionada com essa atenção inesperada.

O barman, a quem Molly se referiu como gostoso, veio anotar nossos pedidos.

— Bud Light, por favor — Molly falou.

— Michelob Light.

— Coca Diet e rum.

Eu não fazia ideia do que as mulheres norte-americanas bebiam, então respondi:

— Um conhaque, por favor.

— Ooooh! Quanta classe! — Molly disse. — Mudei de ideia. Vou tomar um desses.

— Eu também.

— Eu também.

Fiquei feliz por elas quererem o que eu queria. O conhaque aqueceu minha barriga e soltou o aperto no meu peito. Eu me senti relaxada, realmente relaxada, pela primeira vez desde a minha chegada. Nós conversamos e rimos. Como eu sentira falta dessa camaradagem. Pensei em Boba, em Valentina, em Jane. Pensei até em David e como nós nos sentávamos na sala de reuniões escura, bebendo café frio e conversando.

— Abra seus presentes! — Serenity exclamou, me trazendo de volta para o presente.

Levantei cuidadosamente o papel, para poder usá-lo para escrever para Boba, abri a caixa e puxei um pedacinho de seda. Quando percebi o que era, corei e o enfiei de volta.

— Mostre o que você ganhou! — Molly gritou. Seus olhos estavam tão selvagens quanto seu cabelo castanho-avermelhado.

— Certamente agradará na noite de núpcias.

— E é provocante.

— Abra outro!

Roupas de baixo rendadas mais finas do que eu jamais tivera. Velas perfumadas. Óleo de massagem.

Elas gritavam e assoviavam. Enquanto o barman servia outra rodada, Molly sussurrou algo para ele e ele voltou com um buquê de rosas vermelhas e junquilhos brancos. Eu acariciei as folhas aveludadas que cercavam as flores. Não podia acreditar que me esquecera de encomendar um buquê e me senti muito grata.

— Espero estar tomando a decisão certa... — O conhaque havia soltado a minha língua.

— Você vai poder ficar, se casar com ele, certo? — Serenity perguntou.

Concordei.

— Você tem que ficar, nós queremos que você fique — Molly falou.

— É o que eu também quero. Só não tenho certeza...

Ninguém disse nada por um longo momento. Elas olharam para mim. Senti seu carinho e preocupação. A despedida de solteira de repente parecia separada da cerimônia, do casamento por vir. Finalmente, Molly disse:

— Ele é bom provedor.

— Um bom provedor.

— Bom provedor — elas repetiram.

Eu enfiei o nariz no buquê e respirei profundamente. Molly apertou a minha mão. Serenity passou os braços em volta dos meus ombros e ficamos sentadas assim pelo resto da noite.

Quanto mais longa a recepção de casamento, mais longo o casamento em si, é o que dizemos em Odessa. Nossa comemoração havia acabado às 21 horas. Na varanda, Toby batia nas costas dos convidados conforme eles passavam a caminho de seus carros. Molly percorreu a casa com um saco preto de lixo enorme, recolhendo os pratos descartáveis e os copos de plástico. Ela colocou dois pedaços de bolo no freezer para comermos no nosso aniversário de casamento e foi embora discretamente. Tristan e eu olhamos um para o outro. Aquela noite eu me mudaria do escritório para o quarto. Eu sabia o que ele queria e também estava curiosa. Como seria? Eu gostava de seus abraços e beijos — eu me sentia segura em seus braços.

Pelo menos, graças a Vlad, eu sabia que fazer amor podia ser maravilhoso. Espetacular. Sexy. Por que eu estava pensando nele? De repente, me senti desleal. Tristan tocou meus braços, minhas costas, meu cabelo com as pontas dos dedos, como se meu corpo fosse em braile. Esperei sentir uma explosão de paixão, um frisson de luxúria. As carícias dele não eram desagradáveis.

— Devo usar camisinha?

Sacudi a cabeça, uma vez que nós dois queríamos filhos imediatamente. Ele tirou meu vestido e me deitou na cama.

— Uau! — ele exclamou quando viu meus seios. — Uau!

Justamente quando eu havia começado a relaxar, ele parou e tirou os roupas. Ele se despiu, me dando beijos molhados em todos os lugares. *Ride-rode-ridden.*[1] *Sow-sowed-sown.*[2] *Grind-ground-ground.*[3] Os movimentos frenéticos dele me deixaram tensa. Passei os braços em torno de seus ombros e o beijei com força, me forçando a sentir desejo. Enfiei a língua em sua boca. Ele gemeu e esfregou a pélvis na minha. Arqueei o corpo na direção do dele, esperando que os ossos dos nossos quadris se chocassem e criassem uma fagulha que se transformasse em qualquer outra coisa.

Saudações, Boba, de uma noiva muito feliz!

Ontem, eu e Tristan nos casamos. Como nós dois queríamos que você pudesse estar aqui para comemorar a nossa alegria! Usei aquele vestido que você fez para mim e muitas pessoas vieram nos desejar felicidades! Tristan tem muitos amigos e foi adorável que o irmão dele e sua cunhada tenham podido vir. Na verdade, Hal é um homem do clero! Foi muito especial ter a família não só aqui, mas realizando a cerimônia! Logo você será bisavó! Um beijo, Dasha

Coloquei a carta no correio em um pacote com todos os lindos cartões que havíamos recebido e partimos para nossa lua de mel. Apesar de eu nunca ter acampado (viver sem luxo — ficar sem água e eletricidade

[1] Cavalgar-cavalgou-cavalgado. *(N. da T.)*

[2] Semear-semeou-semeado. *(N. da T.)*

[3] Esfregar-esfregou-esfregado. *(N. da T.)*

— nunca parece muito divertido para pessoas que fizeram isso durante uma parte de suas vidas), estava entusiasmada para ir para o Pacífico. Não há nada como o mar. O som das ondas batendo na areia. A constância da maré. O ritmo de uma mãe embalando uma criança para dormir. A areia e a água tão antigos quanto o próprio tempo. O cheiro do sal e da maresia. O mistério de tudo isso quando você olha para o horizonte e vê o mar azul-acinzentado encontrar o céu cinza-azulado e tem a impressão de que o céu realmente encosta na terra. Pelo menos em algum lugar.

— Como chefe dos escoteiros, conheço todos os bons locais — ele falou enquanto descarregava a comida da caminhonete. Ele cavou um buraco raso e fez uma fogueira. Ficamos sentados lado a lado, de mãos dadas, olhando para as ondas.

Ele voltou para as árvores e retornou com dois galhos finos. Com sua faca, raspou a casca das pontas.

— Para que serve isso? — perguntei quando ele me entregou um.

— Você vai ver.

Ele enfiou a mão na caixa de comida e pegou um saco plástico. Rasgou-o e puxou uma coisa branca e esponjosa. Eu o observei enquanto ele a furava com o galho e a segurava em cima do fogo.

— Vá em frente, pegue um marshmallow — ele me encorajou, me entregando o saco.

Quando o dele estava dourado e borbulhante, ele o tirou do graveto e o colocou em uma barra de chocolate, que deslizou entre dois biscoitos. Eu fiz a mesma coisa.

– Não é o máximo? — ele perguntou depois de terminar o seu. — Quer mais? Pegue! Isso se chama *S'mores*.

Eu assenti.

— Tenho tanto para lhe ensinar — ele falou.

Ele era gentil e carinhoso. Eu havia feito a escolha certa. Era o destino.

Por que eu constantemente tocava o peito com a palma da mão para sentir o anel de brilhante, enfiado em segurança debaixo da minha blusa? Eu colocava o colar depois que Tristan ia trabalhar e o tirava antes que ele voltasse para casa. Não sei por que ainda o usava. No começo, foi para que ninguém o encontrasse, no trem para Kiev e no aeroporto. Eu deveria ter sido capaz de tirá-lo de vez. Essa parte da minha vida havia acabado. Eu não daria nenhum passo para trás. Só seguiria em frente.

Mas, ultimamente, eu esquecia de tirá-lo antes que ele chegasse. Eu o deixava no pescoço até a hora de dormir. Ele me confortava. Eu via Boba entregando-o para mim, a ouvia dizer "Ele pode salvá-la". Eu via Vlad diante de mim, de joelhos.

Antes de dormir uma noite, Tristan tirou a minha blusa e congelou quando viu o anel. Ele engasgou ao dizer a palavra.

— Quem?

Eu gelei. *Tell-told-told.*[1]

— Quem lhe deu isso? — ele perguntou.

— O que você disse? — eu fiz com que ele se repetisse para me dar segundos a mais para pensar em uma resposta adequada. Um velho truque odessano.

— Quem lhe deu esse anel? — ele perguntou, com a voz dura.

— Boba... logo antes de se despedir.

Mordi o lábio. Em Odessa, dizemos que uma meia-verdade é melhor do que verdade nenhuma.

Ele sorriu indulgentemente e soltou o ar aliviado.

— Acha que era dela?

— De quem mais poderia ser? — eu perguntei, usando a famosa técnica odessana de responder uma pergunta com outra.

— De sua mãe. Hal ficou com a aliança de casamento da minha.

Sem dúvida. É claro.

— Fica sexy no seu decote — ele falou. Seus dedos traçaram uma linha pelos meus seios. — Parece caro.

— Não vale nada — respondi, surpresa pela amargura na minha voz.

No começo, eu não sabia o que fazer da vida. O tempo passava rápido. Eu me sentava e o via voar. Lembrei-me do que Jane dissera sobre observar e me adaptar. Não queria que os outros pensassem que eu era burra, como

---

[1] Contar-contou-contado. *(N. da T.)*

quando Tristan dissera a eles que eu ficara boquiaberta com o controle remoto da garagem. Em geral, os norte-americanos eram muito calorosos e simpáticos. Eu adorava ouvi-los falar enquanto esperava na fila dos correios, enquanto andava pelos corredores do supermercado, enquanto os via na TV. As pessoas aqui chamam de TV. Eles tinham um canal para cada assunto. Golfe. Clima. Decoração. Sexo. Eu assistia ao canal de culinária para aprender a fazer pratos norte-americanos para Tristan.

Em Odessa, eu nunca tinha tempo para simplesmente ficar sentada sem fazer nada. Eu estudava, trabalhava na firma de transportes marítimos e na Uniões Soviéticas, batia tapetes com Boba, ia ao mercado, carregava baldes de água do fogão para a banheira para lavar nossas roupas e lençóis. Era agradável ter dias para ler livros, ver TV, navegar na internet, conversar com Molly pelo telefone, apesar de ela nunca poder conversar muito tempo — estava sempre correndo atrás de seus gêmeos. Ainda assim, eu gostaria que houvesse uma empresa de engenharia em Emerson.

Meus dois primeiros meses nos Estados Unidos haviam sido um casulo. Tristan e eu comíamos pizza, acendíamos a lareira, alugávamos filmes na loja de conveniências e ficávamos abraçadinhos no sofá. Nunca conversávamos sobre o futuro. Não passávamos tempo com outras pessoas, o que não havia me incomodado — eu queria conhecê-lo. Mas agora que estávamos casados, eu estava pronta para bater as asas e sair do casulo.

Quando ele chegou em casa do trabalho, eu sugeri:

— Por que nós não saímos? Ou podíamos convidar Molly e Toby para virem aqui. Ou ir visitar Serenity.

— Ah, querida, acabei de chegar em casa. Quero relaxar com você.

— Passei o dia inteiro sozinha aqui sem nada para fazer. Eu quero sair, ver gente. — Eu sorri e acariciei o braço dele.

— Bem, se você se sente assim, por que não arruma um emprego? Ou aprende a cozinhar? Estou ficando cansado de pizza. Além do mais, não temos dinheiro para pedir comida o tempo inteiro.

Feel-felt-felt.[1] Meu sorriso murchou. Eu queria procurar emprego de cara, mas Tristan disse que haveria tempo suficiente depois. É claro

---

[1] Sentir-sentiu-sentido. *(N. da T.)*

que ele também havia me dito que morava perto de São Francisco. Presumi que encontraria um emprego na minha área — finalmente. Em vez disso, eu estava cercada de campos no meio do nada.

— Não existem empresas de engenharia aqui.

— Você pode preencher uma ficha no café ou no supermercado. As coisas são caras aqui. A maioria das esposas trabalha.

— Eu adoraria trabalhar. Por que não nos mudamos para uma cidade maior para que eu possa arrumar um emprego como engenheira?

Ele não respondeu, só foi para a cozinha e pegou uma cerveja. Esvaziou a lata em um grande gole e então disse:

— Você sabia que eu morava aqui quando se casou comigo. Nós não vamos nos mudar. Esta é a minha casa. Meu dinheiro. Minhas regras.

Eu sabia o que Valentina diria sobre ele e suas regras. Dê um centímetro a um homem e ele vai achar que manda. Deixe-o pensar que é o cabeça da casa, você e eu sabemos quem é o cérebro.

A vida nos Estados Unidos era muito... calma. Sempre havia água e eletricidade. O computador sempre funcionava. As fachadas e as janelas dos prédios eram imaculadas. Quando as folhas cor de laranja e vermelhas começaram a cair no chão, um homem com uma roupa de cosmonauta as soprava em pilhas com um grande aparato, e um caminhão as recolhia. Eu sentia falta de falar com a Boba todos os dias; sentia falta do velho Volodya mancando no andar de cima, com seus passos pesados me lembrando que eu não estava sozinha; eu sentia falta do cheiro dos biscoitos de Maria Denilovna entrando pelas janelas; sentia falta do som dos carros correndo pelas ruas de paralelepípedos. Às vezes isso aqui parecia morto, como se eu estivesse morando em um cemitério.

Ele insistia para que fizéssemos sexo todas as noites, para que eu engravidasse mais rápido. Eu também queria um bebê. Ainda assim, algumas noites, quando ele bufava em cima de mim, eu queria que seu esperma simplesmente acabasse.

Em Odessa, as mulheres são excelentes cozinheiras e anfitriãs. As esposas se preocupam exageradamente com seus homens, e servem aos seus maridos as melhores fatias de carne antes de se sentarem e se servirem. Tristan certamente adorava quando eu o servia. Eu esperava sentir mais satisfação. Adaptar-me não era fácil. *Estou pior aqui do que estava em Odessa.* Esse pensamento me invadia com frequência. Eu o afastava. Eu tinha sorte! Eu tinha sorte. Eu tinha. Estava tentando tirar o melhor proveito da situação e fazer o melhor que podia, mas nada do que eu fazia estava certo. Como em uma noite. Descasquei algumas batatas, o que levou uma hora, porque eu nunca fizera isso antes de ir para os Estados Unidos — Boba sempre preparava nossas refeições. Então as coloquei na frigideira com um pouco de óleo. Batatas eram a comida que me reconfortava. Eu adorava ouvi-las chiando, adorava o cheiro salgado. Elas me lembravam de Boba, de casa.

— Olhe só para isso! Você colocou um litro de óleo aí. O que foi, está tentando nos matar?

— Como as batatas vão nos matar?

— Na certidão de óbito eles vão escrever "causa da morte: artérias entupidas".

Eu cozinhava da mesma maneira que minha Boba. Suas batatas eram sempre macias e crocantes. As odessanas são as melhores cozinheiras do mundo. Todo mundo sabe disso. Pergunte a qualquer um em Moscou ou Tbilisi. Eles lhe dirão.

Tristan tirou a frigideira da boca do fogão e jogou as batatas em um coador. Ele as lavou e as colocou de volta na frigideira.

— Elas vão queimar — eu o avisei enquanto as batatas começavam a cozinhar. Sorri afetadamente. Eu não sabia muito, mas sabia isso.

— Você realmente tem muito o que aprender — ele disse. — Esta é uma frigideira antiaderente. E eu tenho uma arma secreta. Você vai adorar isso.

Ele tirou uma lata de aerosol do armário e começou a borrifar nas batatas.

— O que você está fazendo? — eu gritei. — Por que está borrifando produtos químicos na nossa comida?

— Isto é tempero pronto. Zero de gordura — ele falou lentamente, como se estivesse falando com uma idiota.

Eu comi as batatas porque desperdiçar comida é um pecado. Mas o gosto não era bom.

Naquele fim de semana, quando liguei para Boba e lhe contei sobre nossa discussão, esperava um pouco de solidariedade, mas ela disse:

— *Nu*, criança, os homens sempre acham que sabem mais. Deixe-o continuar a pensar assim, que mal vai fazer? Todas as pessoas discordam, isso não quer dizer nada. Ele a ama. Está tentando ajudá-la a se adaptar ao modo de vida dele. Quantas vezes ouvimos falar que os norte-americanos cozinham com produtos químicos? Agora você sabe que é verdade.

— Mas você não entende, Boba...

— E agora você está discutindo comigo? Que tipo de garota eu criei? O casamento é como o mar, raramente calmo, raramente tempestuoso, mas quase sempre no meio-termo. Viver junto requer paciência, comprometimento e sabedoria.

Tristan trouxe para casa um livro de receitas que pegara emprestado com Molly. *Pouca gordura e muito sabor*. Ele sugeria cozinhar os vegetais só em água. Experimentei isso e as batatas ficaram insossas, mas Tristan gostou. Ou achei que tinha gostado, até um mês depois, quando ele perguntou:

— Por que tanta batata? Nunca ouviu falar em arroz e espaguete?

Eu tinha orgulho da forma como limpava a casa dele. Em Odessa, eu nunca havia nem passado um pano na mesa depois de uma refeição — Boba sempre insistia que queria fazê-lo. Em Odessa, os produtos vinham em pacotes marrons sem graça e eram chamados por nomes como "detergente industrial". Não muito sedutor. Mas Comet? Ou Fantastik? Talvez eu usasse mais do que o necessário, mas eles tinham um cheiro tão bom e eu queria ter superfícies limpas e brilhantes. Eu não sabia o que mais fazer da vida. Emerson não tinha uma biblioteca de verdade ou uma livraria. Eu só levara metade de um dia para explorar a cidade. Lera meus romances várias vezes e explorara praticamente cada centímetro do ciberespaço. Eu não sabia o que fazer, mas queria ser útil, então esfregava. E talvez fosse uma forma de penitência. Reparação por meus pensamentos desobedientes.

Quando chegava em casa do trabalho, Tristan abria as janelas e falava:

— O que é isso? Está tentando me asfixiar?

Mas aí ele me abraçava e dizia:

— Tudo bem, você não sabe nada.

Eu franzia o rosto e reprimia observações mordazes, como as palavras de Jane sobre ofender os outros e esperar que eles mudem em minha mente. Eu não devia esperar que Tristan mudasse. Era eu que deveria me adaptar...

Ele trabalhava meio expediente. Por isso, quando eu tentava ler um livro e ouvir música na sala de estar, ele também estava lá. Só que ele ligava a televisão para ver o jogo e o comentarista afogava meu lindo Bach. De repente, o espaço aberto que eu tanto adorava parecia muito limitante.

Desliguei o aparelho de som e fui ler no escritório. Ele me seguiu e ficou jogando no computador. Os berros das metralhadoras tornavam impossível a concentração, mas eu sabia que, se voltasse para a sala ou fosse para o quarto, ele simplesmente viria atrás. Não havia lugar para se esconder. Nenhum cantinho.

— Pode abaixar o som? — eu perguntei.

Ele olhou para mim, seu olhar azedo pairando sobre minha blusa e minha calça preta.

— Querida, você precisa andar arrumada o tempo inteiro? Vamos fazer compras e sair para jantar.

Seria agradável sair do vilarejo. Uma mudança.

Ele me levou para uma loja chamada Wal-mart e escolheu algumas roupas para mim. Quando saí do provador usando jeans baggy e uma camiseta berrante, ele assentiu, aprovando.

— Agora você vai se encaixar.

Os odessanos prefeririam se destacar a se encaixar.

Olhei em volta para os outros clientes. Ele tinha razão. Eu estava igual a eles.

— Obrigada, pigmaleão[1] — falei, só um pouco sarcasticamente.

— Você acabou de me chamar de porco macho?

---

[1] Em inglês, *pig*: porco; *male*: macho. *(N. da T.)*

— Não, não. Foi uma referência a uma peça de George Bernard Shaw. Ele era muito apreciado na antiga União Soviética. Todas as crianças leem seus livros na escola.

Olhei para mim mesma no espelho de corpo inteiro. Eu não estava feia. Mas não estava linda. E as garotas de Odessa gostam de estar fabulosas. Além disso, eu odiava desperdiçar dinheiro com algo que não ia usar. O que fazer?

Um homem pode ser o cabeça da casa, Valentina diria, mas a mulher é o pescoço. Ela pode desviar a atenção do homem quando quiser. Ligue o charme odessano. Bata os cílios — foi para isso que inventaram o rímel, pelo amor de Deus. Sorria. Fale baixinho. É mais eficiente do que uma pedra entre os olhos. Ele não vai saber o que o atingiu.

— Tristan — eu peguei sua mãos e as coloquei entre as minhas —, as roupas que você escolheu são uma graça, mas eu estava pensando em algo... — fale a linguagem dele — Mais sexy? Talvez uma blusa? Ou um sueterzinho?

— Claro... é, o que você quiser.

Ele realmente parecia surpreso, como se alguém o tivesse atingido. Vasculhamos as araras e encontrei algo adequado, mas senti culpa, como se tivesse usado uma arma contra um homem indefeso.

Eu tinha sorte por estar nos Estados Unidos. Sorte por morar em uma casa tão grande. Como podia protestar quando Tristan me repreendia? Como podia reclamar quando ele me dizia como queria que sua comida fosse feita e sua casa arrumada? Quanto mais se é censurado, mais profundamente se é amado. Ele não procurava defeitos, só queria que eu me adaptasse ao modo de vida nos Estados Unidos. Que me encaixasse. E eu tentei, mas era difícil. Principalmente quando eu não podia me defender.

Como na vez em que Tristan saiu do banheiro com meu tubo de pasta para dentadura.

— Querida! — Ele riu. — Você tem que aprender a ler. Isso não é pasta de dentes, é para idosos que não têm dentes. Eu sou velho, mas não tão velho, ha, ha!

O que eu podia dizer? Sem graça, coloquei a mão sobre a boca como costumava fazer.

Ele me abraçou e disse:

— Você é tão fofa.

É claro que isso na verdade queria dizer "Você é uma idiota".

A vida nos Estados Unidos era silenciosa. Nenhum sinal de vida entrando pelas janelas de Tristan, que ficavam fechadas o tempo inteiro — se estava quente, ele ligava o ar-condicionado. Ninguém resmungava, ninguém reclamava. Todo mundo sorria. As pessoas no vilarejo dirigiam Fords e Chevrolets grandes. Nenhum Mercedes com janelas escuras em lugar algum. Era um alívio, isso sim. Sério.

A euforia da minha chegada havia passado. Os dias nos quais eu me maravilhara com uma estrada lisa, o controle remoto da garagem e o micro-ondas haviam passado. Eu me sentia como se tivesse submergido, como se fosse coberta aos pouquinhos por gaze branca ou presa como uma aranha em sua própria teia. Não sabia nada sobre choque cultural ou saudades de casa. Quem podia me falar a respeito disso na antiga União Soviética? A maioria das pessoas vivia e morria no mesmo lugar. Aqueles que iam embora, iam para sempre.

Em uma manhã fria de domingo, Tristan sugeriu fazermos uma trilha. Ele agarrou os rolos de papel higiênico no banco do carona e os jogou para trás. Segui sua trajetória e vi um esfregão e um balde de metal. O carro estava com cheiro de água sanitária.

Eu me sentei e fechei a porta. Que tipo de professor carregava papel higiênico? Não julgue, lembrei a mim mesma. Abri minha janela e respirei fundo. O cheiro de pinho, musgo e sol era calmante. Ele assoviava enquanto dirigia. Pensei em como Jane dissera que todo mundo nos Estados Unidos tinha carro, que carros significavam liberdade. De repente, eu queria essa liberdade.

— Você pode me ensinar? — perguntei, fazendo um gesto para o volante.

Ele sorriu. Um sorriso tranquilo, relaxado. Ele ficava mais feliz na natureza, assim como eu ficava mais feliz perdida em uma cidade.

— Com certeza. Só junte os lábios, assim.

— Como disse?

— Se quiser assoviar, tem que fazer assim com os lábios. — Ele parecia que ia me beijar, os lábios tensos e franzidos.

Percebi que ele havia entendido errado, apesar de que certamente diria que eu não fora clara. Eu queria que ele me ensinasse a dirigir, ele queria me ensinar a assoviar. Eu suspirei.

Ele franziu a testa.

— Não podemos só sair e ter um dia agradável? Em um minuto você está sorrindo, no outro está emburrada. Deus, odeio quando você suspira assim. Parece o meu bote quando deixo o ar sair.

Eu certamente me sentia murcha. Desentendimentos e mais desentendimentos. Era culpa minha? O meu inglês era falho? Esse pensamento me deixou reticente para dizer qualquer outra coisa. Eu me virei para olhar pela janela.

— Não faça bico — ele falou.

Olhei para ele. Espontaneamente, um verso da poesia de Sergey Yesenin veio à minha mente. МНе осмаИось оДНа Забана: ПаДьЦыВ pot — И ВесёДыЙ сbИст. Só sobrou uma alegria; colocar os dedos na boca e assoviar uma bela melodia. Yesenin era um grande poeta russo, apesar de os ocidentais o conhecerem em um contexto diferente, como marido da pioneira da dança Isadora Duncan. Eles se divorciaram, é claro, e mais tarde dizem que ele cortou os pulsos e escreveu seu último poema com o próprio sangue. МНе осмаИось оДНа Забана...

A tristeza e as dificuldades de Yesenin eram muito maiores que as minhas. Ali estava eu naquele país magnífico e só conseguia sentir pena de mim mesma. Eu tinha sorte! Sorte. Coloquei os dedos na boca e tentei assoviar. Só saiu ar. Tentei de novo.

— Não use os dedos. Só faça biquinho e sopre.

Nada.

— Tente tocar os dentes com a língua e sopre.

Um som baixo saiu.

— Pronto! Continue treinando.

Ele estacionou e saímos para a floresta.

— Temos que comprar sapatos decentes para você — ele disse, olhando para as minhas sapatilhas rasteiras.

Nós andamos e andamos. Assoviamos e assoviamos. Pássaros cantavam e animais pequenos, talvez esquilos ou lagartos, farfalhavam nas plantas perto da trilha.

— Que flor é essa? — eu perguntei, apontando para as delicadas pétalas rosas.

— Esta é Liza Jane.

Eu sorri.

— Sério, qual é o nome?

— Eu não sei — ele admitiu.

Alguns minutos depois, demos de cara com outra planta que eu nunca vira.

— Como é o nome dessa?

— Não sei.

— Só me diga o nome em latim então.

— Eu não sei.

— Mas você é professor. E chefe dos escoteiros.

Ele olhou para o chão.

— Em Odessa, todas as crianças aprendem a flora e a fauna da Ucrânia. Faz parte de ser um cidadão culto. Como pode não saber?

Ele não me encarou.

— Eu simplesmente não sei.

— Por que carrega papel higiênico em sua caminhonete?

— Eu sou escoteiro. Sempre alerta — ele tentou brincar. Sua expressão era nervosa, tensa.

Algo estava errado.

— Vamos continuar — ele começou a andar.

Eu agarrei o braço dele.

— Não. Não até você me contar a verdade.

Ficamos parados ali por um longo momento — ele parecendo que queria fugir, eu procurando uma resposta. Os odessanos podem intimidar qualquer um com o olhar. A técnica é essa: nós empertigamos o queixo como uma arma, levantamos uma sobrancelha e encaramos até a pessoa capitular. Sucesso garantido.

— Sou supervisor de manutenção — ele finalmente falou.

— O que isso significa? Você é professor ou não?

— Eu limpo e cuido da escola.

Engasguei. Nós estávamos a horas de São Francisco, eu morava em um vilarejo e me casara com um faxineiro. O que mais ele estava escondendo? O que eu havia feito? Como podia ter vindo para um país estrangeiro para me casar com um completo estranho?

Ele tentou pegar a minha mão, mas eu a puxei para longe.

— Sinto muito — ele disse. — Achei que você não ia me querer se soubesse a verdade.

— Ninguém gosta de ouvir mentiras — falei, me odiando por ter sido enganada.

— Eu não menti, exatamente. Trabalho na escola. E sou chefe de uma tropa de escoteiros.

— Por que você não leciona?

— Nunca terminei a faculdade.

— Bem, quanto tempo levaria para você tirar seu diploma? — Talvez só faltasse um semestre de faculdade e ele pudesse terminar e aí procurar um emprego como professor.

— Três anos e meio — ele admitiu.

— Você só fez um semestre de faculdade? — gritei.

Ele assentiu.

— Sem um diploma, eu não conseguiria arrumar emprego como professor, então peguei o único que podia. Eu trabalho na escola. Ajudo as crianças. Eu me *sinto* um professor.

Eu me sentia uma idiota. Lembrei-me de como ele disse que dava aulas no verão. Como não queria que eu fosse à escola. Eu deveria ter desconfiado, bem naquele momento. Ele mentira para mim esse tempo todo. Ele ficou de pé ali, com uma cara patética. Seus olhos estavam baixos, sua mão tremia. Eu não gritei, berrei ou chorei. Não falei nada. Culpei a mim mesma. O comprador tem que ter cautela. Case-se às pressas, arrependa-se para sempre. Marchei de volta para a caminhonete. Ele me seguiu em silêncio.

Capítulo 17

Boba, minha cara e querida avó,
Saudações de São Francisco!

Você estava certa em me encorajar a vir para os Estados Unidos. Tristan cuida muito bem de mim. Na semana passada, comprou duas roupas novas para mim. Ele é um bom provedor. A vida é tão melhor aqui. Tudo é da melhor qualidade. As pessoas são cultas. Os rouxinóis são gordinhos. Só uma tola não seria feliz neste paraíso.

Tristan deve ser um professor carinhoso porque, quando passeamos no fim da tarde, as crianças correm até ele para conversar. Quando eu quis ver meus professores fora da sala de aula? Ele será um pai maravilhoso. E eu mal posso esperar para ser mãe.

Consegui um emprego em uma empresa de engenharia. É tão bom poder usar meu conhecimento. E o salário! É ainda melhor do que na transportadora...

Eu seria muito mais feliz se você estivesse aqui, Boba. Às vezes, fico muito triste porque sinto muitas saudades suas. Eu me sinto perdida sem você. É bobagem, mas às vezes até decidir o que fazer para o jantar pode ser avassalador. Por favor, pense em vir! Eu ficaria muito feliz.

Eu te amo e sinto saudades,
Dasha

Nosso casamento não era o destino — era um grande erro. O pior é que eu não podia falar com ninguém. Não podia contar a verdade para Boba. Ela ficaria arrasada. Começaria com seu discurso sobre nós sermos amaldiçoadas e eu começaria a acreditar que ela estava certa. Quanto às minhas amigas em Odessa, elas se sentiriam ofendidas por eu não lhes ter confidenciado que viria para a Califórnia e ficariam com inveja. Se eu ousasse reclamar, eu imaginava que elas soltariam um "Pobre princesa nos Estados Unidos". Não podia culpá-las, até eu teria reagido dessa maneira. De longe, a vida nos Estados Unidos parece perfeita. Molly e eu conversávamos frequentemente, mas ela era amiga de Tristan e eu temia que tomasse o partido dele. Eu queria contar a Jane, mas estava envergonhada demais — afinal, ela tentara me advertir. Eu não queria que ninguém soubesse que eu fora enganada.

Jane e eu nos conhecemos no primeiro dia dela em Odessa e soubemos que estávamos destinadas a sermos melhores amigas. Os missionários norte-americanos que eu conhecera antes dela reclamavam sobre como a vida era dura em Odessa e jurei ajudar Jane. Eu telefonava todas as noites e frequentemente a convidava para vir à minha casa. Quando eu perguntava como iam as coisas, ela só dizia que era difícil aprender russo. Agora, eu via que ela tinha muito do que reclamar: apagões, pobreza, falta de aquecimento no inverno, nada de máquina de lavar ou de secar, um telefone que era uma antiguidade comparado ao dos Estados Unidos.

Ela me ligava agora como um dia eu havia ligado para ela. Ela falava o meu idioma, me pressionava.

— Fale comigo. Conte-me em russo. Sei que não pode ser fácil para você ficar com ele.

Mas eu permanecia em silêncio. Mesmo em russo, eu não conseguia encontrar as palavras.

Fiquei ofendida por ele ter começado nosso casamento com uma mentira. Mais do que isso, perdi o respeito por ele. Não porque ele mentiu — todo mundo mente. Mas porque não fora inteligente o bastante ou não se importara o suficiente para esconder sua falta de conhecimento. Depois de nosso primeiro passeio na natureza, qualquer odessano teria sido esperto o bastante para comprar um livro sobre flora e fauna. Qualquer odessano teria refeito seus passos. É o que nós fazemos. Se algo sumia, nós o substituíamos antes que qualquer um percebesse. Se uma receita pedia um ingrediente que não tínhamos, nós improvisávamos. Se não sabíamos a resposta, nós a aprendíamos — e rápido. Pensamos dessa forma porque vivemos na beira do precipício. Ucrânia, *Ukraina*, significa limite. O limite da Rússia. No limite da pobreza. À beira de viver e amar em espaços apertados. Nós precisávamos de qualquer ângulo, qualquer vantagem que pudéssemos conseguir. E Tristan, infelizmente, não teve esse ímpeto. Ele estava feliz em ser um zelador em meio expediente e um caipira em tempo integral num vilarejo que nem existia no mapa, dirigindo uma caminhonete que era mais velha do que eu. Por isso fora a Odessa para encontrar uma esposa? Era esse o motivo de nenhuma *americanka* o querer? Eu estava errada por me sentir assim?

Boba escrevia suas cartas para mim no único papel que tínhamos em Odessa — papel áspero acinzentado que as pessoas aqui só achariam adequado para fazer o dever de casa de geometria, pois, em vez de linhas, o papel tinha quadradinhos. Boba não aceitava desperdícios e enchia a página frente e verso, sem margens. Ela não assinava seu nome — resquícios da paranoia da antiga União Soviética.

Dashinka, minha querida garota favorita,
Olá da ensolarada Odessa!

Flor, o papel no qual você escreveu era tão bonito. Se tudo aí for de tamanha qualidade, certamente eu tinha razão ao pressioná-la para deixar Odessa.

Obrigada pelo dinheiro que mandou. Não precisava fazer isso — e não deve fazer de novo. Sabe perfeitamente bem que nove entre dez vezes o carteiro abre as cartas. E, de qualquer maneira, vivo muito bem com o dinheiro que você me deixou.

Ontem, eu cheguei em casa do mercado e encontrei seu chefe de pé na entrada do pátio. Ele parecia agitado. O que ele estava fazendo aqui eu nunca vou descobrir, porque eu o ataquei. Mandei-o parar de me mandar as comidas sofisticadas, de jogar o dinheiro dele fora. Ele só riu. Eu estava com o dinheiro que você me mandou na bolsa e tentei fazer com que ele o aceitasse, mas ele só corou e se afastou. Já que ele estava ali, fui em frente e lhe dei algo de comer. Ele está magro como um palito e comeu minha salada de batatas como um lobo. O russo dele não é tão ruim quanto você disse que era.

Eu não sabia que ele ainda mandava comida para Boba. Ela estava certa em dizer a ele para parar. Eu deveria dizer isso a ele. E o que ele estava fazendo lá, de qualquer modo? Magro como um palito. Por que não estava cuidando de si mesmo? É claro que, se dependesse de Olga para comer, não era de surpreender que estivesse macilento.

Era estranho pensar nele. Eu certamente nunca o vira corar. Eu imaginara que tudo permaneceria absolutamente igual em Odessa, como uma cena em um globo de neve. Mas a vida continuava, quer eu estivesse lá para assistir ou não.

Enquanto fazia as compras da semana, vi uma loura alta estocando as prateleiras. Algo me disse que ela era como eu, uma estrangeira. Talvez fossem suas bochechas rosadas ou seus sapatos pesados ou o suéter feito à mão.

Ela olhou para mim e disse:

— Você deve ser a Daria.

— Como sabe?

— Cidade pequena. Tenho pensado em passar na sua casa para dar um oi. Então você é russa.

— Ucraniana. *Odessitka.*

— *Odessitkaaa* — ela repetiu, a palavra soando como um suspiro de êxtase em seus lábios. — Tem muita sorte — ela falou. — As praias, os cafés, os monumentos. Eu estive lá uma vez e adorei.

É claro que gostei dela imediatamente por adorar Odessa. Ela se apresentou. Nome: Anna. Situação: casada com um médico norte-americano.

Profissão: professora de polonês. Ela também tivera dificuldades de achar um emprego em Emerson. Algumas pessoas aqui queriam aprender espanhol, mas a maioria não parecia querer aprender nenhum idioma estrangeiro.

— Não posso reclamar — ela disse. — Este emprego permite que eu mande dinheiro para os meus pais em Cracóvia. — Ela nunca parou de sorrir, parecia não acreditar na própria sorte. Talvez eu também parecesse assim logo que cheguei aos Estados Unidos.

— Venha à minha casa para um chá.

Eu fui no dia seguinte. Anna beijou a minha bochecha e me puxou para dentro. Eu tirei meus sapatos e ela trouxe um par de chinelos para mim.

— Venha conhecer meu marido, Steve. Steeeeeve! — ela gritou pelo corredor. Um homem esguio com olhos alegres foi em nossa direção.

Ele apertou a minha mão e disse:

— É um prazer conhecê-la. Eu estava de saída. — Para Anna, ele disse: — Prometi ao padre William que lhe daria uma mão.

Anna riu.

— Dê a ele todas as mãos de que ele precisar.

Ele riu e a beijou. Eu não sabia por que eles riam, mas ri também.

— Aproveite sua visita — ele falou. Que homem educado.

Anna pegou a minha mão e me guiou para a cozinha, onde a mesa fora posta com uma toalha branca (eu a toquei, tão boa qualidade!) com flores vermelhas bordadas em cada canto.

— Minha mãe a fez. Foi seu presente de casamento para nós.

— Há quanto tempo você está nos Estados Unidos?

— Três anos no total. Dois casada com o Steve. Há dois meses em Emerson. Antes de nos casarmos, eu era babá em Sacramento. Passa rápido, não é?

Para mim, os dias pareciam se arrastar, mas eu não disse isso a ela. Só assenti.

Ela colocou as folhas de chá na chaleira.

— É porcelana inglesa de verdade. As xícaras também. Os pais dele foram muito generosos quando nos casamos. Eles achavam que Steve nunca ia sossegar.

— Por que não?

— Era um playboy quando nos conhecemos. Ele e o meu patrão eram colegas de trabalho e ele foi à casa deles. Eles davam festas na piscina o tempo todo. Steve me convidava para sair, mas eu sempre dizia não. Eu não queria perder meu tempo com alguém que não era sério.

— Então como vocês se casaram?

— Meu visto estava prestes a expirar e eu estava ansiosa para ver minha família de novo. Já fazia um ano, e falar pelo telefone simplesmente não é a mesma coisa.

— Sei exatamente o que quer dizer — eu falei.

— Aí ele me pediu em casamento. Eu ri, achando que ele não estava falando sério, que ele não era capaz. Mas ele me convenceu e agora aqui estamos nós, loucamente apaixonados.

— Uma ótima história. — Eu estava feliz por ela, mas seu conto de fadas me deixava com inveja. Era exatamente o que eu queria para mim. Fiquei olhando para a xícara, tentando esconder meus sentimentos venenosos. — Um belo trabalho.

— Eu nunca as uso — ela disse. — As pessoas aqui preferem canecas vagabundas. Elas preferem "Made in China". Eu prefiro porcelana.[1]

— Eles só têm medo de quebrar suas coisas bonitas

Ela havia feito brownies e biscoitos de açúcar poloneses. Peguei um de cada e falei:

— Obrigada por ter tido todo esse trabalho.

— Trabalho nenhum. — Ela sorriu. — Foi um prazer.

— Como vão as coisas... de verdade? — perguntei. Com certeza os sorrisos dela escondiam alguma coisa. Um problema com os sogros, insatisfação no trabalho, tensão com o marido...

— Eu amo o Steve, amo isto aqui. Estou muito feliz por termos nos mudado para o interior. A vida é ótima! Como vão as coisas para você?

Como ela mentiu, eu também menti:

— Ótimas. Simplesmente ótimas.

* * *

[1] Em inglês, *china*. *(N. da T.)*

Tristan me observou cautelosamente durante semanas. Eu tentava sorrir, mas não conseguia. Tentava rir, mas o riso saía como um suspiro. À noite, na cama, eu passava os braços em volta de um travesseiro, dava as costas para ele e me enroscava na posição fetal. Ele era paciente. Lavava a louça todas as noites (bem, ele a colocava na lava-louças). Passava o aspirador. Pedia pizza de muçarela. Perguntava se eu queria que ele acendesse a lareira. Eu dava de ombros. Ele perguntava se eu queria treinar assovios. Eu dizia que não estava com vontade de assoviar.

Toda semana eu ligava para Boba e falava por cinco minutos. Não queria que ela soubesse o quanto eu estava triste. Não queria que ela se preocupasse. E, de qualquer modo, eu não podia explicar o que estava sentindo.

Quando ele chegou em casa, ergui os olhos do livro que não estava lendo. Ele sorria abertamente e me pediu para ir até o degrau da frente. Eu o segui e vi um carrinho branco na entrada da garagem.

— É para você — ele explicou. — É câmbio automático, vai ser mais fácil para você aprender a dirigir.

— Uau! — eu exclamei, usando uma palavra que aprendera com ele. Eu o abracei. O primeiro abraço espontâneo em muito tempo. Normalmente, era ele quem me agarrava.

— O carro tem 10 anos — ele falou em tom de desculpa —, mas Toyotas nunca morrem. Quer dar uma volta?

Ele me mostrou como girar a chave, pisar no freio e usar a marcha a ré, ir para a frente, fazer a volta. Nós dirigimos por uma hora. Eu sabia que não era um presente, era boa vontade. Um suborno. Ainda assim, eu não me sentia tão bem, tão livre havia meses.

Jane ainda telefonava. Ela perguntava como eu estava, se fizera algum amigo novo. Eu dizia que sim, mas a verdade é que estava em Emerson fazia meses e passara a maior parte do meu tempo sozinha ou com Tristan. Quando cheguei, ele praticamente se gabava quando andávamos pela rua principal, onde ele me apresentou ao Phil, o dono do bar e organizador do time de beisebol do vilarejo; Joseph, do corpo de bombeiros;

Louise, uma secretária aposentada. Ele se vangloriava de que eu era "de parar o trânsito". Os moradores trouxeram comida para me dar boas-vindas, para congratular Tristan. Mas depois disso nós nunca mais os vimos. Esperei que as pessoas viessem, até perceber que era eu quem deveria procurá-las.

Convidei Molly e Serenity para tomar um café no domingo. Tristan devia assistir ao jogo na casa de Toby. Este era o plano.

— Vocês não sabem o quanto anseio por conversar com adultos — Molly falou. — Não que não seja ótimo criar uma família. — Ela sorriu e apontou para seu cabelo encrespados e seu rosto pálido. — Não tenho tempo de passar maquiagem há uns dez anos.

Nós rimos, mas uma parte dela estava falando sério. Era verdade que, apesar das máquinas modernas para tornar a vida mais fácil, ela não parava de correr, levando os filhos do futebol americano para o futebol, e de lá para o ensaio da peça. Seu filho Farley só ficava na escola metade do dia, os gêmeos pequenos sempre andavam em direções diferentes. Sem falar na casa e no jardim, dos quais ela tinha que cuidar. Sempre que eu ligava, ouvia o barulho de talheres batendo. Eu imaginava o telefone encaixado entre sua orelha e o ombro enquanto ela usava ambas as mãos para esvaziar a lava-louças e então enchê-la de novo com os pratos da última refeição. Eu esperava oferecer a Molly um momento de trégua.

Nós nos sentamos à mesa da sala de jantar, que eu arrumara com os guardanapos de linho que trouxera de casa. Eles eram bordados com linha amarela e azul, as cores da Ucrânia. O amarelo representava nossos campos de trigo. Nós éramos, afinal, o celeiro da antiga União Soviética. O azul representava o céu acima de nós. Servi o bolo de Boba, branco e cremoso, enquanto Molly servia o café, preto e aromático. Ouvi minhas novas amigas desvendarem os pequenos mistérios de quem havia comprado a casa dos Johnsons, quem tinha uma geladeira nova e quem planejava se mudar para Las Vegas, reconhecendo, se não as frases exatas, a cadência das palavras. Eu me alegrei por ter encontrado o universo reconfortante das mulheres. Comecei a relaxar. Essas mulheres não queriam nada de mim. Seus olhos eram receptivos, compreensivos. Seus corpos eram rechonchudos, macios e adoráveis. Não havia ângulos agudos ou críticas afiadas. Eu queria enroscar meus braços em torno dos delas e deitar minha cabeça em seus ombros, como teria feito com Boba. Queria perguntar a elas sobre o meu relacionamento com Tristan (era normal ele telefonar três vezes por dia? Que precisasse estar comigo o tempo todo quando não estava trabalhando?), mas Molly era amiga dele, então, em vez disso, eu mostrei fotos da minha Boba, do mar Negro, do teatro de Odessa e da *philharmonia* (nossa orquestra mundialmente famosa tinha um regente norte-americano, Hobart Earle). Eu lhes contei que tínhamos as praias mais lindas do mundo. Areia dourada acariciada por água quente. O mar muda de cor como um caleidoscópio muda seus desenhos — azul, verde, prata — dependendo do sol.

— Por que você foi embora de um lugar tão lindo? — Serenity perguntou, olhando para as ondas.

Eu não sabia o que dizer. De repente, minha mente se encheu de perguntas sem respostas. Será que eu devia explicar sobre a economia fraca? Devia lhes dizer o quanto fora difícil encontrar um trabalho bem remunerado? Que o nosso Hobart, o grande regente, só recebia 50 dólares por mês? Será que elas — mulheres da terra da fartura — entenderiam? Seria o destino? Ou livre-arbítrio? Eu fora empurrada para as circunstâncias? Eu fora puxada por elas? Eu estava fugindo do meu destino ou correndo em direção a ele?

— Ela se apaixonou — Molly respondeu por mim. Ela sabiamente não disse se eu me apaixonara por Tristan ou pelos Estados Unidos. — Você tem muita sorte — ela continuou. — No começo, tudo são flores e beijos. Parece que a cada ano fica mais difícil. E Toby não facilita. No outro dia, Farley se recusou a escovar os dentes. Quando pedi ao Toby para ajudar, ele disse ao Farley que, se escovasse cinco dias seguidos, ele lhe compraria um hamster. Agora eu tenho que limpar a gaiola do bicho. Em breve vamos subornar o garoto para fazer o dever de casa.

Serenity foi a próxima a se abrir. Ela falou sobre seus sentimentos de dúvida. Ela tinha vontade de ir morar com o namorado, mas não queria deixar seu chalé. Algo a estava segurando. Eu também tivera essa sensação. O que era? Nervosismo? Ou autopreservação?

Eu nunca descobri. A porta da frente bateu. *Cling-clang-clung.*[1] Tristan voltara depois de apenas trinta minutos. Eu queria urrar. Injustiça! Injustiça! Nem mesmo uma hora para mim. Eu esperava que ele tivesse vindo para pegar alguma coisa e fosse voltar ou pelo menos que fosse para o escritório e ficasse lá. Mas não. Ele ficou de pé à cabeceira da mesa e disse "Aah, bolo!" em um tom de voz maníaco (ele comera uma fatia antes de sair) e sentou-se como se não tivesse percebido o silêncio constrangedor.

— Não estava gostando do jogo? — Molly perguntou. — Você normalmente fica a tarde toda.

— Não sou mais um solteirão. Só queria ver o que vocês meninas estavam aprontando.

— Papo de garota — Molly falou. — Só papo de garota.

Ela parecia decepcionada.

Eu peguei um prato e o servi. Virei-me para Serenity, esperando que ela nos contasse mais, mas o momento havia passado.

— Vocês não acreditam na semana que eu tive — Tristan disse. — Os garotos decidiram que a nova coisa divertida a fazer é sacudir latas de Coca e abri-las nos corredores da escola. Refrigerante por todos os cantos: no teto, nas paredes, pelo chão todo. Não sou rápido o bastante para pegá-los em flagrante e limpei dez vezes em quatro dias. Rapaz! — ele continuou sem parar. Mais alto e mais rápido.

Nós três só ficamos olhando para ele, estupefatas. Talvez ele não percebesse o quanto havíamos esperado ansiosamente para conversar. Talvez não tivesse se dado conta de que estava monopolizando a conversa. Ele tem boas intenções, eu disse a mim mesma. Molly e Serenity pediram licença para se levantar da mesa.

— Ele só gosta de ficar comigo o tempo inteiro — falei em tom de desculpa para elas e andei na direção do Subaru de Serenity. Elas sorriram alegremente. Alegremente demais. Fiquei preocupada que jamais voltassem.

Molly virou-se para mim e sussurrou:

— Acho que devo lhe contar...

[1] Agarrar-agarrou-agarrado. *(N. da T.)*

— O que foi, Molly? — Tristan perguntou, com um tom na voz que eu nunca ouvira antes. Senti os dedos dele se afundarem no meu ombro conforme ele me puxava para si.

Molly olhou para mim e engoliu em seco.

— Eu só queria agradecer à Daria.

O que ela havia tentado me dizer?

— Foi ótimo conversar com vocês — eu falei. — Por favor, voltem. Por favor.

Elas assentiram e entraram no carro.

— Bem, isso foi bom — Tristan disse. — Ótimas moças. Fico feliz que esteja fazendo amigos.

— Foi bom até você chegar em casa e estragar tudo. Por que não posso ter só uma tarde sozinha com as minhas novas amigas?

— Mas eu, eu...

— Viu como elas foram embora rápido? Você não as deixou dizer uma palavra.

— Mas, querida, eu só quero estar com você.

Molly nos convidou para jantar alguns dias depois. Conheci seus filhos mais velhos, Ashley e Peter, que estavam entrando no ensino médio. Peter falou sobre sua banda — eles não conseguiam decidir se queriam tocar grunge ou country e se deviam se chamar bola da vez ou bola sete. Ashley, que usava aparelho e falava sibilando um pouco, nos disse que todas as outras garotas podiam ver filmes proibidos, usar maquiagem e namorar. Sua mãe replicou com bastante firmeza que Ashley nunca seria uma das "outras garotas". Farley levava sua hamster Clementine com ele para todos os lugares. A gaiola dela estava enfiada debaixo da cadeira dele; ela correu em sua rodinha que rangia durante a refeição inteira.

— A Clem faz umas quatro horas de aeróbica por dia — Molly brincou enquanto alimentava os pequenos nas cadeirinhas.

Era isso que eu queria. Uma vida feliz em família. Pais embevecidos — uma mãe *e* um pai — ouvindo orgulhosamente as histórias de seus filhos, tensão leve diluída em amor. Já era tarde quando percebi que Molly e Toby não haviam interagido em nada.

Após o jantar, passamos para as poltronas na sala de estar. Observar Farley com Clementine era melhor do que assistir à TV. Ele a coagiu para o lado da gaiola com a promessa de uma batatinha frita e se deliciou com a forma como ela mantinha o pedaço na bochecha, que, de tão inchada, parecia que o hamster estava com caxumba. Eu me ofereci para ficar de babá quando ela precisasse — seus filhos eram tão fofos. Tristan e eu seguramos um bebê cada um enquanto eles adormeciam. Esse pacotinho de amor, tão quente e macio, parecia o paraíso nos meus braços. Os olhos de Tristan encontraram os meus e ele sorriu carinhosamente. Eu sorri de volta, tímida. As coisas podiam ser tão simples e trazer tanta felicidade — uma boa refeição com amigos, uma criança que cheirava a leite e mel dormindo em seus braços, um momento de cumplicidade.

Naquela noite, quando Tristan subiu em cima de mim, eu rezei para engravidar daquela vez. Quando ele terminou, saiu de cima de mim e beijou minha bochecha. Dois minutos depois, estava roncando. Eu fiquei olhando para o teto.

Eu estava ilhada no interior.

Nós não morávamos nem perto de São Francisco.

Meu marido não era quem alegava ser.

Ele não me dava nenhuma privacidade, a não ser que eu estivesse no banheiro.

Eu não tinha o emprego maravilhoso que esperara ter.

Depois dessa série de decepções, talvez uma criança significasse ainda mais.

O carro me deu um objetivo: tirar a verdadeira carteira de identidade norte-americana — uma carteira de motorista. Estudei para a prova. Sorri para a foto — um sorriso alegre e luminoso. Eu tinha meu próprio carro, estava no assento do motorista. Quando minha carteira chegou pelo correio, eu me senti norte-americana, livre, orgulhosa e capaz. Quanto tempo levaria para eu conseguir meu Green Card? Nós preenchemos a papelada logo depois da nossa lua de mel. Em breve. Que seja em breve, pensei para mim mesma, apesar de saber que levaria dois anos.

Abaixei o vidro e coloquei a música no máximo, gritando a letra. Jane estava certa: carro é liberdade. Pela primeira vez, eu não sentia saudades do mar, não me incomodava por estar cercada de terra. Pela primeira vez, eu pude me imaginar vivendo ali. Vi a paisagem de uma maneira diferente. Não como um muro, mas como uma janela para esse país maravilhoso. No meu carro, eu não me sentia frustrada. Eu me sentia livre.

O primeiro lugar para o qual dirigi foi a loja da Serenity, em Emerson. Ela me deu os parabéns e me ofereceu sua mais nova criação: uma vela chamada mar Negro, inspirada em mim! Parecia uma escultura das ondas se erguendo. No fundo, ela era cor de ébano, mas ficava progressivamente mais clara, até o topo das ondas ficarem cinza-prateado.

— É bobagem — ela falou. — Quer dizer, eu sei que o mar Negro não é negro.

— Não, não! Não é bobagem, de jeito nenhum. O mar Negro pode ser índigo e pode ser negro. Tudo depende do sol. Quando há uma tempestade se formando, é exatamente assim que o mar fica. Obrigada. Parece que estou segurando um pedaço do meu lar nas mãos.

A vela cheirava a sal, bruma e mistério.

Eu adorei a loja dela, repleta das mais finas velas e sabonetes artesanais. Parecia uma linha de chegada. Uma recompensa cheirosa por ter passado em um teste. As pessoas aqui gostavam de mim. Eu progredia de verdade em vez de apodrecer dentro daquela casa. Conforme os clientes perambulavam, nós conversamos e eu toquei cada uma das velas, maravilhada. Limão luxuriante. Pinheiro. Noite. Mar Negro.

Durante o jantar — era quarta-feira e estávamos comendo pizza de muçarela e tomando Coca Diet — Tristan falou:

— Liguei para você três vezes hoje.

— Fui dar uma volta de carro. Eu queria ver a loja da Serenity.

— Me diga quando for a algum lugar para eu não me preocupar.

Eu assenti.

— Tenho uma surpresa para você — Tristan disse. — Falei com um sujeito no posto de gasolina há algum tempo e ele também se casou com uma russa.

— Qual é a surpresa? — eu perguntei.

— Bem, quando descobrimos que nós dois éramos casados com moças russas, decidimos que devíamos nos ver. Um encontro de casais. Telefonei ontem para marcar.

Eu sorri, feliz com a ideia de encontrar uma *russkaya*. Aparentemente, o casal morava em Modesto, uma cidade perto de Emerson.

Na churrascaria, Jerry, um caminhoneiro parrudo na faixa dos 50 anos, explicou que ele e Oksana haviam se conhecido em uma social. Eu podia ver por que ele a havia escolhido. Os homens nas sociais gostavam mais das louras baixinhas e peitudas. Jerry se vangloriou de ter "garfado" uma mulher muito mais nova — ela só tinha 30 anos.

— É, aquelas sociais eram um açougue, toneladas de carne crua.

Chocada, eu olhei para Oksana. Ela não reagiu às palavras dele.

— É — ele continuou. — Carne de primeira.

Ele jogou os braços em volta dos ombros dela e a puxou para si. Inerte e desossada, ela chegou perto dele, como se ele a tivesse agarrado assim centenas de vezes, como se estivesse acostumada. Ela sorriu, uma torção amarga dos lábios, um olhar feroz em seus olhos escuros. Então, percebi que ela não estava inerte. Oksana se movia como água. Como uma onda suave contra uma pedra. O mar parecia calmo, mas ele pode quebrar pedras em uma tempestade e transformar as maiores rochas em nada, um grão de areia de cada vez.

— O que você achou de Moscou? — perguntei, tentando manter uma conversa educada.

— Frio à beça — ele disse. — Quase congelou as minhas bolas — ele olhou para Oksana. — Sorte sua que não.

Eu estava escandalizada com o comentário dele, mas a expressão de Oksana continuou imparcial. De repente, eu percebi: ela não o entendia. Ela não entendia inglês.

Como o restaurante era de não fumantes, Jerry saiu para fumar e Tristan o acompanhou.

— Como você o conheceu? — perguntei em russo para Oksana.

— Por meio do catálogo da Adoráveis Moças Russas. De brincadeira, minhas colegas do instituto médico pagaram para incluir a minha foto. Eu só descobri quando homens norte-americanos começaram a escrever para mim. Jerry viu a minha foto e escrevia quase todos os dias.

— Isso requer esforço — falei, revisando minha opinião anterior a respeito dele. Talvez eu estivesse errada em julgar com tanta severidade.

— As cartas mais lindas. Acho que a pessoa que ele contratou para traduzi-las para o russo simplesmente as inventou. Agora vejo que Jerry não tinha nada a ver com as cartas.

— *Nyet*... — Que piada cruel.

— Aí ele começou a telefonar.

— Você o entendia?

— Não, mas fingia que sim. Sempre que havia uma pausa, eu falava "sim" ou "Jerry". Ele parecia satisfeito com isso.

— Você fala alguma coisa de inglês?

Ela sacudiu a cabeça.

— Aprendi alemão na escola. Ele não quer que eu trabalhe, então fico em casa e vejo novela. As tramas são tão simples que mesmo sem conhecer todas as palavras, eu entendo. Eu repito as falas para melhorar minha pronúncia. — Ela olhou para mim intensamente, pegou a minha mão e disse num inglês perfeito: — Nikki, você é a única mulher que eu já amei.

Nós rimos. Eu também já vira alguns episódios dessa novela.

O sorriso dela desapareceu.

— Jerry não articula e certamente não é articulado. Agora que eu entendo melhor inglês e compreendo um pouco do que ele diz, me arrependo de saber. Ele é tão... bronco.

Eu assenti solidariamente.

— Deve ter havido outros homens. Por que ele?

— Eu havia pago por um voo de Vladivostok e estava em um hotel em Moscou. Tinha que arrumar um par antes que meu dinheiro acabasse. Jerry parecia tão interessado em mim que era lisonjeiro. Quando cheguei em casa, outros homens escreveram, mas ele telefonava todos os dias.

— Isso é bom.

— *Nyet.* Não bom. Controle — ela falou rapidamente, e arregalou os olhos quando viu os homens voltando. — Controle. Controle.

Nós comemos nossas saladas como se tudo estivesse normal. A garçonete levou os pratos e Jerry saiu para outro cigarro. Tristan foi atrás. Ele raramente me deixava sozinha, mas parecia estar louco pela aprovação de Jerry.

Eu me virei para Oksana; ela continuou como se não tivéssemos sido interrompidas.

— Ele me perguntou a que horas eu saía do trabalho e sempre ligava trinta minutos depois. Achei comovente até o dia em que me atrasei para chegar em casa. Ainda não eram nem 18 horas. Ele ficou irado e me acusou de traição.

— O que você fez? — eu perguntei.

— Eu desliguei. Mas ele escreveu e me convenceu de que seus sentimentos eram fortes porque ele me amava muito. E me explicou por que ficara louco. Agora, percebo que ele não é ciumento; ele é inseguro.

Inseguro. Essa palavra descrevia Tristan.

— Por quê?

— Você nunca vai acreditar — ela disse. — É como um filme de ficção científica. Ou um filme pornô.

— Conte — eu me inclinei para a frente.

— A mulher dele era agente carcerária. E se apaixonou por outro guarda.

— Isso não parece tão ruim. Essas coisas acontecem no trabalho.

— O outro guarda era mulher.

— *Kino!* — falei a palavra que usamos em Odessa para dizer "inacreditável". Vem do alemão e quer dizer filme. Em russo, refere-se a algo que só poderia acontecer em um filme.

— *Da.* Ela voltou para casa um dia, depois de 25 anos de casamento, e disse: "Eu nunca o amei. Nunca gostei de você. E sou lésbica."

— Ela é cor-de-rosa?

— Como uma rosa.

— E como você fica nisso? — perguntei. Mas ela estava com aquele sorriso congelado no rosto. Nossos maridos haviam retornado.

O garçom voltou com os filés deles e a minha berinjela. Jerry falava alto, quer sua boca estivesse cheia ou não. Fiquei de olho em Oksana, que se sentava tão ereta e comia como se estivéssemos no Kremlin em vez de no Chow Wagon. Imaginei o que ela ia fazer. Como uma garota inteligente e bonita como ela podia estar com um cara como aquele? Eu tive pena dela. Quando o olhar dela cruzou com o meu, ela inclinou a cabeça e eu percebi, horrorizada, que ela estava sentada do outro lado da mesa, pensando a mesma coisa sobre mim.

Depois da refeição, Jerry saiu de novo. Tristan o seguiu.

— Os três filhos dele me odeiam. Eu não sou médica aqui. Não sou nada. Eu não esperava isso. E, de tudo — ela fez um gesto para a porta na qual nossos maridos estavam — isso é o que dói mais. Em Vladivostok, eu sempre fui alguém: a primeira da turma, a médica mais jovem no hospital, uma especialista procurada para entrevistas. Mas aqui eu não sou ninguém.

Eu só podia assentir sombriamente. Ela dera voz aos meus sentimentos. Não havia empresas de engenharia em Emerson. Eu ficava em casa o dia inteiro, dependente de Tristan. Pelo menos ele não tinha filhos que me odiavam. Eu tinha sorte.

— Há quanto tempo está casada? — perguntei.

— Quase um ano e meio. Parece mais. Às vezes, penso em deixá-lo. Ele deve saber, porque me diz todos os dias que, se eu me divorciar dele, ele vai fazer com que eu seja deportada.

Ficamos sentadas em um silêncio taciturno, pensando no que havíamos deixado para trás, no que teríamos que abandonar se voltássemos.

— Qual é a sua história? — ela perguntou.

Puxei o anel de diamante para fora e o mostrei a ela.

— Um cara me deu isso pouco antes de eu ir embora de Odessa. Me pediu em casamento.

— *Kino!* O que você disse?

— Eu estava fazendo as malas para vir para os Estados Unidos, mas não contei isso a ele. Ele achou que eu estava indo para Kiev por algumas semanas e que voltaria para me casar com ele.

— Por que não voltou?

— Ele era mafioso. — Enfiei o anel debaixo do suéter.

Ela balançou a cabeça.

Os homens voltaram. Jerry deixou um dólar na mesa e disse:

— Vamos vazar.

Eles andaram na direção da porta, nós seguimos.

— Ele é tão mais velho do que eu — ela sussurrou em russo.

Concordei.

— Mas, sabe, talvez as coisas deem certo. — O tom dela soava muito esperançoso. Eu sabia exatamente como ela se sentia. E havia breves momentos em que isso parecia possível. Então, ela acrescentou: — Talvez ele simplesmente morra.

Capítulo 18

Saudações do grande estado da Califórnia!
Para minha Boba, a avó mais adorável de Odessa!

Você acredita que Tristan e eu acabamos de comemorar nosso aniversário de quatro meses de casamento? O tempo voa mais rápido do que um jato. Ele está sentado à mesa da cozinha agora, corrigindo o último dever de casa de seus alunos. Ele é tão zeloso e preocupado.

A família do Tristan tem sido gentil. Seu irmão e sua cunhada chegaram há dois dias. Ela é muito educada e simpática. Disse que eu era a melhor coisa que já aconteceu com o Tristan. Eles vieram passar o Dia de Ação de Graças conosco. As festas de fim de ano nos Estados Unidos começam no final de novembro. Farei um grande banquete! Como eu queria que você estivesse aqui para me ajudar! É claro que me sentar em volta da mesa com a família do Tristan inevitavelmente me faz lembrar de você e eu fico terrivelmente melancólica. Sei que as festas não serão iguais sem você. No meu coração, há um lugar posto à mesa para você.

Com um beijo,
Sua Dasha

TODA VEZ QUE A MINHA menstruação vinha, eu chorava. Uma mulher que não pode ter filhos bem podia ser homem. Inútil. Tristan sabia sobre "aquela época do mês" e me deixava em paz. Quando ele me ouvia fungando, presumia que eram "problemas de mulher" e perguntava se eu queria remédio para cólica ou uma bolsa de água quente e me fazia uma tigela de sopa Campbell's de tomate.

Nunca pensei que fosse ficar assim. Chorosa. Sensível. Irritável. Em Odessa, eu observara crianças pequenas brincando na praia e mães empurrando bebês em carrinhos. Que mulher não observa? Eu adorava ficar de babá para a Olga. Eu gostava de crianças. Mas agora... eu estava desesperada. Era como se engravidar fosse a chave para a minha felicidade. Eu era engenheira. Na verdade, eu me formei entre os primeiros da minha turma. Aprendera idiomas estrangeiros e fora para os Estados Unidos. Não são pequenos feitos. E, ainda assim, eu me via incapaz de realizar a mais básica função humana. Eu me sentia uma... perdedora, como os norte-americanos diriam.

O inverno estava chegando. Cada dia era mais curto do que o anterior, o céu estava cinza e o irmão e a cunhada de Tristan estavam aqui para o Dia de Ação de Graças. Fiz peru, molho, purê de batatas, milho e torta de abóbora. Foi muito trabalhoso, mas eu estava orgulhosa em seguir a tradição do meu novo país. Hal trouxe três garrafas de vinho. Eu me lembrei da minha última taça de Chablis com David. Ficamos sentados na sala de reuniões na penumbra discutindo Gogol. Eu bebera lentamente, saboreando o "buquê", como ele chamava. Hoje, eu bebia em goles grandes — Noreen levaria qualquer um ao alcoolismo. Enquanto ela falava sobre suas últimas aquisições e que aposento reformaria a seguir, comecei a pensar em Boba.

— O que houve? — Noreen beliscou minha perna debaixo da mesa. — Você tem tanta coisa pelas quais ser grata. Está nos Estados Unidos agora. Seu marido é um bom provedor. Tem uma bela casa e um carro. O que mais você quer?

— Só estou com saudades da minha avó.

— Tenha sua própria família. Aí sentirá menos saudades dela. Não sei por que Tristan a aguenta, Srta. Rabugenta. Lena nunca ficava malhumorada como você.

Os três congelaram.

— Quem é Lena? — eu perguntei.

— Tristan namorou ela antes de conhecer você — Hal falou, e lançou um olhar para Noreen.

— Você deveria ser grata — ela repetiu. — Hoje, principalmente. Quando penso no quanto Tristan pagou para ir à Budapeste para *não* encontrá-la, no dinheiro que ele gastou para ir para Odessa, e na quantia que teve de pegar emprestada *conosco* para pagar a *sua* passagem para os Estados Unidos... Eu fico louca. Sabe, se você é mais uma dessas embusteiras, só precisaríamos de uma palavra com a imigração para deportá-la.

Deportar? O que ela dizia seria verdade?

— Noreen — Hal advertiu. Ele se virou para mim e falou: — Ela não quis dizer isso.

Ah, quis sim.

Dei uma olhada para o café coando e então de volta para Noreen. Não, eu jamais poderia jogar café quente na porca. Um odessano nunca usa o mesmo truque duas vezes. Eu lidara com pessoas como Olga, Vita e Vera — Noreen não era nada perto delas. Por que eu estava deixando que ela me perturbasse?

Coloquei a palma da mão sobre o peito, pedi licença e saí da mesa. Em ambientes pequenos, às vezes uma retirada estratégica é melhor, é o que dizemos em Odessa. É claro que o fim da frase é: mas se isso não funcionar, mostre quem manda. Fiquei andando de um lado para o outro da varanda. O que havia de errado comigo? Eu certamente era a única pessoa infeliz nos Estados Unidos. Enxuguei os olhos com um lenço de papel. O vinho me deixara chorosa. Não importava que eu tivesse aberto mão da minha vida e da minha Boba para vir para cá, ele sempre seria superior porque tinha mais dinheiro. Era a casa dele, os móveis dele, o carro dele, os amigos dele, a família dele. Nada era nosso. Eu não tinha nada.

— Você me tem — uma voz baixa disse atrás de mim.

Eu havia dito essas palavras em voz alta?

— Você me tem — ele repetiu.

Eu não tinha ninguém.

Ele me puxou para seus braços.

— Quer que eu lhe conte um segredo? Vai fazer você se sentir melhor. Sabe o meu irmão Hal, o grande pastor? O que levou dez minutos para abençoar nosso peru do jantar? Ele é ateu.

Kino!

— Noreen sabe?

Ele balançou a cabeça.

— Ela morreria. Sua vida toda é ser a esposa do pastor. — Aí ele riu e disse: — Sempre fico tentado a contar a ela.

E, de repente, eu sentia uma certa cumplicidade com Tristan, como se pudéssemos ser uma família. Eu me agarrava a esses momentos, sabendo que não durariam, que ele destruiria a base frágil em que fora construída.

Aconteceu três dias depois. Ele andava sensível e eu não sabia por quê. Fui visitar Anna de manhã e ajudei Serenity em sua loja à tarde. Por que ele se importava se eu não estava em casa? Ele também não estava. Eu ainda cozinhava e limpava, tomando cuidado para abrir as janelas depois que esfregava a pia para que o cheiro dos produtos de limpeza não o incomodasse. Eu preparava comida sem gosto e sem gordura. Estávamos à mesa; eu comia arroz pilaf, ele um peito de frango que eu cozinhara. Conversávamos como pessoas normais quando de repente ele explodiu.

— Você nunca está em casa quando eu telefono. Para que eu me casei? Para ter uma esposa que me passa para trás? E outra coisa, estou de saco cheio de ouvir como as coisas são feitas em Odessa. Você está aqui agora. Aceite isso. E meu nome é Tristan. Não Trees, não Treestahn. Tem que aprender a pronunciar o meu nome. Aprenda a falar direito. Você é tão burra. Meu Deus.

Minhas bochechas ardiam como se tivessem sido queimadas por um ferro de passar. Eu as cobri com as mãos para que, se ele olhasse, não visse que havia marcado um ponto. Eu era burra? Uma voz respondeu: É. Burra por ter saído de Odessa.

Ninguém nunca dissera nada negativo sobre o meu inglês. Nem os meus superiores na empresa de transportes marítimos. Nem meus professores. Ora, Jane me dissera que eu falava melhor do que alguns nativos do idioma! Tirei coragem desse pensamento.

O meu inglês era imperfeito? Era verdade que eu não falava como Tristan ou outros cidadãos de Emerson. Eu nunca criticava — Boba dizia que pessoas realmente inteligentes deixam os outros à vontade, em vez de apontar sua triste falta de conhecimento — mas ele confundia preposições com verbos! Enquanto nos correspondíamos, ele escreveu "Eu devia de telefonar para você mais cedo". E todo mundo em Emerson desprezava a existência de advérbios. Era sempre "dirija seguro". Mais do que isso, pronomes eram salpicados de forma irresponsável, juntos como em "Isso é entre eu e ele". Eu não era a única que cometia erros. Como ele ousava insultar o meu inglês! Ele podia criticar minha comida e minhas roupas, mas o meu inglês era sagrado. Era tudo o que eu tinha. Outras garotas brincavam com bonecas, eu brincava com idiomas. Outras garotas tinham badulaques brilhantes nos pulsos e brincos de ouro, eu tinha uma coleção de verbos irregulares. Eu rebobinava repetidas vezes as fitas de músicas em inglês para aprender as letras. Fiquei amiga de missionários norte-americanos e aturava suas palestras só para ouvir a maneira como falavam. Eu até li a Bíblia e panfletos religiosos que eles me deram para expandir o meu vocabulário.

Eu não sabia o que dizer. Ou melhor, eu tinha bastante a dizer.

Apesar de eu não ter telefonado para ela desde que me implorara para esperar para casar, depois do jantar levei o telefone para o banheiro, tranquei a porta e procurei Jane, uma professora diplomada, para me ajudar. Expliquei o que havia acontecido e isso foi o que ela respondeu:

— Que babaca. Seu inglês é ótimo. Mas podemos fazer um exercício agora para melhorar sua pronúncia. Concentre-se bem no som do "i" e repita comigo: imbecil, idiota, impotente, Tristan.

Eu repeti a lista várias vezes. Nós rimos juntas e eu me senti melhor.

Então ela perguntou:

— Já lhe ocorreu que o seu nome é Daria, mas ele a chama de Dora?

Minha cara, minha querida neta,
Saudações da Pérola do mar Negro!

Recebi sua carta e tinha até começado a me preocupar, pois fazia muito tempo que não recebia uma. Esta levou três semanas para chegar. Não é culpa sua mas, se não estiver ocupada demais com o trabalho, talvez possa escrever com mais frequência. Não telefone! É caro demais. Não quero nem pensar no preço. Guarde seu dinheiro para sua pequena família — e lembre-se, Deus ama três.

Desde que você partiu, um amigo da antiga vizinhança, Boris Mikhailovich, começou a telefonar. Diz que fica preocupado comigo agora que estou sozinha. Ele me ajuda a carregar coisas pesadas — sacos de dez quilos de cebolas e batatas do mercado etc. etc. e eu faço o almoço para ele. Ele me traz flores. Eu não quero aceitá-las — tão caras, tão desnecessárias — mas ele insiste. Diz que vai ao mercado para mim apenas duas vezes por semana, enquanto eu cozinho para ele quase todos os dias.

Eu te amo, minha menina querida. Penso em você todos os dias e estou tão orgulhosa por uma mulher na nossa família finalmente ter quebrado a maldição, por sua vida ser cheia de satisfação e por você ter um bom lar com um homem decente. Logo você terá um filho e conhecerá a verdadeira felicidade. Eu a abraço bem apertado. Com um beijo.

Em Odessa, eu quase nunca me lembrava dos meus sonhos, apesar de sempre desejar que um traço desses momentos doces permanecesse, da mesma forma que o sabor do chocolate amargo fica na boca um momento depois de você engoli-lo. Mas não. A mais leve impressão raramente permanecia. Talvez porque eu estudasse muito, e trabalhasse tanto que dormia como uma pedra. Talvez porque meus anseios durante o dia fossem tão grandes que ofuscavam os sonhos que vinham à noite.

Mas agora que eu estava descansada, até demais, os sonhos vinham e ficavam comigo até de manhã. Neles, eu estava de volta à empresa de transportes marítimos. Meus dentes haviam sumido; meus lábios se enrolavam em volta das minhas gengivas. David saía do escritório com a minha dentadura e se vangloriava:

— Sempre terei uma parte de você.

Meus olhos se abriam. Apesar de eu ter estado dormindo, minha mão cobria minha boca.

Talvez vocês esperassem que eu tenha me sentido horrível durante aquelas semanas nas quais o dentista arrancou os meus dentes e fez o molde da minha dentadura. Mas não me senti. Apesar de consciente, eu sabia que logo ficaria mais bonita. Eu me sentia com sorte por David ter me dado dentes tão bons quanto porcelana. Nenhum outro homem jamais me dera um presente tão querido. Apesar do período de desconforto, senti o conforto do fim. Eu podia ver as luzes no cais. É fácil aguentar um semestre na escola com um professor severo ou uma noite com um namorado sovina. Você só se esforça para navegar nas águas turbulentas. As luzes no cais assinalam o fim da jornada, saber que a terra está perto ajuda a atravessar os momentos difíceis. Mas a minha situação com Tristan era diferente — nem as luzes nem a terra eram visíveis. Eu mal conseguia manter minha cabeça fora da água.

Conforme o tempo passava, meus sonhos começaram a espelhar minha realidade. Eu não estava mais com David. Eu estava com Tristan. Ele me dizia que eu era burra, que não sabia cozinhar, que não sabia falar direito, que ele não me entendia, que ninguém me entendia. Nesses sonhos, eu constantemente cobria a minha boca. Eu não tinha dentes e não tinha voz. Eu tinha vergonha. Acordava desses pesadelos sedenta e assustada, com meus dedos já nos lábios. Eu olhava para Tristan e sussurrava:

— Que Deus me ajude.

Capítulo 19

Querida Boba,

Tudo está bem na cidade grande. Sinto não ter escrito por algumas semanas. Aqui na firma de engenharia, nós corremos para terminar uma proposta importante e felizmente conseguimos o contrato! Meu chefe me deu outro aumento Saí no jornal, na seção "Fazendo e Acontecendo".

Tristan é muito culto. Sou a esposa mais sortuda do mundo. À noite, nós nos sentamos na sala de estar e ele lê Anna Karênina *para mim. A voz dele é grave e carinhosa e é tão interessante ouvir as palavras do mestre em inglês.*

Nós nunca saímos. É claro que isso me decepcionou no início — você sabe o quanto eu adoro a filarmônica. Lembra-se do concerto de 8 de março no ano passado, quando o nosso Hobart triunfou com sua orquestra? Alguma vez ouvimos Tchaikovsky tão bem tocado?

Mas Tristan está certo. Nós precisamos economizar. Dinheiro não dá em árvore. Ele disse que custaria 10 mil dólares para ter um bebê. Imagina? Como algo tão pequeno pode custar tanto?

Ontem, nós compramos um berço e os lençóis mais macios. Pensar que eu dormi em uma gaveta nos primeiros meses da minha vida. Nós não compramos um cobertor para o bebê. Eu esperava que você fizesse um de crochê e o trouxesse quando vier. Nós dois queremos de todo coração que você venha nos visitar. Eu quero que você venha me ajudar com o bebê. Eu quero que você venha, ponto.

Com amor,

Dasha

Em Emerson, as decorações de Natal foram colocadas logo depois do Dia de Ação de Graças. Os fios de luzes mantinham a escuridão longe. Eu adorava olhar para a rena e o trenó, ou para os homens de neve infláveis nos gramados das pessoas. Tristan montou uma árvore. A casa toda cheirava a pinheiro. Desta vez, não fui burra a ponto de mostrar o quanto estava fascinada. Eu não queria que as pessoas zombassem de mim. Qualquer um que olhasse para mim acharia que eu via coisas bonitas assim o ano inteiro. Na verdade, foi meu primeiro Natal. Em Odessa, sob a União Soviética e mesmo depois, nós comemorávamos o Ano-Novo, quando o Avô Gelo distribuía doces e laranjas.

Na manhã de Natal, abrimos nossos presentes. Eu dei a ele três camisas sociais e uma gravata azul de seda; ele me deu outra calça jeans, camisetas e botas de escalar. Apesar dos presentes não fazerem o meu estilo, eu agradeci. Uma característica dessa experiência social perversa chamada União Soviética: ela nos deixava gratos por todo bocado de comida, toda roupa, toda gota d'água, toda lâmpada que iluminava nossos dias escuros. Toda vez que o boiler era ligado na casa de Tristan, eu dizia uma palavra de agradecimento. Passamos por invernos demais sem aquecimento. Quando mantimentos, roupas e oportunidades são escassos, você aprende a dar valor a cada sobra. Eu ficava tentando lembrar a mim mesma: mesmo que ele não seja a minha alma gêmea, mesmo que ele não me entenda, a vida aqui é melhor do que em casa.

Eu esperava que no ano seguinte nós tivéssemos um bebê com quem partilhar o Natal. As festas são para as crianças. Todos os dias são para as crianças. Para a família. Decidi ligar para a Boba. Toda vez que discava seu número, eu rezava para a linha estar clara para podermos conversar. Nos Estados Unidos, as pessoas pegam o fone e falam "Alô". Em Odessa, como você sabe, nós dizemos "Estou ouvindo". Mas todas as vezes que eu ligava para a Boba, ela sempre atendia "Dasha?".

— Sou eu, Boba.

— Como vai a minha pequena *americanka*?

— Ah, Boba.

— O que foi, minha flor?

— Nada... Só estou feliz em ouvir a sua voz.

— Sinto sua falta.

— E eu a sua, querida.

Eu tinha medo de que, se dissesse mais uma palavra, eu começasse a chorar, então mordia o lábio e batia os cílios, tentando controlar minhas lágrimas.

— Como você dobra o valor de um Lada? — Boba perguntou. Ela sabia que suas piadas sempre me alegravam.

— Não sei.

— Encha o tanque de gasolina.

Eu ri.

— Boris Mikhailovich me contou essa. Ele me faz rolar de rir.

— Boris Mikhailovich? — Pelo menos ela não o chamava só de Boris. Isso significava que ainda havia alguma formalidade em seu relacionamento.

— Ele vem ver como eu estou de tempos em tempos. Ontem à noite, trouxe um peixe que ele mesmo pescou e cozinhou. Você sabe como eu odeio limpar peixe.

Ouvi o ruído da voz de um homem ao fundo.

— Ele ainda está aí? — eu perguntei.

Kino. Boba tinha um namorado.

No Wal-Mart, enquanto Tristan procurava pneus, eu comprei um vestido branco para bebê e botinhas de tricô. Completei minhas aquisições com produtos de higiene feminina para que ele não bisbilhotasse. Quando chegamos em casa, eu me senti ridícula e enfiei o saco plástico debaixo da cama. Mas, quando ele estava no trabalho, puxei o vestido para fora e o acariciei. O algodão era tão macio.

Como eu podia não estar grávida quando queria tanto? Pelo menos Tristan não parecia estar zangado com isso. Ele só sorria e dizia: "Bem, acho que vamos ter que continuar tentando." Eu implorei a ele que me levasse para visitar Oksana e Jerry, para que ela pudesse me examinar. Mas ele falou:

— Querida, não encha. Quando eu chego em casa do trabalho, só quero me lavar e relaxar na minha poltrona.

Ele adorava três coisas neste mundo: jogos de computador, sua poltrona reclinável e os parques nacionais dos Estados Unidos. Ele não gostava de roupas elegantes, batatas o tempo todo ou mulheres ingratas.

... E eu era esposa dele.

Jane ia voar para São Francisco depois do Ano-Novo e me convidou para ir com ela. Ele nunca vai querer ir também, eu disse a ela. Ela falou: "Quem se importa com o que ele quer? Pegue um ônibus. Se precisar de dinheiro, eu lhe mando algum."

— Eu não vou — Tristan disse.

— Tudo bem, eu vou sozinha. — Eu podia usar um pouco do dinheiro que David me dera para comprar uma passagem de ônibus. Estava entusiasmada com a ideia de ir sozinha.

Tristan desdenhou.

— Como vai chegar lá? Não tem experiência suficiente para dirigir na cidade e nenhum dinheiro.

— Eu peço carona — falei, sentindo-me como eu mesma de novo, atrevida e só um pouco perversa. Era gostoso.

Ele ficou emburrado uma semana inteira, batendo as portas dos armários da cozinha, suspirando e me lançando olhares malevolentes à mesa de jantar. *Fight-fought-fought.*[1] Eu prendia a respiração e andava na ponta dos pés pela casa, tentando esconder minha alegria por viajar sozinha. Infelizmente, no último momento, ele decidiu ir e arrancou as chaves da minha mão. Eu mal podia esperar para ver Jane, mas odiava a tensão entre mim e Tristan no "meu" carro.

— Acho que seus amigos são mais importantes do que eu — ele murmurou. — Acho que o que eu quero não conta.

Imbecil, idiota, impotente. Tristan, repeti para mim mesma, me concentrando de verdade em acertar o som do "i".

---

[1] Brigar-brigou-brigado. *(N. da T.)*

Quando estacionamos na frente do prédio vitoriano, Tans e Jane saíram para nos receber. Ela usava um terninho caro cor de creme e ele seu blazer azul de sempre. Notei um anel de esmeralda no dedo dela. Seria um presente do Tans? Ele passou o braço em volta de Jane, ela pressionou o corpo na lateral dele. De certa forma, quando ficava ao lado dela, ele parecia mais jovem. Imaginei que ele soubesse disso. Tans nos cumprimentou — um beijo para mim, um aperto de mão para Tristan — e disse em tom de desculpas que estava com hóspedes demais na casa, então havia reservado para nós um quarto em um hotel próximo. Os lábios de Tristan se apertaram — ele não queria pagar pelas acomodações. Eu sussurrei que seria como uma lua de mel. Ele resmungou que a nossa lua de mel não custara 100 dólares por noite.

Emburrado, Tristan levou nossas malas para o hotel. Fiquei grata por esse momento de trégua, por estar de volta a São Francisco — o barulho dos carros que passavam, as multidões de pessoas nas calçadas, as maravilhosas possibilidades da cidade. A casa de Tans estava cheia de gente comendo na cozinha, conversando no corredor e dançando na sala. Conforme o tempo passava, mais e mais pessoas chegavam. Médicos, advogados, herdeiras, escritores, gays, mães contra motoristas bêbados, trapaceiros, atores, refugiados — havia uma pessoa de cada tipo nas festas de Tans. Jane e eu ficamos perto da entrada e observamos convidados com roupas elegantes passarem. Ela apontou para o grupo no final do corredor.

— Jono trouxe cocaína, é por isso que eles estão parados na frente do escritório. Ele monta sua banquinha ali. Também é agenciador para as apostas mais malucas. Eles são interessantes — ela fez um gesto com a cabeça para Mia, a corretora de valores; Marco, o vizinho do andar de cima que tinha uma revendedora de Jaguar; e Destiny, uma top model. — Mas têm tempo e dinheiro demais sobrando. No mês passado, apostaram qual deles seria parado pela polícia antes, e saíram dirigindo como loucos para ganhar a aposta. Eu não ficaria surpresa se apostassem quando Tans e eu vamos terminar.

— Isso a incomoda? — eu perguntei.

— A aposta? Não. Eu sei que vai ter que acabar, mesmo que eu não queira. Vir para cá no fim de semana é sensacional, tão diferente da vida em Montana. O Tans é ótimo. Não há futuro, tanto ele quanto eu sabemos disso. O bolão de apostas também sabe disso. Mas por enquanto o que nós temos funciona.

Ela pegou duas taças de champanhe para nós de um garçom que circulava por entre as fileiras de convidados. Jane e eu tocamos as taças uma na outra, recitamos um brinde odessano bobo "Às melhores pessoas do mundo, a nós!" e rimos.

Ela se abrira, de alguma forma isso tornava as coisas mais fáceis para mim. Tentei pedir desculpas por não ter falado com ela por todo esse tempo.

— *Ne nada* — ela falou. — Não precisa. Eu entendo. Não devia ter aberto a minha boca a respeito de você se casar. Você tem que fazer o que tem que fazer...

Engoli meu champanhe, passei meu braço pelo dela e coloquei minha cabeça em seu ombro. Ela acariciou o meu cabelo e murmurou em russo:

— Você é uma garota inteligente, vai conseguir resolver, vai dar tudo certo. Tenho fé em você.

Suas palavras me fizeram sentir firme, fortalecida, feliz. Feliz por estar com uma amiga querida, por estar na cidade. Por ouvir músicos e receber energia das notas musicais. Aceitamos outra taça e então mais uma. Minha mente girava tão rápido que meus pensamentos estavam confusos. Ela me viu tropeçar e me puxou em direção ao sofá luxuoso na sala de estar. Na nossa frente, Zora tocava violino (que Jane chamava de rabeca), Gambino tocava violão. Era como uma noite na minha terra, quando nos reuníamos na casa de nosso amigo Sasha, porque ele tinha um piano e cantávamos, ríamos e dançávamos. Zora começou a cantar uma canção folclórica. Era tão mágico que eu podia quase esquecer que Tristan voltara e estava emburrado ao meu lado.

— Não confio no Jono — Jane sussurrou enquanto mais pessoas abriam caminho pelo corredor até o escritório. Ela fez um gesto para a camisa de seda vermelha dele. — Olhe para ele, vestido como um cantor de hotel em Las Vegas. Quem ele pensa que é? Sammy Davis, Jr.?

Eu não fazia ideia de quem era esse.

— Não sei por que ele tem que trazer esse negócio para cá — ela continuou.

Tans se aproximou de nós.

— Tristan, uma cerveja?

— Hein? Não consigo ouvir com toda essa algazarra.

— Uma cerveja? — ele repetiu. — Deixe-me lhe mostrar onde as colocamos.

Tans ergueu a sobrancelha como se para dizer "Está vendo? Eu não sou tão mau. Estou levando Tristan para dar uma volta para vocês, meninas, poderem conversar".

Quando eles saíram, eu me virei para Jane.

— Conte-me sobre o anel. É tão lindo! — E era mesmo. Flores de ouro curvadas seguravam a esmeralda no lugar. Que pena que os ourives haviam passado a ser ferreiros. Olhei para a minha aliança de casamento. Os joalheiros de hoje enfiam um diamante em um círculo de ouro. Não é preciso talento para isso.

— Tans me deu de Natal. Disse que era de sua mãe.

— Você não parece convencida.

— Ele tem 55 anos e nunca se casou. Podia ter dado o anel da mãe para qualquer uma a esta altura. O negócio é que... — ela acenou com a cabeça para o rapaz que sorria largo, cujos olhos eram brilhantes demais. — Jono vende joias de espólio. Isso significa que, quando alguém morre, ele compra as joias barato e as revende.

— Mas Tans falou...

— Eu sei o que ele falou. Também sei o que seu melhor amigo faz para viver.

— Ele a ama.

— Isso não quer dizer que eu confie nele — ela disse. — Todo mundo aqui é mentiroso. É a única coisa que têm em comum.

— Vai ficar com o anel? — Eu o devolvi a ela.

— É claro.

Assenti em aprovação. De certa maneira, Jane havia se tornado uma verdadeira odessana. Coloquei a mão no peito. Fiquei imaginando se seria capaz de me desfazer do meu anel. Imaginei quanto o Jonothan conseguiria por ele. E o que eu poderia fazer com o dinheiro.

* * *

Como que para compensar por ter sido avarento a respeito do hotel, Tristan perguntou se eu e Jane gostaríamos de assistir a *O fantasma da ópera*. Fiquei animada para ir ao teatro e orgulhosa pela atenção de Tristan. Jane não o vira sob o melhor ângulo. Ninguém na turma de Tans gostava muito dele. Mas ele estava mostrando que tinha consideração. Era importante para mim que ele e Jane se dessem bem e que ela visse que estava errada. Um funcionário nos acompanhou até nossos lugares — na última fileira. Eu resmunguei que mal podíamos ver o palco. Tristan rebateu dizendo que as entradas haviam custado setenta dólares cada, bem na frente de Jane. *Die-died-died.*[1] Era o que eu queria fazer. Terra, me engula agora. Eu podia suportar dúzias de pequenas humilhações e ataques à minha dignidade. Mas ter Jane como testemunha era mais do que eu podia aguentar. Ela apertou a minha mão e sussurrou *Vai ficar tudo bem.*

— Obrigada por me convidar. Foi tão gentil da sua parte — Jane disse a ele.

— Quando eu a convidei para vir, não achei que as entradas seriam tão caras.

Engasguei. Não podia acreditar. Nenhum homem em Odessa seria tão mal-educado. Que tipo de pessoa convida outra e sugere ser reembolsado? Jane puxou algumas notas de sua bolsa. Ele olhou para elas, e então para mim. Eu o encarei tão ferozmente que ele não ousou aceitar o dinheiro. Jane tentou me acalmar, mas eu estava mortificada. Podia engolir meu orgulho em Emerson, onde ninguém podia ver, mas, na frente da Jane, ele ficava preso na minha garganta.

Eu não aguentava olhar para ele e virei minha cabeça. Jane apertou minha mão novamente e repetiu *Vai ficar tudo bem.* Eu ouvi um tom de pena em sua voz e isso me fez ter vontade de chorar. Desviei o olhar para que ela não pudesse ver minhas lágrimas. Eu precisava sair dali, mas Tristan bloqueava o meu caminho.

— Me decapite — eu sussurrei, desejando que alguém cortasse minha cabeça fora.

— O quê? — Tristan perguntou.

---

[1] Morrer-morreu-morto. *(N. da T.)*

— Me desculpe — falei.

— Já vai começar — ele disse.

— A cortina vai subir quer eu esteja aqui ou não.

Andei pelos corredores até ficarem vazios. Até estar cega pelas minhas lágrimas. Eu sabia que devia estar grata. Pelo menos eu estava no teatro, certo? Eu tinha sorte. Lágrimas escorriam pelas minhas bochechas e assoei o nariz com força, esperando que a massa cinzenta do meu cérebro também saísse. Enquanto eu andava e resmungava para mim mesma, cruzei com um senhor mais velho, que me perguntou qual era o problema.

— Eu passei de uma frisa, o melhor lugar da casa, para a última fileira.

Ele me entregou um lenço.

— Bem, esse é um problema que eu posso resolver. Venha se sentar comigo e com minha esposa.

Entramos na frisa escura. Eu me concentrei no palco e esqueci de tudo. Quando as luzes se acenderam para o intervalo, o homem perguntou o que eu fazia para viver. Essa é sempre a primeira pergunta que fazem nos Estados Unidos. Tive vergonha de admitir que estava desempregada, então falei:

— Eu trabalhava na ARGONAUT, uma empresa de transportes marítimos.

— Aqui em São Francisco?

— Eu não sabia que havia uma filial aqui...

— Nosso filho trabalha lá. — A mulher disse.

— É formada em quê? — o homem perguntou.

— Engenharia mecânica.

— Garota inteligente! — Ele tirou um cartão de visitas. — Vou escrever o telefone do meu filho no verso. Ligue para ele.

E, assim, eu tinha um caminho a seguir. Enfiei o cartão na minha bolsa e a cortina se levantou para uma nova era na minha vida. Talvez Tristan também pudesse encontrar um emprego em São Francisco. Ou talvez eu pudesse alugar um quarto durante a semana e voltar a Emerson no fim de semana.

No final da apresentação, agradeci calorosamente ao casal. As pessoas nos Estados Unidos eram tão gentis, prestativas e abertas. Eu não podia acreditar na minha sorte. Esperei pelo Tristan e pela Jane na entrada. Mal podia esperar para lhes contar minha novidade. Quando Tristan me viu, atacou como um touro enfurecido e agarrou os meus ombros.

— Onde você estava? — ele me sacudiu. — Passei uma hora procurando pelos corredores! Nunca fiquei com tanto medo em toda a minha vida!

— Eu disse a ele para não se preocupar... — Jane falou enquanto tentava soltar as mãos dele. — ... porque você sabia cuidar de si mesma...

— O que há com você? — ele me sacudiu de novo, até minha dentadura bater. — Eu planejo uma noite divertida e até convido a sua amiga e é assim que você retribui?

— É claro que estou grata — eu tentei acalmá-lo. — Estou muito grata.

— Você sabe o quanto paguei por esses ingressos. Que desperdício! Onde você estava, por falar nisso?

Dinheiro. Sempre se resumia a dinheiro. Decidi não contar a ele minha notícia. E então pensei: "Que notícia?" Ele nunca me deixaria trabalhar em São Francisco. E, se o deixasse, o que eu faria? Eu não tinha um Green Card, tudo dependia do meu casamento com ele. Eu estava encurralada. A felicidade que eu sentira uma hora antes sumiu, como se nunca tivesse existido.

Jane foi conosco para Emerson. Nós nos sentamos no banco de trás, ignorando o Tristan quando ele reclamou de ser o chofer. *Drive-drove-driven.*[1]

— Nos Estados Unidos, o marido e a esposa sentam juntos.

— Bem, em Odessa, os homens são cavalheiros. — Os homens de Odessa são sensíveis ao orgulho das mulheres. Como eu menosprezara isso...

Ele deu um sorrisinho.

— Não tão cavalheiros, pois você teve de sair do país para encontrar um cara decente como eu.

Eu funguei. E não respondi porque Jane parecia extremamente constrangida.

---

[1] Dirigir-dirigiu-dirigido. *(N. da T.)*

Tristan não era ele mesmo na frente de outras pessoas. Ele se vangloriou para Jane sobre me apresentar aos jeans e camisetas, como se eu fosse totalmente ignorante em relação a estilo. Ele não poderia ficar mais orgulhoso de apresentar um grande chef ao fast food. Ele ria da forma como eu preparava borscht dizendo que eu era louca por perder tempo cozinhando beterrabas quando podia simplesmente comprá-las enlatadas. Estamos nos Estados Unidos, ele dizia, não há necessidade de ter esse trabalho todo. Mas eu gostava de cozinhar para Jane. Gostava de mimar os convidados. Pela primeira vez percebi que, quando ria, ele zurrava como um jumento.

— É claro que ela faz as coisas de seu próprio jeito — Jane falou — mas não é errado, só diferente. Seria um mundo muito chato se nós todos fôssemos iguais.

Quando eu dizia que queria dar uma volta a pé, ele falava que era mais fácil dirigir. Quando eu fazia café — pesava os grãos, moía-os, preparava as xícaras esquentando-as com água quente para que o café ficasse quente por mais tempo — ele abria uma lata de cerveja e dizia que o modo dele era mais rápido. O modo dele era sempre mais prático, rápido, fácil, barato, melhor.

Era por isso que eu adorava Jane. Havia vezes em que eu dizia ou fazia alguma coisa — não sei o que exatamente — e Tristan dava um sorrisinho conspiratório para Jane, como se para dizer "Ela é só uma estrangeira burra. O que você esperava?".

Jane nunca sorria de volta.

Logo que cheguei a Emerson, Boba e eu falávamos apenas por alguns minutos, apesar de Tristan me encorajar a falar mais tempo. Como era caro, eu telefonava uma vez por semana só para dizer que estava bem. Eu me sentia tão feliz por estar nos Estados Unidos que não ficava com saudades de Odessa, nem dela. Só com o passar do tempo comecei a perceber que havia menosprezado Boba. A cada semana, sem notar, nós falávamos mais e mais. Foi ficando cada vez mais difícil para mim desligar o telefone.

Frequentemente, quando terminávamos de falar, lágrimas gordas rolavam pelas minha bochechas, um coquetel amargo de amor, anseio e frustração. Cada vez mais eu me sentia culpada por tê-la deixado. Ela havia feito tudo por mim e agora, quando era a minha vez de ajudá-la, eu a abandonara. A horrível verdade era que eu realmente não dera valor a ela e a tudo o que ela fizera por mim até deixar Odessa. Ela fora o suporte no qual eu pendurava meu casaco quando chegava em casa do trabalho.

Depois que minha mãe morreu, nossa vida girava em torno de mim. O que eu fazia na escola. Quem era a minha melhor amiga naquela semana. O que eu devia estudar. O que eu gostaria para o jantar. Eu, eu, eu. Eu não sabia nada sobre ela. Comecei a fazer perguntas só quando cheguei aos Estados Unidos. Agora que não podia mais vê-la, eu ansiava por saber tudo sobre ela.

Não era fácil. As linhas telefônicas na Ucrânia eram tão ruins que eu mal conseguia escutá-la. Às vezes, por causa de linhas cruzadas ou do sistema telefônico partilhado em Odessa, Boba e eu podíamos ouvir outras pessoas conversando. Suas vozes eram mais altas do que a da minha Boba.

— Quem quer que você seja, desligue, por favor. Estou tentando falar com minha babushka.

— Desligue você — a mulher retrucou.

— Por favor, estou fazendo uma ligação internacional dos Estados Unidos.

— *Oy*, dos Estados Unidoooos — ela zombou. — Então você é quem deve ligar de novo. Sou eu quem ainda está presa neste buraco. — Ela e sua amiga tagarelavam e continuaram a berrar.

Quando você está lidando com malucos, tem que ser mais maluco ainda. É o que dizemos em Odessa. Eu gritei até aquelas vacas saírem da linha.

Tristan fez um gesto para que eu desligasse o telefone.

— O que há com você? Desligue!

Eu dei as costas para ele.

— Conte-me algo interessante, Boba.

— O seu Sr. Harmon veio me visitar.

— O quê? — eu berrei. — Por que você não disse nada?

— Ele trouxe mangas.

— Mangas? O que ele foi fazer aí?

— Ele vem de vez em quando. Diz que quer se assegurar de que eu esteja bem. Sentou-se à mesa e descascou as mangas como um profissional — ela parecia impressionada. — O alimento mais delicioso que eu já comi.

Por algum motivo, essa notícia me deu vontade de chorar. Não pela gentileza dele, mas pelo fato de que outra pessoa estava dando presentes e atenção para Boba. Eu devia ter estado lá. Devia ser eu levando mangas para casa.

— O que ele falou? — eu perguntei.

— O russo dele não é ruim.

— Boba — eu adverti.

— Ele só perguntou se eu precisava de... kkkkkkkkk — estática.

— O quê?

— Ele só perguntou onde você... kkkkkkkkk — estática.

— O quê?

— Ele queria a mesma coisa que sempre quer: o seu telefone em Kiev.

Eu sabia que ela nunca daria nenhuma informação sobre mim, apesar de eu ter gostado da tentativa dele.

Ela falou de novo, mas suas palavras foram engolidas pela estática.

— O que você disse?

— Eu não recebi nenhuma conta de telefone desde que você foi embora. Isso não é estranho?

— Boba, eu mal consigo escutá-la. Você está bem?

A cada semana parecia que a voz da Boba ficava mais baixa.

— Não se preocupe comigo, flor — ela falou, mas eu sabia que ela devia estar cansada. Para tomar banho, nós esquentávamos água no fogão em um grande balde de ferro, o carregávamos e o despejávamos na banheira. Eu sabia que ela não conseguia levantá-lo. E as compras? Boba não conseguia levantar os sacos grandes de cebolas e batatas sozinha. Era bom que ela tivesse Boris Mikhailovitch, mas eu ainda queria que eu a estivesse ajudando. Eu nunca deveria tê-la deixado. Como fora egoísta. Ela era idosa e precisava de mim. E, mais do que qualquer coisa ou qualquer pessoa, eu precisava dela.

Capítulo 20

Minha querida avó Boba,
Saudações do Estado Dourado!

Hoje é Dia dos Namorados, o dia do amor nos Estados Unidos. Tristan comprou para mim uma caixa de chocolates vermelha no formato de um coração. Ele me levou ao restaurante mais elegante da cidade e me disse para pedir o que eu quisesse.

Após o jantar, nós fomos a um concerto. As crianças na escola dele têm uma orquestra pequena e tocam bem, considerando-se que eles tocam instrumentos há apenas dois anos.

Meu inglês melhora a cada dia. Devo dizer que o inglês que aprendemos na escola não tem nada a ver com a forma como as pessoas falam. Escrevo ferozmente, enchendo meus cadernos com gírias e observações sobre a pronúncia.

É claro que é uma batalha, mas é gratificante. É claro que a felicidade não vem e se aninha no colo de alguém. Deve-se persegui-la, não importa quão esquiva ela seja.

Sinto saudades de você, sinto saudades de casa. Sinto saudades até das paredes do nosso apartamento e anseio pressionar minha testa e as palmas das mãos contra elas. Vai ficar tudo bem. Eu vou ficar bem. Mas, por favor, não pensa em vir para a Califórnia? Temos um quarto extra. Não sente saudades de mim?

Com amor,
Sua Dasha

TRISTAN E EU PASSAMOS NOSSO aniversário de seis meses em uma clínica, onde o médico nos informou que um casal só é considerado estéril após tentar conceber por um ano.

— Apenas continuem tentando — ele aconselhou. — Se não houver resultados, voltem em seis meses. — Ele explicou sobre ovulação e muco cervical e me ensinou a achar o melhor dia do mês.

Lá estávamos nós fazendo sexo todas as noites quando na realidade havia um momento propício de meras 24 horas. Só um dia. Havia tanta coisa que eu não sabia... Mas como eu poderia saber? Boba nunca falava sobre sexo. Mesmo que houvesse falado, eu teria ficado mortificada. Eu duvidava que ela soubesse sobre muco cervical. Minhas colegas de classe não sabiam mais do que eu. No ensino fundamental, muitas delas dormiam no mesmo quarto que os pais. Elas descreviam a movimentação e os gemidos durante a noite, mas suas histórias pareciam tão implausíveis quanto o Vovô Gelo trazendo presentes na noite de Ano-Novo. Como adolescentes, algumas das minhas amigas tinham curiosidade em relação ao sexo, mas elas ficavam nervosas por não terem com quem conversar sobre o assunto. Ouvíamos falar sobre os milagres no Ocidente. Uma mulher podia urinar em cima de um graveto para descobrir se estava grávida ou tomar uma pílula para evitar a gravidez. Também ouvimos dizer que a pílula continha hormônios masculinos e que crescia barba nas mulheres que a tomavam. De qualquer modo, era difícil encontrar um lugar para ter um momento particular — quando três gerações moravam no mesmo apartamento, alguém sempre estava em casa. Minha primeira vez aconteceu em um porão deserto na posição chamada de "vigia". O homem ergue a saia de sua parceira e a penetra por trás — se alguém se aproximar, o casal pode se esconder. Não foi nada especial. No mínimo, as preliminares — um buquê, palavras suaves, a ópera — foram melhores.

Mas ter um filho valeria o desconforto. Uma menininha para partilhar da minha alegria por estar nos Estados Unidos. Uma menininha com quem dividir minhas impressões. Eu queria alguém — do meu próprio sangue — para não me sentir tão isolada e sozinha. Alguém que sempre me amasse. Boba, mamãe e eu havíamos formado uma trindade

— Deus ama três. E agora estava na hora de eu criar a minha própria. Eu queria que a minha filha tivesse algo que eu nunca tive — um pai.

Tristan não era o marido dos meus sonhos, mas seria um pai carinhoso. Ele tinha raízes profundas. Uma casa, um emprego, um futuro. Estaria por perto em todos os momentos. Como eu, ele queria filhos imediatamente. Uma vozinha na minha cabeça dizia que era porque ele não queria me perder e um bebê seria o cimento que nos manteria — dois tijolos diferentes — juntos. Ele dissera que não queria ser pai velho demais, como sua mãe e seu pai quando o tiveram. Eu sentia que ainda estava zangado com eles. Nunca falava de seus pais a não ser para dizer que se sentia afastado deles. Eu fora muito próxima da minha mãe. Sempre fôramos só nós, mulheres. Eu me lembro de me sentar no colo de mamãe na cozinha, que era sempre 5 graus mais quente do que no restante do apartamento, enquanto nos debruçávamos juntas por cima de revistas ocidentais de moda. Como ela adorava a *Vogue*! Mamãe tinha cheiro de baunilha. Quando andávamos pelos bulevares repletos de folhas de Odessa, ela segurava a minha mão. Lia para mim à noite. Sua voz era a última coisa que eu ouvia quando adormecia. Eu sempre quisera uma irmãzinha, mas meu pai havia partido há muito tempo e mamãe ficou doente. Boba e eu cuidamos dela até ela morrer. E então Boba se tornou tudo para mim — minha avó, minha mãe, minha irmã mais velha, minha confidente. E agora que estava sozinha, mais do que nunca eu queria alguém com quem pudesse dividir a sabedoria dela, sua coragem, sua vida. Uma criança para transmitir nossas histórias.

Tristan nunca fugiria do modo que Vlad fugira. Nenhum filho seu jamais ficaria imaginando onde ele está.

Quantas vezes eu havia perguntado à minha mãe "Com quem me pareço?". Quando eu era pequena, ela respondia: "Você parece uma princesa de conto de fadas, que veio à terra para abençoar a mim e a Boba." A resposta me encantava, mas não satisfazia. Mais tarde, vi minha sobrancelha fina e olhei para a de minha mãe, grossa. Para seu cabelo grosso, ombros e mãos largos. Ela era minha mãe; ela era meu oposto. Várias vezes perguntei: *Com quem eu me pareço? Com quem? Com quem?* Eu ansiava por um pedacinho da minha própria história. Por que eu não podia saber? O que eu havia feito? Com quem? Com quem? *Com você*, ela respondeu. *Você se parece com você.*

Fim de conversa.

Eu queria que minha filha soubesse de onde vinha.

As palavras do médico haviam me tranquilizado. Eu tocava frequentemente minha barriga, pensando, com desejo: *logo*. Puxei o vestido de neném de debaixo da cama e me maravilhei com como algo tão pequeno podia trazer tanta alegria. Tristan e eu mudamos o computador do escritório para a sala de estar para abrir espaço para o berço. Ele pegou a minha mão nas suas. Minha filha teria um pai. Uma família *de verdade*. Deus ama três. Nós continuamos tentando.

Às vezes, eu fingia que tudo estava acontecendo com outra pessoa. A distância ajudava. Não era eu que estava frustrada. Não era eu que estava decepcionada. Era outra pessoa. *Ele sai de cima dela. Nua, ela vai ao banheiro para se lavar. Ela imagina que, se o amasse, vestiria uma das camisetas velhas dele, de algodão desbotado macio ao toque. Em vez disso, ela veste pijamas que sua avó lhe fez e volta para a cama.*

Grogue, ele a toma em seus braços e beija sua têmpora. Ela espera que ele adormeça antes de se desvencilhar das pernas dele e passar para a beirada fria da cama.

Você não pode ter tudo, ela pensa consigo mesma.

Você pode ter uma coisa, uma voz retruca.

Ela olha para seu marido, seu rosto abrandado pelo sono.

Ele é um bom provedor, ela ouve Boba dizer.

Ele é um bom provedor, ela ouve Molly dizer.

Ele ronca baixinho. Se ela o amasse, esse barulho suave a lembraria da constância do mar.

Ela está insatisfeita. Ela quer liberdade. Liberdade dos dias e noites de anseio.

Eu quero, eu quero, ela pensa.

Dê a si mesma essa única coisa, a voz diz novamente. É a voz de um homem. Ela suspira por seu toque. Ela desce a mão pela sua barriga até a bacia. Ela para.

Sim, sim, ele diz.

Sim, sim, ela diz.

Suas costas se arqueiam, sua mão viaja mais para baixo, ela fecha os olhos, ela se dá essa única coisa.

Mais um mês infértil se passou. Tristan fez 41 anos, a mesma idade que seu pai tinha quando ele nasceu.

— Serei um pai velho. Um homem velho. É culpa sua.

— Você não devia ter esperado tanto. — Dei o troco. — Podia ter tido uma dúzia de filhos a essa altura. Devia ter feito como eu. Casada aos 24 anos.

— Eu não queria me casar com alguém que não amasse.

E acha que eu queria?

Eu não falei isso. Mas, Deus, como fiquei tentada!

Implorei à secretária da clínica que marcasse outra consulta para nós, apesar do ano não ter acabado. Como sempre, as coisas eram mais fáceis para os homens. O exame de Tristan consistia em um copo de plástico e uma *Playboy*. Sua contagem de esperma estava abaixo da média, mas longe de ser catastrófica.

O médico enfiou um dedo enluvado em mim e apalpou a parte inferior do meu abdômen, procurando qualquer tipo de deficiência. Fiquei imaginando se ele havia encontrado. Após o exame, Tristan e eu nos sentamos na frente do doutor. O veredito: ele achava que eu não tinha depósitos de gordura suficientes e mencionou que poderia ajudar se eu ganhasse peso. Tristan disse a ele que eu crescera na Rússia e sofrera quando criança. Eu revirei os olhos.

— Bem, ela está nos Estados Unidos há algum tempo e ainda é magra. Acredito que tem mais a ver com escolhas saudáveis do que com qualquer tipo de supressão.

Olhei para ele com gratidão.

— Ela é vegetariana — Tristan soltou.

— Há muitas mães vegetarianas por aí — o médico o assegurou. — Não vamos culpar ninguém.

De volta à sala de espera, Tristan preencheu um cheque para pagar a consulta e os exames. Eu não podia acreditar no quanto custava. E não tínhamos ficado ali nem uma hora! Ao ver o meu choque, a recepcionista me tranquilizou.

— O plano deve cobrir a maior parte.

— Que plano? — Tristan perguntou desanimadamente.

A volta para casa foi tensa. O jantar foi tenso. Eu estava tensa. *Bind-bound-bound.*[1] Quando o telefone tocou, eu me encolhi. Ele tocava muito raramente e, quando tocava, na maioria das vezes era alguém de telemarketing. Tristan sempre parecia apreciar a briga.

— Janelas novas? Por que você não me dá o telefone da sua casa para que eu possa ligar e interromper o seu jantar? Hein? Hein? — Ele berrou, e bateu o telefone. — Eles vão ver só.

— Só estão fazendo o trabalho deles.

— Se o trabalho deles é me enfurecer, missão cumprida.

Eu dei de ombros.

— Ninguém gosta de operadores de telemarketing — ele falou.

Eu corri para o telefone para evitar outra competição de gritos.

— Olá, linda — Oksana disse. — Boas notícias. Eu posso ser médica de novo.

— Como assim?

— Deixe-me começar do início. Na Rússia. Quando Jerry falou que não queria que eu trabalhasse, achei que isso significaria que queria me mimar, e fui totalmente a favor. Você não ia acreditar nas fantasias que eu tinha. Mansões. Notas de dólar crescendo em arbustos de rosas. Um marido fabuloso.

Nós duas rimos. Lembrei-me de como pensei que Tristan era rico porque havia me dado um laptop. Eu me imaginei morando em uma casa vitoriana no bairro mais elegante de São Francisco. Achava que seríamos felizes. Eu sabia tudo sobre fantasias.

— Agora percebo que ele não queria que eu tivesse amigos, colegas ou meu próprio dinheiro. Estou tão isolada. Parece que vou enlouquecer

---

[1] Ligar-ligou-ligado. *(N. da T.)*

nessa casa grande. Há dois meses, me candidatei para um emprego no hospital, como médica.

— *Molodets!* — Bom para você!

— Não é tão fácil. Eles querem as cópias dos meus documentos. Minha mãe os mandou para uma agência de tradução em Los Angeles. Eu posso pagar com cheque ou cartão de crédito, mas não tenho nenhum dos dois. Jerry não me dá nenhum centavo, a não ser para as compras. Guardando um pouco aqui e um pouco ali, economizei o suficiente para uma ordem de pagamento.

— Ele é tão pão-duro assim? — perguntei.

— Ele não abre a mão nem para dar tchau — ela respondeu.

— Quem é? — Tristan berrou.

— Oksana.

— Fale em inglês! — ele disse.

— Ele é igual ao Jerry — Oksana falou.

— Ele não é tão mau — falei sem convicção.

— Vou precisar fazer uma prova em inglês. Você me ajuda?

— Eu adoraria. Mas talvez você devesse pedir a um nativo do idioma — eu disse, preocupada que Tristan estivesse certo, que meu inglês não fosse bom o bastante.

— Ninguém aqui é tão rigoroso quanto um russo ou um ucraniano.

— Isso é verdade — concordei.

— Como vão as coisas?

Suspirei.

— Eu sei. Ele diz que vai mandar me deportar se eu o deixar. Você acha que ele pode fazer isso?

— Não sei.

— Está tudo no nome dele: o carro, a casa, a conta bancária. É como se eu fosse um fantasma. Eu não existo. Os norte-americanos estão sempre falando sobre os seus direitos. "É direito meu", eles dizem. E nós? Quais são os *nossos* direitos?

— Não sei.

— Sou totalmente dependente do Jerry, para tudo. Ele diz que vou ficar sem um tostão se nos divorciarmos.

— Você está pensando nisso?

— Eu não estava. Mas conforme o tempo passa, percebo que nunca mais vou confiar em alguém. Ele está esperando a bomba explodir. É quase como se quisesse que explodisse, para poder dizer "Eu sabia que não devia ter confiado em você".

Tristan olhava fixamente para mim.

— É falta de educação sair da mesa no meio de uma refeição.

Ah, que ótimo. Agora ele estava me dando lições de etiqueta.

— Eu vim para cá atrás de segurança — Oksana disse. — Sabia que nunca me apaixonaria por ele, mas pensei que poderíamos construir uma vida juntos, como parceiros. Mas ele controla tudo. Parece que tenho menos segurança aqui do que tinha em casa. O que você faria se fosse eu? — ela perguntou.

Olhei para Tristan, que enfiava colheradas de arroz na boca.

— Eu sou você.

A enfermeira ligou para dizer que os exames revelaram que não havia nada errado. Ela me aconselhou a verificar os dias de pico e a ter relações nesses dias. Depois de todos aqueles exames e todo aquele dinheiro, era só isso que ela tinha a dizer? Eu estava começando a perder a fé na medicina ocidental. Funcionava tão bem quanto as estátuas da deusa da fertilidade que David tinha em seu apartamento pré-Olga.

Pedi a Oksana para me examinar. Ela falou que, se eu havia consultado um médico norte-americano, não havia muito mais que ela pudesse acrescentar, mas sugeriu que eu visse uma conhecida sua, uma curandeira que trabalhava como parteira. Optamos por ir em um domingo. Tristan reclamou, mas me levou de carro até a casa de Jerry. Oksana e a curandeira estavam de pé na varanda da frente, esperando. Eu me senti bem-vinda imediatamente. A curandeira era baixa e gorda, com olhos escuros e cabelo negro como um corvo. Era bobagem, mas ela me lembrava a minha mãe. Senti uma onda de esperança. Talvez ela pudesse me ajudar.

Tristan começou a nos seguir pelo corredor, mas Jerry falou:

— Não seja um maricas. Venha cá e assista ao jogo. — Ele fez um gesto para a televisão gigantesca.

Na cozinha, Oksana apontou para os armários escuros e papel de parede de brocado.

— Eu a chamo de "cozinha da ex-esposa". Queria torná-la mais clara, mas Jerry proibiu qualquer mudança. Falou que quer que seus filhos se sintam em casa. Mas eles nunca vêm.

Lágrimas encheram seus olhos.

— Vai ficar tudo bem — cacarejei como uma galinha, colocando minha asa em volta de seus ombros caídos. A curandeira colocou a chaleira no fogo. Durante o chá, ela e Oksana dividiram histórias sangrentas de hospital até que finalmente Oksana começou a se sentir melhor.

A curandeira verificou meu pulso, minha temperatura e fez as mesmas perguntas que o especialista em fertilidade. Eu ficara envergonhada de falar sobre essas coisas com o médico norte-americano mas, no meu próprio idioma, com outra mulher, eu me senti à vontade. Depois de anotar meu histórico, ela fez uma pergunta que o médico não fizera.

— Como estão as coisas com o seu marido?

Olhei para Oksana.

— Sua vida não pode ser pior do que a minha — ela falou.

— Difícil — sussurrei, sem olhar para elas, sem querer admitir nada em voz alta. — Ele monitora meus telefonemas. No começo eu tinha amigas, mas ele as afugentou. Achei que ele era só desajeitado, mas agora acho que faz de propósito, para me isolar... Ele me disse que era professor, mas é faxineiro. Eu não achava que ele era milionário, mas não sabia que não tinha dinheiro. Nada do que eu faço está certo, nem a forma como eu me visto, cozinho ou falo.

A curandeira assentiu.

— Estresse e uma atmosfera familiar insalubre. Vou lhe dar uns incensos para você se livrar da energia negativa.

Seria preciso muito mais do que incenso para me ajudar.

Ela puxou um estetoscópio da bolsa e me pediu para tirar a camisa. Olhei para Oksana.

— Podemos trancar a porta?

— Não se pode nem trancar o banheiro nesta casa.

— *Koshmar!* — eu disse. Que pesadelo!

— Ele quer ter acesso a qualquer momento.

A curandeira colocou o disco frio no meu peito e me mandou respirar fundo.

— O que é isso? — ela perguntou, apontando para o anel de brilhante.

— É complicado — falei, olhando para Oksana.

Oksana contou a ela a história. Garota conhece mafioso. Apaixona-se pelo mafioso. Foge do mafioso. Guarda um souvenir.

— Livre-se disso — a curandeira disse. — Não está fazendo nenhum bem a você. — Ela colocou o disco nas minhas costas. — Estou ouvindo seu coração sem parar, e ele conta uma história interessante.

Ela guardou o estetoscópio e ficou atrás de mim. Eu estava prestes a me virar quando senti suas mãos nos meus ombros. Seus dedos tatearam na direção do meu pescoço.

— *Nu, nu* — ela murmurou. Ora, ora. Ela acendeu um incenso em um pequeno medalhão de metal. Alecrim e tomilho. Andando em volta de mim, ela circulou o incenso em volta da minha cabeça e observou o rastro fino se levantar e desaparecer.

— Criança — ela falou depois de um longo momento olhando para a fumaça que não estava mais ali —, a razão para você não engravidar é que você não quer um filho. Não com esse homem.

Coloquei as mãos no rosto.

— Não pode ser isso — Oksana falou, agitada. — Se uma mulher pudesse escolher quando engravidar ou não, não haveria necessidade de contraceptivos.

— Ela está tão rija — a sábia falou. Ela tentou relaxar os meus ombros, mas eles não se soltavam. — Quando uma mulher está tão tensa assim, o corpo se fecha. A mente e o corpo são conectados. O corpo obedece a mente.

Era doloroso ouvir em voz alta o que eu já sabia no meu coração.

Capítulo 21

Minha querida Boba
Saudações da ensolarada Califórnia!

Os Estados Unidos são tudo o que eu achei que seriam e ainda mais. Tenho um emprego maravilhoso. Tristan é o marido perfeito. A vida no país já é como viver no paraíso — silenciosa e tranquila.

Apesar da minha felicidade ávida, sinto sua falta. Sinto terrivelmente a sua falta. Sinto saudades de Odessa, do nosso apartamento aconchegante. Sinto saudades do meu emprego. Sinto falta de me sentir inteligente e importante. Sinto falta até de David. Mais do que tudo, eu quero ir para casa. Percebi que a felicidade verdadeira vem de estar com as pessoas que você ama. Todas as coisas que achei que me fariam feliz — comida entregue em casa, carteira de motorista, uma casa — não significam muito se

PUXEI OUTRA FOLHA, COPIEI O primeiro parágrafo e então assinei, *Com amor e saudades, Dasha*. Eu havia me juntado às fileiras de imigrantes batalhadores que escrevem para casa sobre as ruas dos Estados Unidos pavimentadas de ouro. Lenin disse que tudo que reluz não é ouro. Como ele estava certo.

Quanto mais queria contar a verdade para Boba, mais eu mentia. E aqui está o maior pecado odessano: eu nem era original — roubei detalhes de cartas escritas pelas clientes da Uniões Soviéticas. Ele é o marido perfeito. A vida no país já é como viver no paraíso. Por que eu não lera entre as linhas do que as nossas garotas haviam escrito? Como pudera ser tão cega? Talvez eu pudesse falar com algumas delas aqui nos Estados Unidos.

"Quais são os nossos direitos? E nós?" As palavras da Oksana me assombravam. Quais são os nossos direitos? Liguei para algumas das meninas que eu havia ajudado e elas me contaram suas experiências. Algumas eram felizes, outras não, mas todas diziam as mesmas coisas. Uma delas tinha até reunido um documento chamado *Conseguindo o amor que você merece: encontrando e se casando com uma mulher russa* disponível na internet por apenas 49,99 dólares. Ela me enviou uma cópia como agradecimento por ter traduzido para ela. Eu li rapidamente as páginas — preparação de documentos, espera, impressões digitais, espera, entrevista, espera, ajuste de estado civil, espera, Green Card. Ela não cobria direitos ou deportação. Oksana ficou felicíssima em saber que estava prestes a se tornar uma cidadã permanente, com ou sem o Jerry. Eu percebi que ainda não estava nem na metade do caminho.

Continuei a lutar contra a estática e as linhas cruzadas para falar com Boba todo domingo. Infelizmente, Tristan havia se tornado mais uma coisa contra a qual eu lutava. Ele ficava na minha frente e apontava para o relógio. Cada vez mais eu fantasiava sobre ir para casa, mesmo que só para uma visita. Eu queria ver a Boba. Mas só havia uma maneira de eu poder pagar uma passagem. O anel. Minha mão voou para o meu peito.

Talvez a curandeira estivesse certa.

Depois que desliguei, Tristan pegou a minha mão.

— Não estou tentando magoá-la — ele disse. — Só estou lhe dizendo que não podemos pagar. O dinheiro anda bem curto. Eu não lhe contei, mas aquela viagem para São Francisco custou mais de 500 dólares. Uma ligação de dez minutos para a Ucrânia custa 40 dólares. Pode por favor tentar falar menos? Estamos realmente com problemas em relação a dinheiro.

— Posso tentar — eu disse. — Só sinto saudades da minha Boba.

— Sei disso. — Ele me tomou nos braços e beijou minha têmpora.

Na manhã de segunda-feira, no segundo em que ele saiu, eu liguei para o meu velho número. Eu precisava desse telefonema. Precisava ouvir a voz de Boba. Pela primeira vez, a linha estava boa.

— Conte-me sobre a sua mãe, Boba.

— Mamãe era uma beldade, mas, depois que ficou viúva, nunca mais se casou. Isso significava que éramos pobres, porque só tínhamos um salário. Fui trabalhar na fábrica quando tinha 16 anos. A vida era dura naquela época. Estávamos sempre em dificuldades, sempre com fome. Minha irmã Stasia e eu pescávamos com barbante e um pedaço de arame como anzol. Sempre ficávamos orgulhosas quando pegávamos alguma coisa. — Boba e eu falamos durante horas, como quando eu estava em casa, na nossa cozinha. Só que desta vez ela falou e eu ouvi.

— Boba, uma coisa que nunca entendi a respeito de religião... — Eu não sabia exatamente o que estava perguntando. Talvez como ela passara de judia para ucraniana em Odessa. Talvez o porquê. Talvez quem ela era. Talvez quem eu era.

Ela suspirou.

— Por onde começar, minha flor? Meu amigo Izia e eu entramos na fábrica no mesmo dia. Nós trabalhávamos perto um do outro, os únicos judeus no lugar. Ele se apaixonou por uma garota chamada Inna. Os pais dele não ficaram felizes com isso, mas foi logo depois da guerra. Todo mundo havia perdido alguém, todo mundo estava com fome, todo mundo estava sofrendo. Permitiram que ele se casasse com sua *ukrainka*. Casamentos eram simples naqueles dias: as famílias não tinham dinheiro para alimentar muitos convidados. Ele se casou no sábado e voltou ao trabalho na terça-feira. Só que Izia agora se chamava Igor e havia adotado o sobrenome de sua esposa.

"Ele não foi o único. Foi assim que eu soube que era possível mudar os documentos. Izia e eu trabalhamos juntos a vida toda. Ele ficou tristíssimo por minha filha brilhante não ter o direito de ir para a faculdade porque era judia. Ouviu eu me gabar do quanto você era inteligente e sugeriu que mudasse meus documentos para que você tivesse essa oportunidade. A prima da esposa dele, a que havia alterado seus documentos, se aposentaria em uma semana. Ela faria o trabalho por mil rublos; Izia se ofereceu para pagar a metade. Não tive tempo para pensar. Você ainda era jovem, mas eu queria que tivesse oportunidades. Talvez eu estivesse errada. Sei lá. Mas você foi para a faculdade e tirou um diploma."

— Mas você acredita, Boba? No que você acredita?

— Acreditar?

Silêncio.

Ela ouvira a minha pergunta? Ou não queria responder? Eu devia deixar para lá?

— Como foi crescer judia? — tentei novamente.

— Minha irmã e eu não tivemos nenhuma educação religiosa. Nem as nossas amigas. Talvez se fôssemos garotos tivesse sido diferente. Eu não pensava em religião ou fé. Não era algo que discutíssemos. Mamãe era reservada e Stasia e eu só podíamos respeitar seus sentimentos.

— E você, Boba? E quanto a você?

— Talvez nos Estados Unidos seja diferente — ela falou com a voz baixa, quase um rosnado. — Talvez aí você seja norte-americana primeiro e judeu em segundo lugar. Aqui você não é judeu *e* ucraniano, você é um ou outro. Eu nasci aqui, mas não era considerada ucraniana, não era considerada cidadã. Não até mudar nossos documentos. É o que eu penso. Por isso eu queria que você fosse embora desse hospício para sempre. Não a quero cercada por gente como a Olga, que sorri na sua frente e a apunhala pelas costas no momento em que você se vira.

— E as imagens? Por que você tem tantas? — pressionei. Eu nunca mais queria pensar na Olga.

— Ah, as imagens — ela falou, a voz endurecendo. — Eu não contei a ninguém sobre ter alterado nossos documentos. Mas as pessoas descobriram. Odessa é como um vilarejo. Uma noite, quando cheguei em casa do trabalho, havia um pacotinho na frente da porta. Eu o peguei e o levei para dentro. Era uma imagem, um quadradinho de madeira com uma santa pintada. Seu rosto era tão calmo e sereno. Havia palavras em eslavo antigo pintadas no canto inferior esquerdo. A pessoa o colocou no patamar da mesma forma como se penduraria alho na porta do Drácula. Como uma advertência ou uma reprimenda, como que para dizer

Sei tudo sobre você. Mas não foi assim que eu o recebi. Olhei a beleza fria da santa e pensei "ela sabe alguma coisa sobre sofrer, sobre perda", e a coloquei em um lugar de destaque na nossa estante. Outra e mais outra chegaram, normalmente com uma mensagem. Mentirosa. Hipócrita. Fraude. Quem as deixou eu não sei. Só sei que olhar para aqueles rostos me tranquilizava. E agora eles me lembram por que eu queria que você fosse embora deste lugar.

Como eu podia dizer para Boba que queria voltar para casa?

Um mês depois, quando recebeu a conta de telefone, Tristan bateu com ela na bancada da cozinha. *Hide-hid-hiden.*[1]

— Como você pôde? — ele berrou. — Eu lhe disse que não temos dinheiro e você liga ainda mais pelas minhas costas? Uma conta de 400 dólares! Isso é o dobro do normal. Meu Deus! Você é maluca. Ou burra. Não sei qual dos dois. Eu não entendo. — *Leave-left-left.*[2]

Ele bateu com um papel depois do outro em cima da bancada. Extratos bancários. Todos no vermelho. Contas de telefone quando ainda estava me cortejando. Faturas de cartão de crédito.

— Ligações para a Ucrânia. Passagens de avião para Budapeste, a minha e a sua; restaurantes e o hotel. O laptop e a passagem para Odessa. Sua passagem de Odessa para São Francisco.

Ele gastara milhares de dólares. Antes mesmo de nos conhecermos. É claro que eu sabia que ele pagara muito por mim, mas ver minha dívida ali, preto no branco... Fiquei de pé, perplexa e doente com a noção de que eu nunca poderia pagar tudo que devia.

— Você me deixou completamente duro. Tive que pegar dinheiro emprestado com Hal depois de estourar meus cartões de crédito. Não há mais dinheiro para pagar as porras das suas contas de telefone. Ou suas visitas de 500 dólares para São Francisco. Hotéis custam dinheiro. Gasolina custa dinheiro. Nós estamos falidos. Sabe o que isso significa?

Eu assenti.

---

[1] Esconder-escondeu-escondido. *(N. da T.)*

[2] Sair-saiu-saído. *(N. da T.)*

— Abri mão de muita coisa para trazê-la para cá, agora é a sua vez de se sacrificar. Eu sei que não é o emprego dos sonhos de ninguém, mas eles precisam de assistentes de enfermeira em Paloma. Estão sempre procurando atendentes no café. Se vamos ter uma família, precisamos economizar.

Ele pegou no meu queixo.

— Chega de telefonemas, certo?

Quando ele saiu para trabalhar na manhã seguinte, eu liguei para David em sua linha direta. *Tell-told-told.*[1] Não sei por que fiz isso. Talvez eu *fosse* maluca.

— Estou ouvindo — David atendeu alegremente, como um odessano. Uma palavra. *Slushiyou.* Isso me surpreendeu. Senti um momento de orgulho. Ele estava se adaptando. Ele gostava do nosso idioma. — *Slushiyou* — ele repetiu.

Eu não disse nada. Também estava ouvindo.

— Quem é? Como conseguiu o meu número? — ele rosnou em inglês.

Eu suspirei.

— David.

Eu não podia evitar; sentia falta dele.

— Daria? — ele sussurrou. — É você? — Lágrimas rolaram pelas minhas bochechas. — Daria, onde quer que você esteja, volte para casa.

Eu solucei.

— Precisa de dinheiro? Posso mandar para você, se me disser onde está. Volte para casa. Estou com saudades. Eu preciso de você.

Casa. Saudades. Preciso de você. Eu desliguei, temendo que, se não o fizesse, eu repetiria suas palavras. Tristan estava certo — eu precisava conseguir um emprego, algo para fazer antes que ficasse ainda mais louca. Saí de casa, sabendo que, se ficasse perto do telefone, discaria o número dele novamente e lhe contaria tudo.

Eu não podia mais ficar em casa. Havia limpado todas as superfícies, incluindo as janelas, várias vezes. Cozinhara todas as receitas do

[1] Dizer-disse-dito. *(N. da T.)*

livro *Pouca gordura e muito sabor.* Eu assistira todos os filmes dele (*Duro de matar* I, II, III; *Guerra nas estrelas* I, II, III; *Indiana Jones* I, II, III; *Rambo* I, II, III; *Rocky, o Lutador* I, II, III, IV), lera meus livros dezenas de vezes. Fiquei andando de um lado para o outro. Escrevi *Querida Jane, perdoe-me pelo meu silêncio. Você estava tão certa e eu tão errada e eu simplesmente não queria admitir.* Depois rasguei a carta, a joguei na lareira e a observei queimar.

Jane escrevera para as universidades mais próximas pedindo informações sobre cursos de mestrado; eu examinei catálogos de Berkeley e Stanford, tocando as páginas lisas e brilhantes de alunos felizes. Mas se não tínhamos dinheiro para pagar a conta de telefone, como poderíamos pagar por educação? Mesmo que eu conseguisse empréstimos e bolsas, como Jane falara, ele jamais me deixaria sair de sua vista.

Andei até o único café da cidade antes de dar mais algum telefonema insano.

Era um lugar escuro. Paredes forradas e tapete escuro e cheirava como se o cozinheiro tivesse feito frango frito durante uns bons trinta anos. O homem atrás da caixa registradora usava jeans mastigados e camiseta e tinha cabelo comprido e um bigode que descia pelos lados. Quando sorriu, percebi que tinha mais tatuagens do que dentes. Perguntei a ele com quem eu devia falar para arrumar um emprego.

— Eu sou o proprietário — ele falou. — Meu nome é Skeet.

Os norte-americanos frequentemente fazem perguntas impertinentes. Eu adorava isso. Estava ansiosa para fazê-lo.

— Skeet é diminutivo de quê?

— George. — Ele deu uma gargalhada e me entregou uma ficha de inscrição.

Eu a preenchi, pedindo para trabalhar à noite. Enquanto a derrota se derramava sobre mim, fiz o que Boba teria instruído — procurei o lado positivo. O emprego me daria espaço para respirar, me daria uma renda. Não me deixei ficar ressentida com a cidadezinha. Não lembrei a mim mesma de que havia um motivo para não ter encontrado Emerson no mapa, que só uma idiota não olha antes de pular. Fui ao banheiro para vestir o uniforme marrom manchado de suor que ele me entregou.

E senti meus sonhos de infância morrerem. Aguente firme, falei para o meu reflexo. Um emprego é um emprego. Dinheiro é dinheiro. Você está nos Estados Unidos. Era o que você queria.

Skeet me ensinou a anotar os pedidos e a carregar cinco pratos ao mesmo tempo.

— É um trabalho pesado. Você tem que ser forte.

Eu era forte. Eu podia fazer aquilo.

Fui para casa e contei a novidade para Tristan.

Ser garçonete não era tão ruim. Eu gostava de conversar e brincar com os clientes. Fui me acostumando ao trabalho e até o antecipava. Ele me tirava de casa. É claro que, depois do primeiro dia, eu nunca comia no restaurante. Nunca. A salada ensacada tinha gosto de formaldeído. As batatas eram compradas já descascadas e fervidas. Onde? E por quem? Os cozinheiros colocavam os bifes de molho em grandes tinas de maionese para amaciá-los. Eles preparavam uma grande travessa de lasanha e a deixavam na geladeira durante semanas. E eu vi Skeet derrubar uma torrada com manteiga no chão, pegá-la e colocá-la de volta no prato.

O nome do cozinheiro era Raymond. Ele trabalhava dois turnos porque sua esposa estava doente e eles não tinham seguro para cobrir os remédios dela. O lavador de louças da noite era um aluno do ensino médio chamado Rocky. Ele adorava sua caminhonete, a aula de marcenaria e uma garota chamada Pamela Anderson.

Eu adorava essa sensação quando estava com norte-americanos. Eles diziam qualquer coisa, absolutamente qualquer coisa. Até detalhes íntimos de suas vidas. Em uma noite pouco movimentada no restaurante, conversei com a Pam, outra garçonete. Ela usava o mesmo uniforme que eu, um vestido de poliéster na altura dos joelhos com um grande colarinho branco. Logo de início, ela me disse que havia passado por um divórcio ruim (o que me fez imaginar se havia algo como um divórcio bom) e precisava de um lugar para "se recuperar". Tinha cerca de 30 anos e olhos com a parte branca aquosa, que na realidade era cor-de-rosa — Pam me assustava um pouco, porque parecia tão triste que eu achava que ela ia cair em prantos.

— Então, de onde você vem? Você fala de um jeito engraçado.

Eu não via o que era engraçado, mas respondi "Rússia" porque ninguém aqui conhecia ou se importava com a Ucrânia. Continuei a tirar molho para salada do balde branco com a concha e colocá-lo nas garrafas. Ela encheu os saleiros.

— Bem, você parece metida.

Eu dei de ombros. Não podia fazer nada em relação a isso.

Ela olhou para as minhas mãos.

— Então você é casada?

Eu assenti.

— Tem filhos?

Balancei a cabeça.

— Eu tenho dois — ela falou. — Simplesmente aconteceu. Não sei o que estava pensando. Eu devia ter feito como você e esperado.

Parecia que ela estava realmente me dizendo que se arrependia de ter tido filhos.

— Então, há quanto tempo você é casada? — ela perguntou.

— Nove meses.

— Soube que ele vem aqui.

— Isso aí — eu falei, experimentando uma expressão nova que ouvia as pessoas usando o tempo todo.

Eu tivera uma semana de liberdade no trabalho à noite. Aí ele veio "só para ver como estão as coisas". Pediu uma Coca, eu o servi e ele ficou sentado ali por uma hora, só me observando. Ele veio na noite seguinte e na seguinte e na seguinte e olhava ameaçadoramente para todo mundo que falava comigo. Nesses momentos, eu o odiava.

— Acha que ele virá esta noite? — ela perguntou. Ela começou a encher as pimenteiras.

Como eu queria ter coragem de dizer "Deus, espero que não". Mas permaneci em silêncio.

Ela me cutucou e piscou.

— Então, como é a sua vida sexual?

Eu queria conversar "casualmente" como uma verdadeira norte-americana, usar frases como "você não sabe porra nenhuma" ou "ela trabalha que nem uma condenada". Mais do que isso, eu queria ser sincera e direta como eles. Queria dizer a ela o que era incapaz de dizer a Jane, de dizer a mim mesma. Fechei os olhos e reuni coragem para ser sincera sobre apenas uma coisa, então a olhei bem nos olhos e falei:

— É um saco. Um saco mesmo.

Eu tinha um emprego e dinheiro e paguei a conta de telefone mas, quando ligava para qualquer um, até para a Molly, ele aumentava o volume da televisão para que eu mal pudesse escutar. Ele odiava me ouvir falar em russo com Boba porque não podia entender. Paranoico, ele achava que estávamos falando dele. Até parece. Nós falávamos de tudo, menos dele. Boba descrevia o borscht que havia feito naquela semana ou o mel cor de âmbar que comprara no mercado. Minha boca enchia d'água enquanto eu imaginava esses sabores de casa. Ela dizia que ainda não recebera uma única conta de telefone. Quando ligava para o escritório da telefônica, o atendente insistia que já havia sido paga. Como podia ser? Ela dizia:

— Pela primeira vez estão cometendo um engano a meu favor, não vou questionar.

— Ainda está ao telefone? — ele rosnou.

Shrink-shrank-shrunk.[1]

— Por que ele está sempre resmungando? — Boba perguntou. – Ele foi tão gentil em Odessa... Era tudo fachada?

Ah, Boba, você não faz ideia. Coloquei minha mão em cima do bocal e falei:

— Quer por favor me deixar falar com a minha avó?

— Está falando há vinte minutos, são 80 dólares. Já chega. — Ele agarrou o fone da minha mão e o bateu.

— Seu... seu monstro! — falei, confusa. — Tenho meu próprio dinheiro, posso fazer o que quiser.

Ele ficou parado ali, surpreso.

— S-sinto muito — ele disse.

---

[1] Encolher-encolheu-encolhido. *(N. da T.)*

O telefone tocou. E tocou. Ficamos olhando para ele. Finalmente, eu o atendi. Era Boba. Eu lhe dera o número para o caso de uma emergência, mas nunca esperara que ela o usasse — ligar da Ucrânia era terrivelmente caro. Um minuto custava um quinto de sua pensão mensal.

— A ligação deve ter caído. Você sabe como são as linhas telefônicas.

— Eu sei como são as linhas telefônicas — ela repetiu em um tom de voz de quem sabia exatamente o que havia acontecido. — Flor, talvez você deva voltar para casa. Talvez eu estivesse errada em lhe dizer para ir para os Estados Unidos...

— Estou bem, Boba. Eu não lhe diria se estivesse sofrendo? Isso está custando caro. Vamos nos despedir, até a semana que vem. — Desliguei o telefone.

— Sinto muito — Tristan choramingou. — Desculpe, desculpe. Eu te amo. Eu te amo.

— Quer me deixar sozinha, porra? — eu gritei, falando o que pensava como uma verdadeira mulher norte-americana. Agarrei minha cópia de *Anna Karênina* e me refugiei no banheiro — o único aposento com tranca. Fiquei lá a tarde toda, deitada em uma toalha dentro da banheira, lendo. Como sempre, Tolstoi falou diretamente comigo desde a primeira página. "... não fazia sentido morarem juntos e que pessoas que se encontram acidentalmente em qualquer hospedaria tenham mais ligação uma com a outra do que eles..." O que fazer? Como o pobre Oblonsky; eu imaginei mais uma vez todos os detalhes da minha discussão com Tristan, o desespero da minha posição e, o mais doloroso de tudo, a minha própria culpa.

E ainda assim... Como ele ousa desligar na cara da minha avó? Boba estava certa. Ele fora tão gentil. Naquela época. E agora... Agora eu não queria olhar para ele. Eu não queria tocá-lo, nem mesmo acidentalmente durante o sono. Eu dormiria em outro quarto. Seria um alívio. Eu odiava como seu esperma leitoso saía do meu corpo, como na maioria das noites eu ia dormir com um absorvente entre as pernas para absorver sua sujeira.

Fiz a cama no escritório e me deitei lá, ao lado do berço vazio. À meia-noite, ele abriu a porta de supetão e acendeu a luz.

— Você vem para a cama?

Estreitei o olhar na direção dele.

— Eu estou na cama.

Ele bateu a porta.

No trabalho no dia seguinte, pedi para os rapazes que trabalhavam comigo colocarem um trinco na porta do escritório. Tristan trouxe para casa seis rosas murchas como oferta de paz. Eu as enfiei pelo triturador de lixo. Nunca fiquei tão feliz em ter um aparelho elétrico moderno.

Seguindo as relações iniciais da guerra fria entre União Soviética e Estados Unidos, nós não brigamos, não gritamos. Nós simplesmente não nos falamos. Depois de seis noites dormindo no escritório com a porta trancada, Tristan veio até mim enquanto eu estava à bancada da cozinha fazendo uma alcatra assada para ele, compota de maçã para mim. Eu me arrepiei de raiva e ele se aproximou furtivamente, como um cachorro que havia desagradado seu dono. Ele colocou sua última oferta de paz na bancada, *Homens são de Marte, mulheres são de Vênus*. Havia escolhido o gesto certo. Livros sempre me agradavam. O jantar foi um evento sombrio no qual nós não conversamos, o único som era ele mastigando e seus talheres raspando o prato conforme ele cortava a carne. Depois do jantar, peguei o livro e comecei a ler. Homens são diferentes. Têm necessidades diferentes. *Nu, da*. Ora, dã. Entre a última página e a contracapa, eu encontrei uma carta.

Queridíssima Daria,

Não escrevemos um para o outro desde que você veio para a Califórnia. Sinto saudades das suas cartas. Elas me diziam exatamente como você se sentia. E, quando eu escrevia, pensava no que ia dizer antecipadamente. Agora, eu digo e faço coisas sem pensar em como isso afetará você. Talvez eu devesse voltar a escrever cartas.

Cometi muitos erros desde que você chegou aqui. Sinto tanto por ter desligado na cara da sua avó. Foi a pior coisa que eu já fiz. Eu devia entender como falar com ela é importante. Eu devia ter sido mais compreensivo. Você e ela deviam ter condições de conversar o quanto quiserem, quando quiserem. Vou trabalhar mais horas para você poder conversar mais com ela.

Espero que você possa me perdoar por ser tão idiota. Eu a amo mais do que tudo, mais do que qualquer um com todo o meu coração e toda a minha alma, e mais do que qualquer coisa quero viver com você como marido e mulher, começar uma família, ter uma família de verdade com você. Você é a mulher mais linda do mundo, e, quando estou com você, eu finalmente sinto que sou alguém.

Seu marido amoroso, Tristan

Abri a porta do escritório. Quando ele me tomou nos braços, só senti pena e exaustão. Mas esses sentimentos unem tanto quanto o amor. Ele me conduziu para o quarto. Seus olhos estavam solenes e ele queria conversar sobre o assunto de novo. Eu não tinha o menor desejo de fazer isso. Quando ele abriu a boca para pedir desculpas novamente, eu perguntei:

— Como você me encontrou?

Ele olhou para mim, com lágrimas enchendo seus olhos.

— Tudo começou na reunião de vinte anos da minha turma de ensino médio. Um amigo meu tinha uma esposa filipina. Ela era muito bonita e jovem. Não falava uma palavra de inglês e olhava para ele como um cachorrinho apaixonado. Ela havia chegado um mês antes. Nós todos pensamos que ele não queria estar solteiro na reunião, e por isso arrumou uma esposa. Perguntei a ele a respeito e ele disse que era fácil, que havia dúzias de sites de namoro e milhares de mulheres procurando um cara decente. Quando leu o que a Amelia escreveu e viu a foto dela, ele decidiu que ela era a garota certa.

— Amelia não parece um nome asiático — eu falei.

— Na verdade, ela o mudou. Seu nome verdadeiro era impronunciável.

Mais ou menos como Daria, pensei para mim mesma.

— Como era a aparência dela? O que ela disse?

— Ela era baixinha e bonita. Em seu perfil, ela escreveu... bem, alguém traduziu o que ela falou, porque ela mal sabe duas palavras de inglês. Ela escreveu que era uma moça tradicional que queria um lar, um marido e filhos. Não precisava de muito dinheiro, só queria gentileza e respeito. Ele foi e a pegou. Bem, isso me deu a ideia. Se ele podia fazer isso, por que eu não podia? Ele é só um cara comum como eu, mas tem uma esposa sexy vinte anos mais nova do que ele. Achei que eu teria mais em comum com uma mulher europeia, então olhei nos sites russos. Alguns tinham mais de oitocentas moças. Era espantoso. Olhei as da minha idade e elas pareciam dez anos mais velhas do que eu...

É verdade que as nossas mulheres têm tanto trabalho e tantas preocupações que envelhecem rápido.

— Então olhei as mais novas. Moças tão lindas que eu nunca poderia ter alguma coisa com elas nos Estados Unidos. Era, tipo, uau...

— Uau?

— Simplesmente não parecia certo. Olhar para aquelas fotos. Achei que me tornava desesperado e maluco. Então eu parei.

Isso me reconfortou. Ele se sentiu do mesmo jeito que eu. Peguei a mão dele nas minhas.

— Mas então o inverno chegou e eu me sentia tão solitário que achei que ia morrer, e daí comecei a procurar novamente. Não há mulheres solteiras em Emerson. Parecia que todas as garotas tinham um cara, sabe? Todo mundo da minha idade é casado e todo mundo mais novo vai embora da cidade para melhorar de vida. Então comecei a procurar na internet de novo e planejei uma viagem para São Petersburgo.

— Você foi à Rússia? — O alarme tocou. Ele me dissera que nunca havia viajado antes. Isso também era mentira?

— Não, não — ele falou rapidamente. — Eu amarelei.

— Amarelou?

— Eu me acovardei. Fiquei com medo.

— Ah.

— Aí, vi o site da Uniões Soviéticas. Você estava nas fotos das sociais, mas não na seção de perfis, então achei que você trabalhava lá. A forma como sorria... você simplesmente reluzia. Eu queria ser feliz assim. Provavelmente parece idiota, mas a impressão que eu tinha era de que você estava olhando para mim. Como se os seus olhos encontrassem os meus. Como se houvesse uma ligação. Como se você quisesse me conhecer. Dei o número do meu cartão de crédito e criei um perfil no site, como as garotas faziam. Eu esperava que você o visse, que sentisse a mesma ligação e me contatasse. Foi isso que aconteceu?

— Minha chefe pediu para eu me corresponder com alguém. Escolhi você.

Senti uma pontada. Eu sentia falta de Valentina e de sua atitude direta e perspicaz. Por que eu havia me afastado de todo mundo? Se contasse a ela sobre a minha situação, o que ela aconselharia? *Leve-o para acampar, onde os vizinhos não estão tão perto e tenha um pedaço grande de madeira nas mãos...*

— Você me escolheu? — A voz dele estava admirada, como se ele nunca tivesse sido a primeira opção. — Por quê?

Eu não podia dizer a ele que estava chateada e não queria ninguém, e que Valentina o havia escolhido. Roubei uma frase comum dos casais nas nossas sociais.

— Você tinha os olhos mais gentis.

— Aaaaah. — A mão dele se esticou e ele massageou o meu quadril como se fosse massa dura de pão. Não senti nenhuma química, nenhuma fagulha. Amaldiçoei o Vlad. Se eu nunca tivesse estado com ele, talvez ficasse satisfeita com os beijos molhados do Tristan e suas tentativas desajeitadas de fazer amor. Disse a mim mesma que era uma benção Tristan não ser um amante habilidoso — significava que ele não era um galinha. Que sexo bom não significava nada. Mas não acreditei em minhas próprias palavras. Eu queria mãos fortes, sensuais. Tentara mostrar a Tristan o que eu queria mas, como sempre, ele continuou com sua própria repetição de movimentos. Eu fechava os olhos e me preparava para o abate. Toda vez era a mesma coisa. Sua língua girava na minha boca como um catavento. Aí ele sussurrava "Eu te amo". O efeito ia por água abaixo quando ele enfiava a língua de volta no meu ouvido, como se para impedir que as palavras rastejassem para fora. Eu tentava me afastar um pouco, mas ele me puxava mais para perto. Desta vez, eu girei de forma que os meus seios estivessem esmagados contra o colchão, minha cabeça torcida para longe dele. Minhas pernas estavam emaranhadas nos lençóis de flanela e meu traseiro estava ligeiramente levantado enquanto eu tentava deslizar para a frente e para longe, como uma lagarta.

— Então é assim que você quer fazer — ele falou, e enfiou dentro de mim. Olhei para a cabeceira de pinho e comecei a contar. Estava acabado no oito.

Capítulo 22

Querida Boba,
Espero que você esteja bem. Eu estou

O TELEFONE TOCOU; EU NÃO havia nem terminado a palavra alô quando ouvi:

— Daria, é você? Será que finalmente a encontrei? Você está nos Estados Unidos, mas onde? Não reconheço o código de área.

Lágrimas encheram os meus olhos. Eu não queria dizer a ele. E, de qualquer modo, parecia ridículo. Perdida. Nos Estados Unidos.

— Precisa de ajuda? Algum dia vai voltar para casa?

Tentei não chorar.

— Estou com saudades. Precisamos de você aqui. Vlad está fungando no meu cangote, as taxas vivem subindo no cais e Vita e Vera transformaram a vida da sua substituta em um inferno. Se você estivesse aqui, sei que aqueles malditos inspetores não ousariam aumentar suas "tarifas". Você poderia controlar Vita e Vera. Você poderia tirar Vlad do meu pé.

Fazia tanto tempo que eu não tinha qualquer lembrança do que eu havia sido: uma garota audaciosa e inteligente. Eu não podia responder a nenhuma das coisas que ele falou. Bile, muco e sangue martelavam juntos. Minha garganta se contraiu. Meu queixo tremeu. Eu lutei para recuperar o controle.

— Como você chegou aos Estados Unidos?

Soluço.

— Por favor, me diga que não se casou com um daqueles fracassados das suas sociais.

Soluço. Fungada.

— Você casou. Não posso acreditar — ele suspirou. — Eu não lhe disse que eles eram esquisitões patéticos que não conseguiam arrumar uma esposa em seus próprios países? Por que você não me escutou?

Eu solucei. E solucei. Era bom que alguém soubesse da verdade. Que eu não tivesse que dizer uma palavra. Se ele tivesse demonstrado qualquer solidariedade com minhas lágrimas, eu teria morrido. Em vez disso, e adequadamente, ele fingiu que não havia nada errado, que eu não estava aos prantos do outro lado da linha. Ele começou a falar sobre Odessa: o clima (perfeito, é claro. Afinal, era Odessa), a ópera à qual ele assistira na noite anterior, os monumentos em construção no centro da cidade. Esses detalhes e o som da voz dele me acalmaram e eu pude finalmente responder com uma fungada.

— Nenhuma cidade no mundo tem mais monumentos do que Odessa.

— Eu sei — ele falou. — Você me disse isso dez vezes. Também me disse que o teatro da ópera de Odessa é o terceiro mais bonito do mundo depois do de Sydney e Timbuktu.

Eu ri.

— O que posso dizer? Nós, odessanos, temos orgulho da nossa cidade.

Era tão fácil falar sobre Odessa. Eu estava mortificada por ele saber, aliviada por não ter que explicar. Ele também não contou nada sobre sua vida. Conforme ele falava, minhas lágrimas secaram e eu me senti feliz pela primeira vez em meses. Finalmente, reuni coragem e disse:

— Como conseguiu este número?

— O que você acha? Eu o roubei.

Eu sorri. Ele era realmente um odessano

— Eu sabia que a sua avó ligaria para você. Venho roubando as contas de telefone dela há meses, esperando. E ela finalmente ligou — ele parecia muito orgulhoso de seu ser intrépido

— Fico feliz por não ter desistido.

— Estava prestes a desistir. Eu me sentia ridículo parado na entrada do seu pátio, esperando o carteiro passar, evitando vizinhos intrometidos, e arrombando a caixa de correio da sua avó com um canivete. Mas, depois do seu telefonema, eu sabia que você precisava de um amigo.

— Mais do que nunca.

— Ninguém sabe onde você está. Por que não disse a ninguém que estava indo embora de vez? Por que não escreve para Valentina ou para algumas de suas outras amigas?

— Você tem razão. Não sei o que eu estava pensando. Medo de estragar tudo, eu acho.

— Vocês, odessanos, e suas superstições.

— Não podemos fazer nada.

— Você parece tão infeliz. Não há nada que eu possa fazer?

Eu suspirei. *Volte o tempo. Consiga um Green Card para mim, para que eu possa arrumar um emprego em São Francisco. Ofereça-me meu antigo emprego em Odessa. Encontre alguém para matar o Tristan.*

— Pode mesmo ouvir que estou infeliz? — eu odiava soar patética. Odiava que ele pudesse realmente ouvir que eu estava triste.

— Só porque eu a conheço. Sua Boba não falou nada?

— Não, mas eu escondo tudo dela.

— Como assim, "esconde tudo"?

— Com Vita e Vera, é preciso se defender. Diga isso para a sua nova secretária. Diga a ela para gritar que elas não são nada além de um monstro cor-de-rosa com duas cabeças e um cérebro sempre que começarem a perturbá-la. Se fizer um escândalo na frente dos colegas de trabalho, elas vão desistir.

— O que você está escondendo?

— Ameace um inspetor do cais. Diga que, se a companhia fizer reclamações suficientes, ele será demitido. Lembre-o de que há dúzias de pessoas fazendo fila sob a sombra dele, só esperando uma chance de conseguir seu emprego bem remunerado.

— O que você quis dizer?

— Diga ao Vlad que você não pode se concentrar em ganhar dinheiro e gerir um negócio com ele bufando no seu cangote. Diga-lhe que, se você tiver o espaço que precisa, ele terá resultados.

— Não vai me contar?

— Não me faça contar tudo — sussurrei. — Tudo o que imaginou é verdade.

— Você não vai me deixar ajudá-la?

Eu não falei nada.

— Diga-me o que fazer e eu farei — ele falou com voz rouca. — Diga-me do que precisa e conseguirei para você. Você sabe que eu faria qualquer coisa por você.

Fechei os olhos. Eu queria ajuda. Precisava de ajuda. Mas não queria mais nenhuma dívida.

— Tenho que desligar. — Comecei a abaixar o fone.

— Espere — eu o ouvi gritar. — Vlad ainda pergunta por você. Ele vem aqui o tempo todo. Acha que eu sei onde você está. Ele colocou Odessa e Kiev de cabeça para baixo procurando por você. Ouvi dizer que colocou alguém para seguir sua Boba. Você devia dar uma pista para ele.

Imaginei Vlad louco de amor por mim, miserável depois de ter gasto seus milhões procurando por mim, crivado de raiva por si mesmo, não, de ódio por si mesmo, por ter deixado a melhor coisa da sua vida escapar. Eu o imaginei de joelhos diante de mim novamente.

— Por que eu me importaria com o Vlad? — perguntei. — Além disso, eu sou casada.

— E daí?

E daí.

Dobrei a primeira página da seção de biologia marinha do catálogo da Universidade da Califórnia, coloquei-a em um envelope de papel pardo e a mandei para Vlad sem nenhum bilhete, nenhum remetente — só o carimbo de Emerson. Esse ato simples me deu um prazer tão perverso. Imaginei que estava de algum modo traindo Tristan e torturando Vlad.

Como iria saber que, um mês depois, indo para o trabalho, encontraria um Mercedes preto com vidros escuros estacionado na frente do café? Havia uma multa no para-brisa, pois o carro estava estacionado em uma vaga para deficientes. Talvez o motorista fosse um oligarca rico que não se importava com os outros. Ou talvez fosse de um país onde não havia vagas para deficientes ou filas prioritárias para gestantes. Vlad? Não, não podia ser. Podia? Ajeitei o cabelo, só para garantir. Não, não podia ser. Mas como eu esperava que fosse ele.

Comme la vie est lente
Et comme l'Espérance est violente

Sim, a vida é lenta e a esperança é violenta. Não podia ser ele. Coloquei a mão no meu anel — no anel dele, no meu coração. *Beat-beat-beaten.*[1] Entrei no café. Vlad estava sentado em uma das cadeiras de metal de frente para a porta. *Shake-shook-shaken.*[2] Ele ficou de pé quando me viu. Em vez de seu uniforme todo preto, ele usava jeans e uma camisa de Oxford. Ele viera. Apesar dessa distância toda. Certamente isso significava alguma coisa. Eu significava alguma coisa para ele. A esperança estraçalhou o meu corpo. *Sing-sang-sung.*[3] Ele ficou olhando para mim, absorvendo meu rosto, meu uniforme de poliéster marrom, minhas meias brancas e tênis. Tudo o que ele disse foi "*Nyet*".

Ele estava ali. Meu coração se alegrou enquanto meu orgulho chafurdava.

— *Da.* — Olhei para os meus tênis. Em Odessa eu tinha tantos sapatos de salto alto bonitos. Em Odessa, eu fora alguém importante. Ali, não era ninguém. Meu único consolo era que ninguém testemunhara a minha decaída. Agora a única pessoa que eu não queria que me visse assim estava aqui. Ali! Ele estava ali! Mordi os lábios. Emoções se confundiram como flocos de neve caindo em uma nevasca sobre as ruas de Odessa. Tímida, esperançosa, assustada, lisonjeada, emocionada, envergonhada. Vai ficar tudo bem. Vai ficar tudo bem. *Fling-flang-flung.*[4]

---

[1] Bater-bateu-batido. *(N. da T.)*
[2] Tremer-tremeu-tremido. *(N. da T.)*
[3] Cantar-cantou-cantado. *(N. da T.)*
[4] Lançar-lançou-lançado. *(N. da T.)*

Enfiei uma mecha de cabelo atrás da orelha. E não podia pensar em absolutamente nada para dizer.

— Quando o homem no supermercado disse que você trabalhava aqui, eu presumi que fosse a contadora.

Meu queixo se ergueu e ele riu.

— Não fique ofendida, minha querida. Não me importa qual é a sua profissão.

— Sério?

— Você é linda como um melão em um campo de espantalhos.

Eu sorri timidamente e dei um passo na direção dele.

— O que é isso? — ele perguntou, olhando para minha mão esquerda.

E ele não tirou os olhos
Olhou inexpressivamente, para o meu anel

— O que você acha que é? Como acha que cheguei aqui? — eu respondi, subitamente zangada.

Ele me contornou e saiu pela porta.

Eu me sentei e fiquei olhando para a parede.

— Céus, que homem lindo — Pam falou. Ela havia saído da cozinha e ficou de pé na minha frente. — Olhe. — Ela mostrou uma nota de 20. — Isso foi o que ele me deu de gorjeta.

— Ele é um homem muito rico. Pode comprar o que quiser — falei amargamente.

— Você o conhece?

Ergui os olhos para ela.

— É um cara da minha terra que eu namorei pouco antes de vir para cá.

Ela se sentou.

— Você se casou com Tristan em vez de se casar com ele? Por quê?

Uma risada como um rosnado amargo escapou dos meus lábios.

— Estou tendo muita dificuldade de me lembrar por quê.

Ela enfiou a nota de 20 dólares no bolso.

— Ele deve amá-la de verdade. Você ainda o ama?

Meus lábios se contorceram em um sorrisinho azedo. Amor. O que era o amor? Eu ainda não sabia.

— Que tipo de sujeito viaja até os Estados Unidos para ver uma garota e quebra a cara de novo?

— Talvez você tenha feito a escolha certa.

— Talvez eu devesse ter escolhido a opção c: nenhuma das anteriores.

Ela colocou a mão em cima da minha.

— Ah, querida.

— Por favor, não diga a ninguém que eu disse isso — falei.

— Seu segredo está bem guardado comigo.

E eu sabia que estava. Ela era como muitas mulheres em Odessa. Com apenas um olhar para seus rostos você podia ver que haviam suportado uma vida inteira de merdas. Tudo o que eu não podia admitir para Boba, não podia divulgar para Jane, Pam sabia. Por que podemos contar coisas para estranhos que não contamos para nossos amigos mais íntimos?

— Obrigada, Pam.

Ela me colocou de pé.

— É como se só houvesse uma estrela cadente e fôssemos as únicas pessoas a vê-la. — Ela olhou em volta do café. Vlad fora o único cliente. Skeet não estava lá e os rapazes estavam nos fundos preparando as coisas.

Eu sorri tristemente.

— Mais como uma miragem.

— Acha que ele vai voltar? — ela perguntou enquanto colocava jogos americanos de papel na mesa.

Eu dei de ombros.

— Por que você não o seguiu? Eu com certeza teria feito isso.

Coloquei os talheres em cima dos jogos americanos.

— Não teria feito diferença; se você corre atrás de um homem, ele só vai correr mais rápido. É o que dizemos em Odessa. Não era igual nos Estados Unidos?

Tentei achar alguma coisinha pela qual me sentir grata. Tristan não viera, para variar. Pelo menos ele não vira Vlad, graças ao futebol de segunda-feira à noite. Ou era beisebol?

Era uma noite sem movimento, e Pam me disse para ir cedo para casa. Eu me arrastei pela Main Street, consciente do cheiro de gordura que impregnava minha pele, do suor que grudava no meu corpo, da dor oca nas minhas costelas. Por que eu não escondera minha aliança? Por que não havia agarrado o braço dele quando ele passou por mim? Não. Eu devia ter lhe dado um soco quando tive a chance. Olhei para o meu reflexo em uma vitrine escurecida. Vi uma idiota cansada e infeliz com olhos mortos e ombros derrotados. Uma idiota que abandonara sua avó, se isolara dos amigos, deixara Odessa, e para quê? Ela ainda amava Vlad. Ela ainda não amava seu marido.

Fiquei olhando para o vidro até ver o reflexo de Vlad ao lado do meu. Outra miragem.

— O que é isso? — eu o imitei, erguendo minha mão esquerda. — Nada comparado a isto. — Puxei o diamante que guardara tão perto do meu coração. A expressão dele, pela primeira vez desarmada, era de carinho, de compreensão. Sua boca se descontraiu, seus olhos escuros brilharam.

— *Dashenka* — ele sussurrou. Minha pequena alma. — Você usa o meu anel. Me desculpe. Eu devia saber. Não tenho direito de ficar zangado. Você fez o que tinha que fazer. Ninguém entende isso mais do que eu.

— O que você está fazendo aqui? — Levantei o queixo. Defesas em alerta. Eu ainda era uma odessana. Emoções nos assustam.

— Achei que você tinha me chamado. Aquele catálogo da universidade não era uma carta de amor?

Ele ainda era um odessano, se refugiando no sarcasmo. Faça um gesto gigantesco e faça parecer que não tem importância. Eu realmente esperara que ele dissesse "Senti saudades de você. Queria ver se ainda há chance de ficarmos juntos"?

— Foda-se — eu disse.

— Percebi que não foi "vai se foder". Ainda tenho uma chance?

Instintivamente, minha mão rastejou até meu peito e eu aninhei o anel dele nos meus dedos.

— Virei Odessa de cabeça para baixo procurando você. Diabos, eu até fui a Kiev. Meus olhos e ouvidos procuraram por você em Moscou e São Petersburgo. No minuto em que recebi sua "carta de amor", entrei com um pedido de visto e comprei um maldito mapa da Califórnia. Ainda tenho uma chance?

— De quê? Eu sou casada. E a culpa é sua.

— O quê? — ele gritou. — Como pode ser minha culpa?

— Você sumiu. Por três meses.

— Eu voltei.

— Tarde demais. — Passei os braços em torno do meu corpo como se tentasse me proteger. — Veja o que você fez no restaurante. Eu digo algo que não o agrada e você vai embora.

— Eu voltei. Continuarei voltando. — Ele deu um passo na minha direção. Eu permaneci no lugar. Deixe que ele venha.

Ele esticou a mão, com a palma para cima.

— Não quero forçá la. A decisão tem que ser sua.

Fiquei olhando fixamente para ele. A raiva abandonou o meu corpo. Orgulho, ressentimento, frustração, solidão e desejo permaneceram. Que sentimento ganharia? Há um ano, ele podia ter balançado seu dedinho e eu teria ido correndo. Eu havia crescido desde então. Eu mudara. Eu não iria com ele. Não podia ir com ele.

Ou podia?

Um dilema misterioso ocorreu dentro de mim. Puxa. Empurra. Sim. Não. Por quê? Por que não? Dê a si mesma esse único prazer. Esqueça o Tristan. Esqueça tudo. Só desta vez.

Agarrei a mão dele e o puxei para fora da rua principal deserta. Cinco minutos depois estávamos entre as árvores, olhando um para o outro. Ele esfregou o nariz no meu pescoço, no meu cabelo. Eu suspirei.

— Você está cheirosa — ele disse.

— Estou com cheiro de gordura — protestei, e o empurrei para longe, envergonhada.

Ele me puxou para si.

— Exatamente. Como batatas fritas. Faz com que eu queira devorá-la. — Ele pegou minha mão direita e beijou meus dedos, minha palma, meu pulso. — Eu senti tantas saudades de você. De conversar com você. Diabos, senti saudades até da sua língua afiada.

Eu não queria falar. Arranquei meu uniforme e chutei meus tênis para longe.

— Quero. Você. Aqui. Agora.

— Não aqui — ele protestou, mas eu sabia que esta era uma das vezes em que "não" significava "sim, agora".

Eu o puxei para baixo comigo e deitamos em cima das folhas, da grama e da terra quente. Puxei seu corpo para cima do meu. Meus dedos se enterraram em sua carne, meus lábios quentes em seu pescoço. Eu queria que seu corpo socasse o meu. Sem parar, até eu estar saciada.

— Você não precisa voltar — eu disse a ele depois. — Pode ficar aqui. Comprar sua cidadania.

— Você comandava uma firma de transportes marítimos em Odessa. Lidava com os oficiais do cais, os cobradores de impostos e comigo. A garota mais inteligente de Odessa é garçonete aqui. Garçonete. Os Estados Unidos não lhe deram nada de bom. Em casa, eu sou o rei. O que eu seria aqui? Um cara com quem você transa depois de uma noite de trabalho duro antes de voltar para a casa do seu marido?

Eu ignorei a raiva na voz dele.

— Você podia ser um biólogo marinho.

— Um biólogo marinho solteiro — ele retrucou. — Preso a uma mulher casada. Volte para Odessa. Posso lhe dar o que você quiser. Esqueça que esteve aqui um dia. Volte para casa.

As palavras dele me jogaram de volta na minha vidinha. Parte de mim queria voltar para Odessa. Ver Boba, tomá-la em meus braços. David me aceitaria de volta, eu tinha certeza disso. Ninguém nunca ria de mim lá. Eu era forte. Se Vlad era rei, eu seria rainha. Mas voltar não seria um passo para trás? E será que eu poderia deixar Tristan depois de tudo o que ele fizera por mim? *Você tem um emprego. Pode reembolsá-lo. Vá para casa com Vlad. Não quer ver Boba?* A voz era tentadora. Ela vinha do fundo e sabia exatamente o que eu queria. Mas como eu podia deixar os Estados Unidos pelo Vlad, que era tão lindo quanto pouco confiável?

— Como posso confiar em você? — Eu tirei os gravetos e as folhas do meu cabelo.

Ele limpou a terra da minha nuca e das minhas costas. Um momento antes, seu toque fora sensual. Agora era prático, quase zangado.

— Bem, Deus sabe que você não foi nada além de honesta e direta — odessano típico. Ataque. Ataque. Ataque.

— O que esperava? — perguntei, com as mãos nos quadris, meu queixo projetado para a frente. — Que eu largasse tudo por sua causa? Eu gosto daqui.

Eu esperava que ele atacasse de novo, mas em vez disso ele colocou um cartão de visitas na palma da minha mão e a pegou na sua.

— Eu sinto sua falta. Por isso percorri essa distância toda. Para vê-la, para ver se podemos resolver as coisas. Me procure. Eu tenho uma suíte no Beresford, em São Francisco. Vou ficar lá por 48 horas para lhe dar tempo de fazer as malas e se despedir.

Fiquei olhando para ele.

— Me procure — ele sussurrou. — Eu te amo.

Nós nos vestimos em silêncio e saímos da mata, voltando aos nossos respectivos mundos.

Andei sozinha até a casa de Tristan, mordendo o lábio inferior, ruminando as possibilidades. Como seria maravilhoso ver Boba. Estar em Odessa. Ser capaz de confiar em Vlad. Mas, se eu fosse até ele, estaria deixando os Estados Unidos para sempre.

Antes de abrir a porta da frente, assegurei-me de ter tirado todas as folhas do meu cabelo. Tristan me encontrou na entrada. Eu me arrepiei só de olhar para ele.

— Sabe... — ele falou. — Você está ganhando bastante dinheiro no café. Talvez possamos começar a dividir os gastos.

Olhei para ele e pensei em que diabos eu estava pensando quando me casei com ele.

— Mande-me a conta.

Pensei em dirigir até São Francisco. Pensei em pegar o ônibus. Pensei em deixar Tristan, deixar tudo para trás. Pensei em Vlad sem parar. Fiquei olhando para o cartão com o endereço e o telefone do Beresford. O número do quarto dele estava rabiscado atrás. Peguei o telefone e disquei o número, e então desliguei. Peguei o telefone e disquei o número, e então desliguei. Peguei o telefone e disquei o número, e então desliguei. Fiquei olhando para o relógio e deixei as horas passarem. Se pelo menos eu fosse corajosa. Se pelo menos eu não fosse tão covarde.

Três semanas depois que o prazo havia passado, um caminhão da UPS parou na frente da casa. (Quando esses caminhões marrons chegaram a Odessa pela primeira vez, algumas pessoas ficaram convencidas de que as iniciais queriam dizer Serviço Postal Ucraniano.[1]) E, sem dúvida, o pacote, marcado como frágil, era de Odessa. Não era a letra da Boba. E só mais uma pessoa sabia exatamente onde eu estava.

Eu me sentei e fiquei olhando para a caixa. O que poderia ser? Pensei nele pensando em mim. Estaria zangado? Poderia entender? Quando abri, encontrei um globo de neve de vidro com o teatro da ópera de Odessa dentro. Ele se lembrou. Agitei o globo de leve até a neve cair.

Em Odessa, não há souvenires ocidentais. Não há camisetas, nem chaveiros, nem copos para destilado. Esse presente fora feito sob encomenda. Não havia nenhuma carta, nenhum cartão, nenhuma assinatura. Só o programa da nossa noite na ópera.

No aniversário da minha chegada a Emerson, Molly trouxe a fita que seu primo fizera do nosso casamento. Eu olhei para mim no vestido que Boba fizera.

— Você está linda — Molly falou. Seus olhos nunca deixavam a tela grande.

A cerimônia na floresta fora solene. Meus olhos brilhavam com esperança. Eu me vi pegar a mão do Tristan e colocar a aliança de prata que trouxera de Odessa. Na época, o fato de servir perfeitamente pareceu bom agouro.

Na recepção, o cinegrafista perguntou às pessoas:

— Algum conselho para os recém-casados?

---

[1] *Ukranian Postal Service*, em inglês. *(N. da T.)*

— Se ele quiser ir pescar, deixe-o ir pescar — Toby exclamou, e as pessoas em volta dele riram.

— Amem um ao outro — uma aposentada disse. — E não vão para a cama zangados.

— É — a mulher ao lado dela falou. — Fiquem acordados e briguem.

Aí, a câmera se virou para Molly.

— Sabe aquelas coisas que você realmente adorou nele no começo? Bem, essas serão as coisas que realmente a deixarão louca — ela sorriu nervosamente e continuou. — Mas tente se lembrar do que a atraiu nele no começo. Isso pode ajudar.

O vídeo continuou, mas eu parei de assistir. Molly estava certa. Eu ficara lisonjeada pelo interesse do Tristan em mim. Ele parecia tão leal e decidido por mim. Quando me ofereci para levá-lo à social em Odessa, ele dissera: "Não, eu estou com você agora." Prova de que estava pronto para sossegar — diferente do Vlad. Mas nunca suspeitei que eu me tornaria sua vida toda. A intensidade dele não havia mudado; meus sentimentos sim. Ou melhor, minha interpretação mudara. Antes, eu me sentia lisonjeada, agora me sentia sufocada.

Anna me convidava para tomar chá quase todas as manhãs. Tristan resmungava, mas eu não ligava. Ela era tão alegre que era impossível não ficar feliz em sua presença. Ela era como um vaga-lume ou um floco de neve, uma espécie de bom agouro. Os negócios da Serenity iam de vento em popa e ela abriu outra loja. Toda semana, David telefonava para me encorajar a "procurar ajuda" e "ir em frente". Mas eu estava envergonhada demais para conversar com Jane ou com Valentina. É claro que não precisava dizer nada à Pam, ela era uma testemunha silenciosa. Eu ainda via a Molly mas, com seus filhos e suas funções intermináveis, mesmo quando estávamos juntas ela mal estava presente.

Ficamos sentadas no quintal olhando os gêmeos brincarem. Ela parecia pensativa e eu não tinha certeza se ela observava os gêmeos brincarem do outro lado do jardim ou se olhava na direção de algo que eu não podia ver.

— O que há? — perguntei.

Ela respirou fundo.

— Estou pensando em deixar o Toby.

Eu não falei nada por um longo momento. Só fiquei olhando para ela. Eu não entendia. Eles pareciam tão felizes. Vendo que ela esperava minha resposta, peguei sua mão e falei:

— Eu sinto muito. — Obviamente, eu não olhara além da fachada. Algo estava acontecendo. — Ele a traiu? Ele... a machuca? — Olhei para seu pescoço e seus braços procurando sinais "violeta", a gíria odessana para hematomas.

Ela pareceu chocada e disse:

— Deus, não. Nós só nos distanciamos.

Eu não entendi. Em Odessa, os casais se divorciam porque o marido bate na mulher ou porque ele é alcoólatra, por causa da tensão de ter que morar com os sogros ou porque um dos cônjuges traiu repetidamente (normalmente, uma vez só não é motivo suficiente). Ninguém na Ucrânia se divorcia porque se distanciou. Distanciamento, pelo que eu sabia, era parte do casamento.

No café, Rocky, Raymond, Pam e eu nos encontrávamos vinte minutos antes do nosso turno começar. Eu nunca fora cedo para o trabalho em Odessa, mas aqui eu ficava feliz em sair de casa, me afastar de Tristan. Tenho que admitir, havia algo reconfortante em me sentar ao balcão e tomar café com meus colegas de trabalho. Isso me fazia lembrar da sala de reuniões com David em Odessa. Raymond implicou com Rocky por seu amor pela Pamela Anderson. Rocky nos contou sobre o progresso que estava fazendo na escola: havia quase terminado o motor do seu Ford. Pam nos disse orgulhosamente que sua filha era novamente uma das melhores da turma. Ela perguntou se eu tivera notícias de alguém da minha terra, certamente querendo dizer Vlad.

— Só da minha avó — eu respondi. Ela pareceu decepcionada.

Eu me sentia tão grata por ele ter vindo. Por nosso momento juntos. Mas eu não sabia o que fazer. Devia entrar em contato com ele? Como podia confiar que ele não me deixaria de novo? E se já tivesse me substituído? E se eu abrisse mão da minha vida nos Estados Unidos e ele desaparecesse?

— Já conseguiu o seu Green Card? — Raymond perguntou.

— Não. Leva dois anos.

— Dois anos? Achei que os estrangeiros recebiam um quando se casavam com um cidadão dos Estados Unidos.

— Somos dois — falei, gostando do jeito que a frase casual saía da minha língua.

— Será bom quando você o tiver. Aí você vai poder ficar, independentemente de qualquer coisa.

Eu sorri, tocada com a preocupação deles. Eles haviam se tornado como uma família para mim. Eu gostava do tempo que tínhamos juntos à noite, mesmo se o passávamos servindo e limpando para estranhos. Eles trabalhavam muito. Eu gostaria que a vida fosse mais fácil para eles. Olhei para Pam, que estava irrequieta, para Ray, com a fadiga permanente em torno de seus olhos cinzentos, para Rocky, que estava se tornando um homem diante dos nossos olhos, e percebi que estes eram os Estados Unidos que nunca vemos na TV. Lá, tudo parecia tão perfeito e brilhante, tudo Beverly Hills e Santa Bárbara. Aqui em Emerson estavam os trabalhadores de verdade, os norte-americanos de verdade. Por que a televisão não os mostrava?

Ray se preocupava constantemente com sua esposa. Nem turnos dobrados cobriam as despesas médicas. Quando ele trabalhava, ela ficava sozinha em sua casa no trailer. O ex da Pam dava telefonemas ameaçadores e ela tinha medo por si mesma e por seus filhos. Ela disse que a polícia não podia fazer nada em relação a seu ex até que ele realmente fizesse "algo" — e eles não consideravam ameaças de morte como "algo". Rocky não falava muito, só brincava com o canudo de sua Coca extra grande. Apesar de estar no ensino médio, ele já fazia parte desse mundo adulto. Entendia o sofrimento de Ray e Pam. Nós sabíamos que ele queria sair de casa. É claro que eu não precisava contar a eles sobre o meu problema: ele vinha quase todas as noites.

Aquela noite eu lhe servi um refrigerante, como sempre. Ele observava cada gesto que eu fazia, como sempre. Quando Rocky saiu para uma pausa para fazer seu dever de casa, ele sorriu para mim quando eu levei para ele um prato de batatas fritas.

— Pare de olhar para a minha esposa! — Tristan gritou.

O restaurante inteiro — seis pessoas — olhou para ele. Ray saiu da cozinha para se assegurar de que estava tudo bem.

Mortificada, fui até a mesa dele e sibilei:

— Qual é o seu problema? Ele é um garoto. Um bom garoto que tem um emprego de merda para escapar do babaca do padrasto. Deixe-o em paz.

— Eu sinto muito — ele me disse. — Sinto muito — falou para Rocky.

Os olhos de Pam encontraram os meus e eu sabia que ela entendia. Mais uma coisa que eu não podia contar à Jane, à Boba ou à Valentina, mas que Pam sabia. Eu não tinha vergonha ou orgulho de tê-la por perto.

— Ele não a trata bem. Você já pensou em se divorciar? — ela sussurrou para mim quando fomos entregar os pedidos na cozinha.

— Tenho pensado cada vez mais nisso.

— Ele é doente — ela falou.

— Doente? Quer dizer inseguro?

— É mais do que isso. Há algo errado com ele. É como se ele a estivesse perseguindo. Talvez eu deva ligar para o Skeet, pedir que ele tenha uma conversa com seu marido.

Eu assenti.

— Como você vai aguentar dois anos? — ela perguntou.

Encolhi os ombros.

— Desculpe — ela disse. — Eu não devia ter dito isso

Ele estava zangado o tempo inteiro, tão diferente do homem gentil com o qual pensei ter me casado. Eu não tinha um pai ou um avô ou um tio com quem comparar seu comportamento. O comportamento dele não era muito diferente do de meus antigos namorados. Até o Vlad havia me seguido pela cidade em seu sedã...

Para comemorar a chegada do verão, convidei alguns amigos para uma verdadeira refeição odessana. Cozinhei e assei durante dias todas as melhores receitas da Boba. Uma salada de beterrabas brilhante que derrete na boca e alegra qualquer dia. E borscht, porque Molly queria provar. Boba nunca punha ovos na massa de *vareniki* — ela estava acostumada aos tempos difíceis da União Soviética, mas eu decidi acrescentar um. Para o *pelmeni*, enrolei a carne em bolas pequenas e as embrulhei delicadamente na massa, criando um formato de leque, e então as joguei em água fervente. Quando subiram para a superfície, eu as pesquei e as coloquei em uma travessa com um pouco de manteiga para que não grudassem. Chorei bastante quando cortei as cebolas. Enquanto elas fritavam no azeite, descasquei e cozinhei as batatas. Antes de amassá-las, pinguei o óleo das cebolas nelas. O gosto era divino. Eu não entendia o ódio patológico de Tristan por óleo (que ele chamava de gordura). Li que em países como a Itália e a Espanha, o azeite de oliva é reverenciado.

Fiz um bolo Napoleão (eu lera que na França ele se chamava *mille-feuille*, ou mil-folhas), alternando as camadas de bolo e creme como a Boba fazia. Também assei o bolo de chocolate e bolinhos de noz-pecã (em Odessa, nós os fazemos com nozes normais). Convidei Oksana e Jerry, Molly e Toby e seus pequenos, Anna e Steve, Rocky, Pam, Raymond e sua esposa. Tristan estava em sua zona de conforto — em casa, bebendo cerveja e rindo com Toby e Jerry.

Nós nos sentamos à mesa de jantar, tão próximos que nossos cotovelos se tocavam. Era aconchegante e maravilhoso. Anna e Steve ficaram de mãos dadas e às vezes davam comida na boca um do outro. Ele sussurrou no ouvido dela e ela corou e deu um sorrisinho discreto para ele. Talvez ela tivesse dito a verdade quando dissera que tudo estava ótimo. Eles tinham tanta cumplicidade. Ver isso à minha mesa me deixou feliz por eles, mas triste por mim mesma.

Virei-me para ver Oksana comer. Seus olhos estavam fechados enquanto ela mastigava lentamente, saboreando cada mordida.

— Tem gosto de casa — ela disse. — Delicioso.

Todo mundo concordou.

Oksana ergueu sua taça de vinho e falou:

— À anfitriã e suas mãos adoráveis. — Seu inglês havia melhorado em apenas alguns meses graças às nossas aulas pelo telefone.

Após o jantar, todos admiraram a hamster de Farley. Ele abriu a porta da gaiola dela, mas ela continuou em sua roda.

— Vamos, garota. Vamos, Clementine — ele a encorajou.

O focinho dela se retorceu nervosamente.

— Deixe-a em paz, amigão — Toby disse. — Ela não quer sair. Sente-se mais confortável em sua gaiola.

Como eu na minha jaula de Emerson. A porta estava aberta, eu só tinha que reunir coragem para fugir.

Depois que os convidados foram embora, perguntei.

— Você está feliz com o modo como as coisas estão entre nós?

Ele abriu a geladeira e pegou uma cerveja.

— Estou.

Seguindo-o da cozinha para a sala de estar, falei:

— Mas você parece zangado o tempo inteiro.

Ele ligou a TV e ficou mudando de canal.

— Como você se sentiria? — ele perguntou, com seus olhos focados na tela. — Eu fiz tudo por você e você não é grata.

— Eu *sou* grata. É com isso que você está zangado? Porque eu não pareço grata o suficiente?

— Você não faz o que eu peço. *Isso* me deixa com raiva. — Ele aumentou o volume.

— Então o seu humor é culpa minha?

— Onde você quer chegar? — ele perguntou de forma ríspida, subitamente virando-se contra mim.

Swing-swung-swung.[1] Ele parecia preparado para pular em cima de mim. Seu corpo estava tenso, seus dentes à mostra. Não. Este era o meu professor gentil. Só que ele não era professor. Ainda assim, ele não faria isso. Faria? Fechei os olhos. Se ao menos eu fosse corajosa. Se ao menos eu fosse honesta. Se ao menos eu pudesse dizer a ele que nunca deveríamos ter nos casado. Se ao menos eu conseguisse encontrar uma forma de dizer a ele que queria cair fora...

---

[1] Virar-virou-virado. (*N. da T.*)

Talvez eu pudesse propor um meio-termo só para testar a situação.

— Talvez devêssemos passar um tempo separados.

— Você está me dizendo que quer o divórcio? — A respiração dele acelerou e ele ficou olhando intensamente para mim.

Tão intensamente que me assustou. Mudei de tática.

— Bem, você quer um filho e eu não pareço ser capaz de conceber. Talvez você deva pensar em encontrar outra pessoa. — Baixei os olhos para o carpete bege, esperando o veredito dele. Será que ele aceitaria essa forma de acordo?

— Não quero outra pessoa. E você está louca se acha que pode encontrar alguém que a ame como eu a amo. Quem mais aguentaria as suas merdas?

— Tem razão. Você merece alguém melhor do que eu.

— Há outra pessoa? — ele perguntou. — O lavador de pratos no café. Eu vi como ele olha para você. Como eles todos olham para você.

— Isso tem a ver conosco. — Tentei soar calma.

— Eu me mato. Eu me mato se você for embora. EU ME MATO. Quem colocou essa ideia de separação na sua cabeça? Foi Oksana?

Balancei a cabeça. Ele se levantou. Eu dei um passo para trás.

— Foi a Anna? Você vai lá todos os dias. Eu não gosto dela.

Eu balancei a cabeça novamente.

— Ninguém colocou a ideia na minha cabeça. Só parece que nós... nos distanciamos.

— Molly lhe contou sobre Lena? Ou foi aquela vaca da Serenity? — Ele deu um passo na minha direção.

Eu dei outro passo para trás.

— Quem é Lena? Do que você está falando?

— Ninguém. Nada. — Ele passou os dedos por seu cabelo ralo e resmungou: — Você não deu tempo para nos aproximarmos. Todo casamento tem seus altos e baixos. Depois de tudo o que fiz por você agora você quer simplesmente desistir? Bem, eu não vou deixar. — Ele agarrou os meus ombros e me sacudiu. Com força. Quando me soltou, eu estava tão abalada que caí de costas no sofá.

Uma boa esposa faz um bom marido. É o que dizemos em Odessa. Se um marido bate ou trai ou bebe, então sua esposa obviamente está fazendo algo errado. Suas costelas não são macias, ela não o serve como devia. Talvez ela reclame com ele quando, claramente, deveria deixá-lo em paz.

Eu tomava cada vez mais banhos de banheira quando ele estava em casa. Só queria me trancar e ficar longe dele. Apagava a luz e ficava sentada na banheira até a água ficar morna, recitando Akhmátova, a lista de comidas que eu não comprara, *contando os dias vazios* — qualquer coisa para evitar pensar sobre o inevitável. Eu imaginara que divórcios aconteciam assim: um casal se senta à mesa da cozinha — tenso, tenso, certamente, mas tomando uma decisão conjunta. Agora eu percebia que isso era tão ingênuo quanto a imagem que eu tinha quando era pequena de conceber uma criança. O papai abraça a mamãe bem apertado e um bebê começa a crescer na barriga dela. Sem bagunça, sem esforço.

(— Querida, o que temos para o jantar? — Tristan gritou.)

Agora, eu percebia que, quando o assunto é divórcio, uma pessoa sabe primeiro. É um conhecimento terrível.

Esqueci as roupas na secadora. Quando finalmente as tirei, elas estavam com cheiro de queimado. Eu não queria ver amigos. Não queria falar com a Boba. Estava tão ensolarado lá fora e tão escuro no templo do meu coração. Eu só queria me esconder na água. *Odeio a luz das estrelas monótonas.*

É um conhecimento terrível saber que em breve tudo vai mudar. Que seu lar não é mais seu lar. Que você vai quebrar a promessa que fez diante de amigos, diante do próprio Deus. Saber que vai partir um coração. *Então deixe que a neve caia como lágrimas.*

É mais fácil ser abandonado — lastimar-se e chorar, "Por que você foi embora? O que eu fiz de errado? Por que você não me ama mais?". Alguém toma a decisão por você. Dói, mas o fardo não é seu. Você não é o responsável. Você não fez acontecer. Aconteceu com você.

(— Quer fazer alguma coisa?)

Eu imaginava que, lá no fundo, uma pessoa sabe que o divórcio é o passo certo. Este não era o meu caso. Toda vez que eu decidia deixá-lo, outra parte de mim dizia "Você deve a ele, dê-lhe tempo, ele será um pai maravilhoso, ele pode mudar, você pode mudar, seja paciente. E se for embora e acabar nas ruas?" O maior medo dos odessanos é a mudança. E se sua situação ficar pior?

Eu me lembrei da forma como ele falava de crianças tão apaixonadamente. Eu me lembrei de como ele amava os filhos da Molly. Andava de cavalinho com o Farley sem parar. Ajudava Ashley com seu dever de casa de Matemática. Ia a cada um dos jogos de futebol americano do Peter, torcendo mais alto do que qualquer um. Ele seria um bom pai.

Raízes. Não era isso que eu queria? Estabilidade. Um lar. Nos Estados Unidos. Como eu havia conseguido exatamente o que queria, e ainda assim aquilo não era nada do que eu queria?

(— Por que não há nenhuma comida na geladeira? Você não fez compras? Acho que vou pedir pizza. Cara.)

No mesmo minuto, eu podia ficar assustada, entusiasmada, triste, resignada, feliz — tudo dependia de para que lado ia minha decisão. Sim, não, talvez, definitivamente, impossível. Pedir o divórcio ou não pedir o divórcio, essa era a minha questão. E eu descobri que não havia resposta fácil.

(— Metade queijo para você, metade suprema para mim, que tal?)

Capítulo 23

Minha Querida e Cara Neta!
Saudações da Pérola do mar Negro!

Dasha, Dasha, não recebo uma carta sua há tanto tempo! O que você está fazendo consigo mesma? Não tem tempo para escrever para sua avó? Ou aconteceu algo com você? Estou preocupada. Você trabalha tanto. Está comendo o suficiente? Descansando o suficiente? Vai ficar tudo bem, vai ficar tudo bem. É o que digo a mim mesma. Penso em você todos os momentos de todos os dias. Deus a proteja e a guarde.

Eu me senti horrível por fazer Boba se preocupar tanto. Mas eu não sabia o que fazer e, como sempre, quando não sabia o que fazer, eu não fazia nada.

Graças a Deus você saiu deste país infestado de ratos. Os preços no mercado dobraram e depois triplicaram. Alguém entrou no apartamento da vizinha do andar de baixo. Obviamente jovens arruaceiros — roubaram o CD player e a televisão dela. Pobre moça, uma estrangeira que não sabe o que pensar desta cidade. Fiz blini e compota para ela. Algum consolo.

Boris Mikhailovich vem aqui mais do que nunca. Diz que não é seguro eu ficar sozinha, quer me proteger. Trocou a lâmpada na entrada da porta e fica lá andando de um lado para o outro como um sentinela, esperando, desejando uma invasão. Eu disse a ele que não precisava de um homem. "Você não precisa de um homem", ele falou, "mas quer um?" Ele até me pediu em casamento. Imagine o atrevimento!

Que odessana de estilo! Mais de 60 anos e ainda tinha encanto! Mesmo estando zangada por ela não ter me contado sua resposta, eu admirava seu brio. Talvez ele fosse o motivo para ela nunca responder quando eu lhe pedia para vir aos Estados Unidos. Será que Boba encontrara o amor? Outro pensamento me invadiu: será que ela tivera amor o tempo inteiro, mas o deixara de lado por mim?

Eu estava louca para telefonar, mas sabia que ela nunca diria nada. Mesmo no papel, eu não sabia dizer se ele a irritava ou se ela estava só fingindo. Era praticamente impossível conseguir uma resposta direta de um odessano. Papel aguenta qualquer coisa — é o que dizemos em Odessa. Uma carta não cora.

Querida Boba,
Conte-me tudo! Imediatamente! O que diabos você respondeu? Está tudo bem aqui. Só estou tentando resolver as coisas...

Eu não podia ficar zangada com ela por não me contar as coisas — afinal, eu também tinha meus segredos. Há certas coisas que não se pode contar a uma avó, e outras que você só pode contar a uma amiga de verdade.

— Ele disse que vai se matar se eu for embora — eu disse ao David durante sua ligação semanal.

— Ótimo. Você vai ficar livre dele e herdar a casa.

— Você é horrível — falei com carinho.

— Talvez. Mas nunca ameacei suicídio para segurar uma mulher. De qualquer modo, caras como ele nunca se suicidam. Ele é patético. Só quer atenção. Posso vê-lo cortando os pulsos com a borda afiada de uma folha de papel.

Eu ri.

— Você não devia estar com alguém como ele...

As palavras dele pareceram estar em aberto e de repente eu estava sem ar. Queria que ele terminasse sua frase.

— Com quem eu deveria estar?

— Com alguém que possa se impor a você, isso é certo.

Eu queria que ele dissesse mais alguma coisa. Ele não disse. Ficamos sentados ali, cada um de um lado da linha, esperando. Eu quebrei o silêncio.

— Como vai a Olga?

— Não tenho como saber — ele falou duramente.

— O que houve?

— O meu russo melhorou. Eu a ouvi se referir a mim como o velho tarado judeu para alguém ao telefone.

— Que parte o ofendeu?

— Eu não sou velho — ele disse.

— Eu sinto muito — falei em um tom de voz sério para que ele pudesse entender o que eu queria dizer.

— Você sabia?

— Não até ela começar a namorá-lo. Foi quando ela parou de esconder seus verdadeiros sentimentos de mim.

— Podia ter dito alguma coisa.

— Você não teria acreditado em mim.

— Talvez — ele falou. — O que você vai fazer?

— Não sei.

— A Daria que eu conheci sempre tinha um plano de fuga. Estava sempre três passos na frente de todo mundo. O que ela faria?

— É diferente. Estou casada agora. Para o melhor ou para o pior.

— Em algum momento foi o melhor?

Eu não respondi.

— Então, fique. Fique nos Estados Unidos. Mas dispense-o.

— Ele gastou esse dinheiro todo para me trazer para cá.

— Então peça o divórcio e passe um cheque para ele.

— Com que dinheiro? Eu sou garçonete.

— Garçonete! — ele rugiu. Afastei o telefone do ouvido para não ouvir as obscenidades. — Onde você está?

— Em um vilarejo a quatro horas de São Francisco.

— No interior? — ele perguntou, horrorizado. — Vá para uma cidade. Arrume um emprego de verdade. Há uma filial da ARGONAUT em São Francisco.

— Eu sei.

— Então por que não entrou em contato com eles? Kessler pode se assegurar de que você arrume um emprego lá.

— Eu pensei nisso, acredite.

— O que a está impedindo?

— É complicado.

— Não é não. É você que está complicando tudo. Você se dedicou, não está dando certo. Corte suas perdas. Você é jovem e um ano parece muito, mas não é nada comparado a uma vida inteira. Caia fora agora, antes que tenha filhos.

— Você não entende. Eu devo a ele.

— Então ele fez uma coisa legal por você e você vai pagar o resto da sua vida? Ele teve uma esposa gostosa durante um ano. Isso é pagamento suficiente. Tchau!

— Eu lhe disse, ele ameaçou se matar...

— Então encontre alguém para ele antes de ir embora. Deus sabe que você é especialista nisso.

Isso doeu tanto que eu me encolhi.

— Parei de bancar o cupido.

— Você tem dinheiro?

— Dinheiro, não — passei os dedos no diamante. — Mas Vlad me deu um anel.

— Venda-o.

— Tenho pensado nisso.

— Por que você não fez nada?

— Eu não sei...

— Você mudou. Provavelmente está deprimida.

— Estou nos Estados Unidos. Como posso estar deprimida?

— Pode acontecer em qualquer lugar. Deixe-o antes que se torne uma covarde completa.

Senti minha coluna ficar ereta e meu queixo se erguer.

— Como ousa, seu presunçoso...

Ele riu.

— E ela está de volta.

Assinei o *San Francisco Chronicle*, pagando com cheque da minha própria conta. Todas as manhãs, eu vasculhava as páginas de imóveis e de emprego. Será que eu poderia viver por conta própria? Eu nunca ficara sozinha, nem mesmo por um fim de semana. Seria corajosa o bastante? A cidade era segura? Quanto custaria um apartamento? Quanto eu poderia ganhar? Seria o suficiente?

Acariciando o presente do Vlad, eu me lembrei da esmeralda que Tans dera para Jane. Pensei no Jonothan, que comprava e vendia joias. Fiquei imaginando o quanto ele conseguiria pelo meu anel. Talvez, se fosse suficiente, eu pudesse...

Fugir. E começar de novo. O diamante era grande e claro e todas as pessoas que eu conhecia diziam que o ouro soviético era o melhor do mundo. Mas as pessoas que tinham dito isso eram todas soviéticas. Elas também haviam falado que o sistema soviético era o melhor do mundo. Talvez o anel não valesse muito, afinal. Telefonei para Jane, que me deu o número do Jonothan e me advertiu para ter cuidado. Depois que descrevi o anel, ele se ofereceu para vir avaliá-lo no dia seguinte.

Nós nos encontramos no café, enquanto Tristan estava no trabalho. Abri a fina corrente de prata e deixei o anel escorregar para fora do colar na palma do Jonothan. Ele o segurou entre o polegar e o indicador, virou-o lentamente, examinando-o de todos os ângulos. Quando tirou uma lupa de joalheiro do bolso da camisa e a encaixou no olho, passou de baladeiro tranquilo para comerciante durão de diamantes. A mudança me assustou.

— Posso conseguir dez mil por ele — falou com autoridade.

— Dólares? — eu exclamei. É claro que ele não estava falando de grivna ou rublos. Descobrir que valia tanto me deixou hesitante e lutei contra o ímpeto de pegá-lo de volta. Bom-senso e ganância guerreavam dentro de mim. Jane me dissera que ele era "cheirador". E se ele usasse o produto da venda para comprar drogas? Eu seria uma idiota em confiar nele. Mas que outra opção eu tinha? Eu precisava de dinheiro e ele tinha contatos. Ele segurou o anel na palma da mão, oferecendo-se silenciosamente para devolvê-lo. Pam se aproximou e disse:

— Minha nossa, esse negócio é de verdade?

— É, sim — ele falou. — Vou pedir a mão da minha namorada na semana que vem e queria mostrar o anel para Daria.

— Isso não é uma graça? — ela disse, com seus olhos fixos no diamante que brilhava. — Quem diria não para você?

— Noventa por cento das garotas na baía de São Francisco.

— Só precisa de uma. — A cabeça dela se inclinou para o lado e ela suspirou. — Nunca vi nada tão lindo. — E caminhou para a cozinha para atender a campainha e entregar seu pedido.

Olhei para o anel. A curandeira dissera para me livrar dele, que não estava me fazendo nenhum bem. Mas o presente de Vlad estivera comigo o tempo todo. Um talismã, um consolo, um lembrete. "Quer olhar para trás ou para a frente?", eu me perguntei severamente. "Quer cair fora? Esta é a única maneira." Jonothan sustentou meu olhar. Eu assenti. Ele colocou o anel no bolso de sua camisa de seda verde. Fiquei nervosa quando ele desapareceu de vista e me sentei em cima das mãos para não pegá-lo de volta. Ele não estivera longe de mim desde que Vlad — desde que Boba — o dera para mim.

— De quanto tempo você precisa?

— Depende de quanto tempo vou levar para encontrar um comprador. Minha comissão é de dez por cento. Eu o devolvo se não o tiver vendido em seis meses.

Seis meses. Uma eternidade.

No minuto em que Jonothan foi embora, eu me arrependi de ter confiado nele. *Take-took-taken.*[1] O que eu havia feito? Nenhum odessano jamais confiaria em um completo estranho. Eu havia ficado louca. Dera

---

[1] Tomar-tomou-tomado. *(N. da T.)*

meu anel para um drogado. *Fall-fell-fallen.*[1] Em Odessa, eu nunca teria feito isso. David tinha razão. Eu estava diferente. Eu não percebera porque a mudança fora muito gradual. Em Odessa, você luta por tudo: um assento no ônibus, estudo, um preço justo no mercado, um emprego que pague bem... As coisas lá eram muito incertas — mesmo o fluxo de água pelos canos da cidade, o aquecimento no inverno, a eletricidade. Você sempre tinha que estar preparado, armado contra a adversidade e os problemas.

Em comparação, a vida nos Estados Unidos era fácil. As pessoas eram receptivas e simpáticas. O supermercado era repleto de comidas saborosas. Você abria a torneira e a água quente saía. Em quase um ano, só faltara luz uma vez. E nunca vou me esquecer disso: a companhia elétrica escreveu uma carta pedindo desculpas por qualquer inconveniente que pudesse ter causado. Ninguém em Odessa jamais pedia desculpas por nada. Em Emerson, eu ganhava mais como garçonete em uma semana do que ganhara em um mês como secretária. Eu tinha um carro, como Jane dissera que eu teria. Eu fora envolvida para a complacência. E acabara de dar meu diamante achando que tudo ficaria bem. Idiota!

Por favor, Jono, por favor. Senti cada segundo passar como se estivesse de volta à sala de aula ouvindo aquele maldito metrônomo, esperando minha vez. Tique-taque. Tique-taque. Tiquetaquetique. *Bite-bit-bitten.*[2] Parecia que havia um mês desde que eu tivera notícias do Jonothan, mas só fazia seis dias. Saí de casa para não telefonar para ele, ficava no balcão do trabalho tentando não pensar no que havia feito. Ele dissera que podia levar até seis meses. Seis meses! A advertência de Jane sobre ele ser um "cheirador" ecoava na minha cabeça. Passei de esperançosa para desesperada, da alegria por estar indo embora para o medo de estar presa para sempre. *Por favor, por favor, por favor.* Meu estômago se revirava como uma batedeira. Espinhas salpicavam o meu rosto e minhas costas. Eu não conseguia dormir. Sim, não, fique, vá. *The*

[1] Cair-caiu-caído. *(N. da T.)*

[2] Morder-mordeu-mordido. *(N. da T.)*

rain in Spain stays mainly in the plain.[1] Eu bebia Pepto-Bismol direto da garrafa. Pam me dava biscoitos de sal.

— O que houve? — ela perguntou.

Eu não podia falar. Não queria contar a ela como eu fora idiota. Jane, é claro, soube pelo Tans. Ela telefonou imediatamente e nem disse alô.

— Você simplesmente entregou o anel a ele? — Jane gritou. — Por que não o deixou tirar uma foto e ver se havia algum interesse antes de entregá-lo? Deve saber que não pode confiar nele.

— Tem razão, eu não estava pensando... Só quero tanto ir embora...

— Me desculpe, Dasha. Sou eu que não estou pensando com clareza. Eu não queria gritar. Só estou com medo por você, só isso. O Jono é o Jono... Ele é encantador, mas está metido em muita coisa ruim... Você é uma odessana. Achei que podia tomar conta de si. Mas sabe de uma coisa? Provavelmente estou me preocupando por nada. Vai ficar tudo bem.

— Vai ficar tudo bem — eu repeti, esperando que, para variar, o mantra funcionasse.

Quando chegava em casa do trabalho, do supermercado, da casa de Molly, da casa de Anna, eu verificava a secretária eletrônica. Nunca havia nenhum recado. Eu pegava o telefone para ter certeza de que a linha estava funcionando. Checava meu e-mail a cada três minutos. Eu ansiava por conforto e tentei fazer compota como Boba costumava fazer, só para ter um gostinho de casa. Mas me distraí e queimei as maçãs. À noite, eu ficava olhando para o teto até o Tristan adormecer, e então andava pela casa, indo de aposento em aposento como um fantasma.

No meu dia de folga, fui visitar Serenity em sua loja. Quando ela me viu, me abraçou e fez para nós um bule de chá de ervas. *Por favor, Jono, por favor.* Tentei acompanhar o que ela estava dizendo, mas estava tão distraída que ela teve que repetir várias vezes.

— O que a está incomodando? — ela perguntou.

Eu dei de ombros.

[1] Frase usada em aulas de inglês para treinar pronúncia. *(N. da T.)*

— Você gosta de guardar as coisas para si. Tudo bem. Mas sabe que pode conversar comigo, certo?

Eu assenti.

— Às vezes, ficar ocupada ajuda — ela disse, e me colocou para trabalhar espanando as prateleiras. Fiquei feliz por ter algo para fazer com as mãos, além de retorcê-las. A presença dela me reconfortava. Sempre que eu olhava para ela, ela estava olhando para mim, sorrindo suavemente. Às 17 horas, quando estava na hora de fechar a loja, dirigi até a casa de Tristan com os quatro vidros abaixados, ouvindo a minha música.

Quando cheguei lá, ele estava esperando. Havia colocado sua poltrona no gramado da frente e estava sentado ali com os braços cruzados. A grama em volta dele estava repleta de latas de cerveja. *Sink-sank-sunk.*[1] Graças a Deus meus vizinhos em Odessa não podiam ver meu marido louco. Minha vida louca. Desliguei o motor e desafivelei o cinto de segurança. Estava com medo de sair do carro. *Hit-hit-hit.*[2]

— Onde diabos você esteve? — ele berrou. — Eu telefonei dez vezes hoje! Você não atendeu nenhuma das ligações.

— Fui dar uma volta de carro! — eu gritei o óbvio.

— Tem que me dizer se vai a algum lugar!

— Você andou bebendo!

Ele apertou o passo na direção do carro. *Hide-hid-hidden.*[3] *Hide-hid-hidden. Hide-hid-hidden.* Ele abriu a porta de supetão e me puxou para fora.

— O odômetro mostra que você dirigiu 47 quilômetros hoje. Aonde você foi?

Esfreguei o braço onde ele havia me agarrado.

— Diga-me onde estava. E com quem estava.

Meu queixo se ergueu e a única coisa que teria destravado o meu maxilar seria uma injeção antitetânica.

* * *

---

[1] Afundar-afundou-afundado. *(N. da T.)*

[2] Bater-bateu-batido. *(N. da T.)*

[3] Esconder-escondeu-escondido. *(N. da T.)*

Não parei de falar com ele de propósito. Só achei que havia pouco a dizer. Tirei minhas roupas do armário e minha mala de debaixo da cama e me mudei para o escritório, como antes de sermos casados. Só que desta vez havia um trinco na porta e um berço no canto.

Finalmente, *finalmente*, Jonothan ligou.

— Você o vendeu?

— Estou a isso de vender.

— A isso? O que quer dizer?

— Quer dizer que meu polegar está a um centímetro de distância do dedo indicador. Isso é perto.

Eu estava a isso de enlouquecer.

Dez dias depois, ele ligou para dizer que fizera a venda e que entregaria o dinheiro. Graças a Deus. Eu cuspi três vezes, como Boba. Mal não fazia. Quando o Jaguar encostou na entrada, o alívio fez meus joelhos tremerem. A chegada dele era a minha libertação. Quando Jono abriu a porta do carro, eu lhe disse que era melhor não saltar, melhor se Tristan não o visse. Ele assentiu. Eu corei com esse reconhecimento conciso do que a minha vida havia se tornado.

— Disse ao comprador que o anel havia pertencido a uma czarina — ele falou. — Você não tem outras joias, tem?

Eu sorri e sacudi a cabeça.

Ele enfiou a mão no porta-luvas e pegou o dinheiro. Eu o contei — 12 mil dólares em notas de cem — e devolvi 1.200 a ele.

— Se decidir deixar sei-lá-como-ele-se-chama, pode ficar na minha casa. Só ligue e me avise. — Ele saiu da entrada da garagem cantando pneu. Entrei em casa e me sentei no sofá com 10.800 dólares no colo. Essa quantia parecia uma fortuna, apesar de que, de acordo com os anúncios de apartamentos no *Chronicle*, não era nem um ano de aluguel. Acariciei as notas e me perguntei se estava tomando a decisão correta. Quando ouvi a porta da caminhonete de Tristan bater, corri para o escritório e puxei minha mala para fora do armário. Quando a abri, vi as botinhas e o vestido branco. Mordi o lábio com tanta força que meus olhos se encheram de lágrimas. Alguns sonhos não são destinados a se tornarem realidade, é o que dizemos em Odessa. Escondi o dinheiro com as roupas de bebê e enfiei a mala de volta no armário. Virei o trinco e desmontei o berço, jogando as partes de madeira no chão.

Tristan bateu na porta.

— Querida, você está bem aí?

— Estou ótima.

— Posso lhe trazer alguma coisa?

Eu me sentei no chão, olhando para a pilha de madeira no canto. A noite rastejou para dentro do aposento. Eu rastejei para a cama e me enrolei em posição fetal.

Dei duas semanas de aviso prévio no café antes de dá-lo em casa.

Pam me abraçou. Raymond disse que sentiria saudades.

— Isso quer dizer que você conseguiu outro emprego na cidade? — Rocky perguntou.

Eu sacudi a cabeça.

— Ela tem que pensar em si mesma — Raymond explicou. — Tem que ir em frente. Ela não pertence a este lugar.

— Você vai nos deixar? — Rocky parecia chocado. — Vai embora de Emerson?

Raymond colocou a mão em seu ombro.

— É melhor assim.

— Eu ainda não contei a ele.

Pam apertou a minha mão. Raymond deu um tapinha desajeitado nas minhas costas. O olhar deles me disse que o mais difícil ainda estava por vir. Quando pensei sobre como Tristan reagiria, meu estômago se revirou até eu sentir um mal-estar. Corri para o banheiro.

Quando voltei, Raymond falou:

— Você está branca como um fantasma. Talvez você esteja com uma virose. Está havendo um surto. Devia ir para casa, descansar.

Pensei em Tristan esparramado em sua poltrona reclinável, com uma lata de cerveja na mão e farelos no peito e disse que preferia trabalhar. Pam me serviu um copo de refrigerante com mais biscoitos de sal. Conforme a noite avançava, eu me sentia cada vez pior. Seria uma virose ou outra coisa? Será que eu ficara doente de preocupação? Eu me sentei, esperando que minha cabeça parasse de girar. Só o cheiro da carne me deixava enjoada e eu corri para o banheiro de novo.

Durante a semana toda eu não consegui segurar nada sólido no estômago e fiquei com um pouco de febre. E estava tão cansada que mal conseguia me levantar da cama. Considerei culpa dos nervos. Eu estava perdendo peso e me sentia horrível. Tristan me servia sopa Campbell's de tomate. Eu não tinha coragem de dizer a ele que vomitava tudo minutos depois. Precisava ver um médico, e convenci Tristan a ir até a casa do Jerry e da Oksana. Eu podia ter ido sozinha, mas ele teria visto a quilometragem. Eu queria evitar outra discussão. Simplesmente não tinha forças.

— Olhe só para você! — Oksana falou quando me viu. — Não parece bem. Círculos debaixo dos olhos. Compleição abatida. Meu Deus, você está tremendo.

— Eu não durmo há dias.

Ela passou o braço em volta da minha cintura e me sentou à mesa da cozinha. Enquanto verificava meu pulso e escutava meu coração, ela me bombardeou de perguntas:

— O que está comendo? Está dormindo bem? O mal-estar é pior em um determinado período do dia? Está tossindo? Está com o nariz escorrendo? Seus seios estão doloridos?

Eu respondi e então perguntei:

— O que os meus seios têm a ver com isso?

Ela tomou minha mão nas suas e disse:

— *Ribochka* — meu peixinho doce —, os sintomas que você está descrevendo não parecem uma virose. Soam como enjoo matinal. Ou, no seu caso, enjoo diurno. Seu desejo se tornou realidade. Você terá um bebê.

— Um bebê! — Eu pulei e a abracei.

— Estou tão feliz por você. — Ela me segurou em seus braços.

Por um instante, eu me senti tão leve, tão feliz! Mal podia esperar para contar a Boba.

Tristan. A percepção de que isso mudaria tudo me atingiu.

Eu me sentei, enterrei o rosto nas mãos e comecei a chorar.

— Achei que ficaria feliz — ela falou. — Talvez eu esteja errada...

Ela estava certa. Mesmo sem terem feito anos de faculdade de Medicina, nossas mulheres têm um talento para saber essas coisas.

Oksana acariciou meus ombros em convulsão. Quando parei de chorar e comecei a soluçar, ela secou minhas lágrimas com um lenço. Minha cabeça girava. Grávida. Grávida. Não podia ser. Não podia ser. Coloquei a mão sobre minha barriga. Um bebê.

— Qual é o problema?

— Acabei de decidir deixá-lo — eu sussurrei. — O que vou fazer?

— Não precisa decidir nada agora — ela disse. — Você tem tempo.

Meus olhos se arregalaram quando percebi que talvez Vlad tivesse me deixado outro presente. Enterrei o rosto nas mãos novamente.

— Ah, meu Deus.

— O que foi?

— Eu estive com outra pessoa.

— Ele desconfia?

Eu olhei nos olhos dela.

— Não. Não desconfia de nada.

— Isso torna as coisas mais fáceis. — A forma como ela olhou para mim, a preocupação em seus olhos. — Uma mulher grávida tem mais de 150 vezes o nível normal de hormônios em seu corpo. Você vai sentir muitos altos e baixos. Não decida nada imediatamente.

Tentei me levantar, mas tive que me sentar de novo. O que eu ia fazer?

Antes de voltarmos para Emerson, perguntei ao Tristan se podíamos ir a uma livraria. Enquanto estávamos no carro, observei as árvores passarem rápido e senti o sangue martelando nas minhas veias. Senti os pensamentos rodopiarem na minha cabeça. Senti o bebê crescer na minha barriga. *Um bebê. E se for do Vlad? E se Tristan descobrir? O que eu fiz? O que eu faria? Posso realmente ir embora agora?*

Na entrada da loja, ele falou:

— Não gosto dessa literatura toda. Venha me chamar no corredor das revistas quando tiver terminado.

No minuto em que ele virou as costas, fui para a seção de autoajuda (na Ucrânia, não líamos muito esse tipo de livro. As pessoas dependiam do destino ou do governo para ajudá-las). Os norte-americanos gostavam muito de autoatendimento, automedicação e autoajuda: os faça-você-mesmo. Os norte-americanos eram todos farmacêuticos de meio expediente. Sabiam exatamente que remédio tomar para qualquer doença. Eles encontravam respostas em livros. Vejam o Tristan. *Homens são de Marte, mulheres são de Vênus* claramente o havia ajudado. Encontrei títulos como *Fechando o negócio*; *As regras*; *Homens são como waffles, mulheres são como espaguete*, e *Dez burrices que as mulheres fazem para estragar suas vidas*. Olhei o índice deste último e descobri que eu cometera dez erros completamente diferentes. Muitos livros tinham como tema principal arrumar um homem. O que eu precisava era de um livro chamado *Pegar e largar: coloque-o de volta no mar sem dor e sem esforço*. Não tive essa sorte. Fui para a seção de maternidade e procurei livros, mas, se comprasse um, seria como anunciar minha gravidez. Então fiquei no corredor e li o primeiro capítulo de *O que esperar quando você está esperando*.

O que esperar? O que fazer? O que é do meu interesse? Do interesse da criança?

Um bebê.

Durante dias, eu me senti como uma espectadora assistindo a uma partida de tênis, o sol brilhando até bolhas estourarem em todo o meu corpo. Eu devia ficar ou devia ir? A bola ia de um lado da quadra para o outro. O que eu queria *versus* a coisa certa a fazer. O que era certo para ele *versus* o que era certo para mim. O que seria melhor para a criança? Prós, contras. Backhand, lob. Talvez eu devesse dar outra chance a ele. Não. Sim. Não sei. Sim, um divórcio. Não, não desista. Corra. Corra o mais rápido que puder. Fique. Não seja covarde. Não seja uma desistente. Sim, desista. O refrão de Tristan martelava na minha cabeça. Você é burra. Você é louca. Ninguém nunca irá amá-la como eu a amo. Quarenta a zero. O placar algum dia seria igual? Não. Ele sempre venceria. Ele tinha a vantagem da quadra. Mas um bebê tornaria as coisas suportáveis.

* * *

Apesar de estar quente lá fora, Tristan acendeu a lareira para me agradar. Depois que ele foi trabalhar, eu puxei minha mala de debaixo da cama, peguei meu dinheiro e me sentei no sofá branco com as pilhas no colo. Fiquei olhando para as chamas. O olho humano é atraído pelo fogo. As labaredas pulavam e eu desejei que elas me dessem algum tipo de resposta.

Eu lamentava não ter tido um pai na minha vida. Nunca recebera um beijo de boa-noite dele. Ele nunca disse que me amava. Um bebê. Eu estava tão feliz e, ainda assim, tão terrivelmente triste. Triste por mim se ficasse com Tristan pelo bem do neném. Triste pelo neném se eu deixasse Tristan para me salvar. Como eu podia afastar uma criança do pai? Na minha família, nós mulheres tínhamos uma tradição de criar os bebês sozinhas, mas isso acontecia porque os homens nos abandonavam. Pensei no meu sonho de ter uma família de verdade — uma mãe e um pai criando juntos uma criança. Pensei em passar o resto da minha vida com Tristan.

Parecia uma sentença de prisão.

Pensei em meu momento com Vlad. Vê-lo de novo. Luxúria mais forte do que bom-senso. Pele na pele. Como eu me abrira para ele. Eu me imaginei contando para ele. Imaginei sua voz endurecendo, exigindo que eu voltasse para Odessa. Imaginei seu olhar ficando mais suave, imaginei-o ficando de joelhos e beijando minha barriga, dizendo *Dushenka*, minha pequena alma.

Minha mão foi automaticamente para o meu peito e procurou pelo anel, um estranho conforto. Mas meu talismã não estava mais lá. Ah, meu Deus. Eu fora em frente. A curandeira estava certa, não estava? Fora inteligente me livrar do anel, me livrar do passado. Ela queria dizer que eu devia ficar com Tristan? E se eu quisesse outra pessoa? Quanto mais eu pensava, mais rápido meu coração batia. *Pare de pensar*, eu disse a mim mesma. *Só por um minuto.*

Acariciei o dinheiro. A sensação entre os meus dedos era boa. Eu não tinha tanto dinheiro nas mãos desde que Boba e eu vendemos nosso velho apartamento e compramos o novo. Eu sabia o que tinha que fazer. Tinha que tentar resolver as coisas com o Tristan. Eu podia confiar nele.

Ele tinha raízes. Eu precisava ter certeza de que meu filho teria uma família de verdade. Precisava garantir que eu não ia simplesmente buscar a saída mais fácil. Joguei uma nota de cem dólares no fogo. As chamas se retorceram no papel. Eu queria jogar tudo no fogo, ver o dinheiro queimar. Vê-lo desaparecer, pegar fogo, queimar até virar quase nada, até as chamas expelirem pequenos pedaços de papel queimado só para engoli-los novamente. Eu queria me livrar de cada pedaço do Vlad. Havia vendido seu anel, agora tinha que me livrar do seu dinheiro. Talvez assim eu me libertasse. Joguei outra nota de cem dólares nas toras, outra, outra e fiquei olhando o fogo devorá-las. Fascinante. Outra. Outra.

Minha mão foi para a minha barriga. Era inútil. Eu sempre teria uma parte dele. *Não faça nada precipitado.* As palavras da Oksana voltaram para mim e eu tentei me controlar. Tentei controlar esse desejo louco de ver o meu futuro pegar fogo diante dos meus olhos. Joguei outra nota no fogo, aí outra.

Eu tinha que ligar para alguém. Peguei o telefone.

Boba me diria para ficar. Jane me diria para ir. David me diria para cair fora. Vlad me diria para voltar para casa. Valentina me diria para ficar onde estava. Molly diria que Tristan era bom provedor. Essa decisão era minha. Minha vida. Minha escolha. Coloquei o telefone no gancho.

Capítulo 24

Caro Tristan,
Eu

Que apropriado que o meu relacionamento com Tristan fosse terminar da forma como começara — com uma carta. Era covardia, mas decidi deixar Emerson da mesma maneira que deixara Odessa — com uma saída estratégica. Dessa vez eu não contei nem para Boba.

Minha mala estava na entrada. Ele estava no trabalho e eu não tinha a menor intenção de esperar que ele voltasse para dizer adeus. Eu estava jogando fora minha chance de conseguir um Green Card pelo casamento, mas não aguentava nem mais um dia. Tinha de haver outra maneira e eu ia descobri-la. Fiquei de pé na frente da bancada da cozinha, meditando sobre o que escrever. *Caro Tristan, eu tentei.* Deus sabe que tentei. *Você também tentou. Eu sei disso. Nós somos muito diferentes. Queremos coisas diferentes.* Eu podia ter continuado com um post-mortem do nosso relacionamento, mas não queria que ele achasse que havia uma chance de resolver as coisas. *Caro Tristan, sinto muito.* Não. Eu estava cansada de pedir desculpas e rasguei o papel. *Caro Tristan, você é uma droga.* Direto demais. *Caro Tristan, eu sou de Odessa, você é do interior.* Autoajuda demais. *Tristan, as coisas não deram certo. Vou dar o fora daqui.* Norte-americano demais. Ainda assim, perfeito. Deixei como estava. Pensei em todo o dinheiro que ele havia gasto, tirei o bastante para cobrir minha passagem de avião e a conta de telefone e coloquei na bancada ao lado do meu bilhete e a aliança de casamento. Eu não gostava de dever a ninguém.

No ônibus para São Francisco, a ficha caiu. Depois de me sentir entorpecida por tanto tempo, a ficha caiu. Alívio. Alívio por estar fugindo. Alívio por não vê-lo mais. Alívio porque estaria onde era o meu lugar — de volta ao mundo. Alívio por ter finalmente tomado uma decisão. Entusiasmo. Entusiasmo com minha nova vida. Entusiasmo com todas as possibilidades diante de mim — um novo emprego, um novo apartamento, uma nova vida, uma nova liberdade. Entusiasmo por estar em uma cidade de novo, com os teatros, galerias, livrarias, museus, bibliotecas e milhares de pessoas. Feliz. Feliz. E ainda assim... Eu me sentia apreensiva. Tinha medo de que ele encontrasse uma maneira de estragar tudo. Que viesse atrás de mim. Era como se eu tivesse recebido uma sentença de cinquenta anos, mas tivesse escapado depois de apenas um. Ele podia me encontrar. Ele podia me entregar.

Quando saltei do ônibus, olhei em volta furtivamente, quase esperando vê-lo ali para me levar de volta. Em vez disso, Jonothan estava esperando e dirigiu para seu apartamento no Russian Hill (não havia nada de russo nele). Ele fez o jantar para nós. Enquanto eu arrumava a mesa, ele veio por trás de mim e passou os dedos pelo meu cabelo.

— Você é linda — ele falou e colocou o lóbulo da minha orelha na boca.

— Eu estou grávida.

Ele tirou a boca do meu lóbulo e pulou um metro para trás. Eu ri até ele sorrir pesarosamente. Os homens vinham atrás de mim há séculos. Se eu soubesse como a gravidez era uma dissuasão eficiente, eu a teria usado muito, muito antes.

No começo, eu tinha medo de sair do apartamento, medo de que ele me encontrasse e me arrastasse de volta. Eu era tão prisioneira em São Francisco quanto em Emerson. Espiava pela janela, imaginando se seria seguro, se ele estaria lá fora.

— Não seja covarde — Jono disse. — Vamos sair para comer alguma coisa.

Mas eu não ia sair do lugar.

Ele ergueu uma máscara horrorosa do Dia das Bruxas.

— Vamos lá. Você pode usar isso.

— Ele simplesmente não vai me deixar ir embora. E ele tem armas. Jono largou a máscara e pediu comida chinesa.

Continuei a me debruçar em cima do *Chronicle* atrás de um emprego e de um apartamento, imaginando se havia algum modo de conseguir uma vaga na ARGONAUT. Eu ligava para Boba como sempre fizera da casa de Tristan — sábado de manhã para mim, sábado à noite para ela. Dez horas de diferença de fuso, dois continentes e um oceano nos separavam. A verdade parecia ser mais um abismo — maior e mais escuro do que o mar. Eu não queria contar a ela sobre minha situação precária. Grávida. Em breve divorciada. Desempregada. Sem Green Card.

— Dasha? — ela atendeu.

Em sua voz, nesta única palavra, ouvi essas notas de esperança, preocupação e amor que formavam a sinfonia da voz dela.

— *Da*, Boba. Sou eu.

— Qual é o problema, flor?

Será que ela podia ouvir a tensão e reticência que eu sentia? Forcei um sorriso, esperando que isso suavizasse o tom da minha voz.

— Nada, Boba.

— Ele a machucou? Talvez você deva voltar para casa como aquela tal de Katya fez. Ela disse que os Estados Unidos são terríveis.

Eu me lembrava de sua ligação angustiada e histérica para a Uniões Soviéticas e fiquei aliviada em saber que ela estava a salvo.

— Não foram os Estados Unidos, foi o homem. Eu juro, está tudo bem.

Escrevi para Jane e Valentina para explicar meu distanciamento delas. Jane telefonou imediatamente.

— Eu sabia que você havia ido embora. Na última quinta-feira, Tristan apareceu na porta do Tans, caindo de bêbado às três da manhã.

Fiquei mortificada. Ela riu e disse que eu não era responsável pelo comportamento estúpido dele.

— E se ele me encontrar?

— Ele nem tem certeza de que você está em São Francisco. E mesmo que tivesse, onde começaria a procurar em uma cidade como essa?

Tans era sua única pista e ele viu que era um beco sem saída. Você está segura.

— Só estou preocupada... e com medo. E nervosa. — *Você tem uma alma frágil, Dasha. É por isso que você é mais sensível do que as outras pessoas. Talvez eu devesse tê-la criado de outra forma...* Ah, Boba, sinto saudades de você.

— Você foi inteligente em ir embora — Jane falou. — Ele não era a pessoa certa para você.

— Eu sei que fiz a coisa certa...

— Você contou a ele?

— Sobre o quê?

— Você sabe.

Minha mão foi para a minha barriga. Olhei fixamente para Jono. Ele deu de ombros. Por que as mulheres têm reputação de fofocar quando é um fato comprovado cientificamente que os homens são mais fofoqueiros?

— Não. Não é da conta dele.

— Ah. — Ela entendeu imediatamente. — É da conta de quem?

Eu não tinha coragem de contar a ela. Jane era como minha avó: superprotetora. E super-reacionária. E Vladimir Stanislávski era uma lenda.

— Você não o conhece.

— Ele vai saber?

— Não tenho certeza — sussurrei.

Jane estava certa. Tristan não ia me encontrar. Perambulei pelas ruas da cidade, meus dedos acariciando os edifícios. Meus ouvidos se alegravam ao encontrar o *staccato* da cidade — buzinas, pessoas gritando, sirenes retumbando, britadeiras pulando. Eu ia com frequência às livrarias, lia seus romances e bebia meu café descafeinado com leite desnatado. Nos parques, eu observava famílias fazendo piqueniques e brincadeiras e pensava "Sou uma de vocês agora, com meu próprio mundinho". Sentava-me na praia durante horas, olhando o mar. Você sabe que está em casa quando vê as ondas se aproximarem para recebê-la. No museu da Legião de Honra, eu me maravilhei com os corredores consagrados pela beleza. Fiquei na frente do busto de Camille Claudel feito por Rodin e chorei.

Preenchi ficha para vários empregos, incluindo um cargo na ARGONAUT. Apesar de ter odiado fazer isso, mandei um e-mail para o David e para o Sr. Kessler e pedi ajuda. Não gosto de dever a ninguém.

O Sr. Kessler escreveu: "Adorável ter notícias suas. Se houver um cargo disponível no escritório de São Francisco, ficaremos felizes em considerá-la."

David escreveu: "Vá para a ARGONAUT imediatamente. Eu cuido de tudo."

Liguei no dia seguinte. Quando disse meu nome, a mulher do departamento de Recursos Humanos me pediu para esperar. Logo me vi falando com o diretor do escritório de São Francisco, que sugeriu que eu me reunisse com ele na segunda-feira seguinte.

Nova cidade. Novas esperanças. Nova vida. As coisas pareciam andar tão rápido. Talvez por eu ter permanecido estagnada por tanto tempo. Encontrei um apartamento. Era do tamanho de uma caixa de sapatos, mas era a minha caixa de sapatos.

Quando me mudei, tentei dar ao Jonothan o dinheiro do aluguel, mas ele o recusou.

— Você já me pagou. Nós tínhamos um bolão de apostas na casa do Tans: em que semana você ia deixar aquele caipira. Quando você me ligou para dizer que estava vindo, fiz uma aposta e ganhei o bolão. Quinhentas pratas.

— Eu não devia ficar envergonhada por todo mundo perceber antes de mim que haveria um divórcio?

— Não se sinta mal. Pense que nós apostamos quando você ia cair em si.

Passei o fim de semana limpando meu conjugado, esfregando superfícies, fingindo que era Boba entrando em guerra contra a poeira e as bactérias. Até lavei as janelas, mantendo as costas cuidadosamente viradas para o telefone, como se pudesse ignorar o fato de que tinha que abrir o jogo com Boba.

Ela nem sabia onde eu estava.

Para vergonha minha, eu já adiara a conversa três vezes, esperando que as palavras certas pudessem vir até mim. Elas nunca vieram.

Disquei o número lentamente, ainda sem saber o que dizer. A maldição da família fizera sua magia negra. Talvez eu tivesse feito a magia negra. Eu precisava confessar que tudo o que dissera a ela era mentira.

As palavras foram despejadas antes que ela pudesse até dizer alô.

— Boba, Boba, eu sinto tanto, eu lhe contei tantas mentiras.

— Do que você está falando, minha flor?

— Eu nunca devia ter deixado Odessa, nunca deveria ter deixado você.

— O que é isso?

— Nunca tive um emprego como engenheira.

— Nunca uma engenheira? Como pode ser? Você escreveu tantas cartas sobre como adorava seu emprego...

— Eu era garçonete.

— Garçonete...?

Eu fechei os olhos e me forcei a continuar.

— Nunca morei em São Francisco, eu morava em um vilarejo.

Ela arfou. É verdade que os odessanos consideram a vida no campo um inferno.

— E isso não é tudo. Depois que nos casamos, ele mudou. Afastou os meus novos amigos. Disse que era a casa dele e as regras dele. Ele...

— Shh. Shh. Vai ficar tudo bem. Vai ficar tudo bem — ela disse. — Não diga mais nada. Só vai ficar nervosa. Você só tem que encontrar uma forma de deixá-lo.

— Já o deixei. — Eu comecei a chorar, talvez de alívio.

— Por que toda essa emoção, então? Você certamente fez a coisa certa. Sempre foi uma garota inteligente. Você sabe o que quer.

— Achei que você ficaria decepcionada. Comigo.

— Nunca! O que é ruim nunca fica melhor. Sempre piora. Você estava certa em ir embora. — Ela fez uma pausa. — Foi por isso que sua mãe deixou seu pai.

— Mamãe o deixou? — Eu não entendi nada. Ele havia nos deixado. — Mas... achei que a maldição era ser abandonada.

— Talvez eu deva lhe contar...

— Contar o quê? — Eu não conseguia respirar. *Strike-struck-struck.*[1] Parecia que 99 relógios estavam batendo a hora dentro do meu peito. Cocei a pele na região do meu esterno, tentando chegar na fonte das batidas. — Me contar o quê?

— Quando você presumiu que Dmitri havia nos deixado, nós não a corrigimos. Achamos que quanto menos falássemos sobre isso, mais rápido você esqueceria. Como um pesadelo. Você acorda de manhã e seus temores da noite são varridos pela luz do dia. O fato de a sua mãe, tão orgulhosa, ter se recusado a discutir isso não ajudou. E aí... — A voz dela ficou embargada. — E aí ela morreu. E eu me senti culpada por muito tempo.

— Pelo quê? — Eu me apoiei na bancada e esperei pelo pior. Os segredos odessanos nunca são bons. — Diga-me, Boba. Por favor.

— Culpada por ter sido tão cega. Seu pai era um marinheiro bonito e carismático. Ninguém sabia contar piadas como Dmitri. — Grande elogio em Odessa. — Também era um alcoólatra brutal. Sua mãe não percebeu no começo. E eu descobri tarde demais. Eles se mudaram para a Crimeia, longe dos amigos dela, longe de mim. Quando eu penso no que aquele homem fez. — Ela suspirou, um daqueles suspiros roucos, que machucam a alma. — Minha menina. Minha filhinha. Como ele deixou o nariz dela sangrando e quebrou suas costelas. O que mais ele fez, eu não sei. Mas, quando sua mãe a embrulhou em uma manta e fugiu de Yalta no meio da noite, ela me procurou e eu vi os hematomas, as queimaduras.

Ela começou a soluçar. Eu também. Pobre mamãe. Pobre Boba. Por que não tivéramos essa conversa há anos na nossa cozinha, para que ela pudesse me apertar contra o peito, para que eu pudesse jogar meus braços em volta de sua cintura?

Senti como se a base da minha vida inteira tivesse desabado. Eu achava que os homens iam embora. Meu pai fora embora. Will fora em-

---

[1] Atingir-atingiu-atingido. *(N. da T.)*

bora. Vlad fora embora. Eu esperava que qualquer cara que eu namorasse fosse embora. Eu nunca sequer lhes dei uma chance. Nunca me dei uma chance, por um momento, de baixar minha guarda, a não ser com Vlad. Mas as defesas retornaram imediatamente.

— Talvez a verdadeira maldição seja não encontrar o amor — Boba falou. — Talvez eu tenha errado em guiá-la para longe dos nossos homens. Sempre que você trazia um para casa, eu me lembrava do que havia acontecido com a sua mãe e ficava com tanto medo... Aí, quando aquele Vladimir Stanislávski veio se intrometendo... eu sabia que tinha que afastá-la do perigo.

Eu fechei os olhos. Vlad. Como eu podia contar a ela?

Como podia não contar?

— Eu não lhe contei tudo, Boba.

— O que foi, minha flor?

— Eu estou grávida.

— Um bebê! — Ouvi as lágrimas em sua voz. — Ele sabe?

— Não. — Eu respirei fundo. — E isso não é o pior.

— Dasha?

— O pior é que o bebê pode não ser dele.

— *Gospodee.* — Ah, meu Deus. Eu a imaginei fazendo o sinal da cruz e cuspindo três vezes. — Dasha?

— Pode ser do Vlad.

— Não do Vladimir Stanislávski! Como pode ser?

— Ele veio, nós conversamos...

— Conversaram! O que você vai fazer agora? Sozinha. Em um país estrangeiro.

— Você estava certa em insistir para eu ficar com o anel dele, Boba. Eu o vendi. Vai ficar tudo bem — repeti o mantra dela, só que desta vez eu acreditei.

Surpreendentemente, foi o diretor quem veio ao saguão para me receber. Nós conversamos no elevador.

— David disse que ficou muito impressionado com você. Nunca o vi falar tão bem de ninguém.

— Que palavras gentis — eu falei. — Há quanto tempo vocês são colegas de trabalho?

— Fizemos faculdade juntos — ele disse. — Quando nos formamos, ele me arrumou um emprego aqui.

Andamos por um corredor comprido com arte inócua — felizmente, nenhum salto agulha ou borrões de tinta. Eu cruzei os dedos — *por favor, deixe-me conseguir o emprego. E, se eu conseguir o emprego, por favor, faça com que minha sala tenha uma porta e paredes. E nenhuma janela com barras.* Ele me levou a uma mesa pequena em uma grande passagem. Talvez Recursos Humanos ficasse do outro lado.

— É aqui que vai me entrevistar? — eu entreguei a ele meu currículo e me preparei para a entrevista.

— Não há necessidade. Você foi transferida.

— Maravilhoso... — eu disse, surpresa. Era um alívio ter um emprego. E só um pouco decepcionante não ter uma porta ou paredes. Boba me diria para olhar o lado bom. Nenhuma janela com barras. Não há barras. Eu me sentei à mesa e agradeci por ter me acompanhado. Ele olhou para mim de forma estranha, e então abriu a porta para uma sala com uma vista fantástica da neblina.

— Este é o seu escritório.

Aparentemente, graças a fortes recomendações, eu fora promovida à gerente de contabilidade sênior — a mais jovem de toda a firma! Pareceu assustador no começo mas, depois de uma semana, percebi que era basicamente o mesmo trabalho que eu fazia em Odessa, só que havia menos subornos e menos papelada — e só um livro de contabilidade para preencher. Eu tinha até minha própria assistente, Cyndi. É claro que algumas coisas não mudam — escritórios são escritórios e sempre haverá fofoca, quer você esteja em Odessa ou em Vladivostok. Mas as conversas sobre mim eram bastante gentis. De alguma forma, partes de uma carta de recomendação que o David escrevera circularam pelo local de trabalho.

Não posso enfatizar o suficiente como é difícil fazer negócios na Ucrânia. Alguns empresários considerariam as exigências do governo e as ameacas da máfia e sairiam correndo. Mesmo armado com meu diploma de Administração, eu não teria durado 48 horas em Odessa sem a Daria. Ela destruiu a burocracia com um facão. Conhecia cada um dos agentes da alfândega, coletores de impostos e mafiosos. Cada um tinha um preço e Daria era a única com uma tabela. Ela não só tem tino para os negócios como tem faro para problemas e olhos que veem coisas que a maioria das pessoas não vê. Seu trabalho e seus padrões são impecáveis. Não só é uma parceira de negócios astuta, também é uma jovem sábia e intuitiva. Fala inglês, russo e hebraico...

Eu estava estupefata. Não ficaria mais emocionada se essa recomendação fosse uma carta de amor. Talvez, afinal, fosse uma espécie de declaração de amor.

Minha mão ia para a minha barriga da mesma maneira que antes fora para o anel do Vlad. Instintivamente. Carinhosamente. Essa nova vida me enchia de tanto amor, tanta esperança. Pensei na pequena alma crescendo dentro de mim. Eu precisava nutrir e proteger o meu bebê. Meu bebê. Eu estava tão feliz. E, ainda assim, havia momentos em que ficava aterrorizada. A cunhada do Tristan me denunciaria? Ele o faria? O governo me mandaria embora porque eu deixara meu marido? Eu não queria ficar tensa o tempo todo — não era bom para mim e certamente não era bom para o bebê. Antes, eu teria andado de um lado para o outro no apartamento. Teria ficado ansiosa e hesitado. Mas eu tinha que tomar uma atitude. Precisava de respostas concretas. Não era mais apenas eu.

Liguei para Molly.

— Meu Deus, onde você está? — ela perguntou. — Você está bem? Eu estava morta de preocupação!

— Sinto muito, devia ter contado... Eu só estava com medo.

— Com medo?

— Com medo dele, com medo de dizer às pessoas, aos amigos, que eu ia embora. Com medo de confiar... — balbuciei.

— Eu vou guardar seus segredos — ela falou.

— Estou em São Francisco.

Ela disse que queria me ver. Eu hesitei em lhe dar meu endereço.

— Podemos nos encontrar em um café — ela sugeriu. Decidi confiar nela.

Dois dias depois, na manhã de sábado, fiquei na calçada em frente ao meu prédio, esperando. Ela chegou pontualmente. Estava usando uma blusa verde-clara e uma calça, em vez de uma camiseta extragrande e jeans. Percebi que havia se maquiado e seu cabelo castanho-avermelhado estava preso em um rabo de cavalo elegante na base do pescoço. Ela parecia relaxada e feliz. Fiquei admirada com a mudança.

Quando me viu, ela me abraçou.

— Graças a Deus você está bem. Quando você desapareceu, eu não sabia o que pensar.

— Eu não aguentava mais.

Ela passou o braço em volta dos meus ombros.

— Eu devia tê-la ajudado.

Cobri sua mão com a minha.

— Você ajudou.

Ela olhou ao redor para os prédios e a rua movimentada.

— É bom estar na cidade. Toby e eu costumávamos vir uma vez por mês, mas aí... bem, eu acho que a vida acontece.

— Você está aqui agora. Obrigada por vir de tão longe.

Subimos quatro andares de escada.

— Não tem elevador — eu me desculpei.

— Eu precisava esticar as pernas. É uma viagem longa. — Ela começou a rir como uma colegial. — Ninguém sabe que estou aqui. Nem mesmo Toby.

— Ele descobrirá — eu a adverti. — Vai ver sua quilometragem.

Ela riu.

— Nem passaria pela cabeça dele olhar o nível de combustível, de óleo ou a quilometragem. Ele não é mecânico. Estou por minha conta.

Ela olhou para o meu rosto. Minha expressão deve ter dito algo que o meu silêncio não dizia, porque ela parou.

— Meu Deus. Ele fez isso com você, não fez?

Lágrimas encheram os meus olhos. Não sei por quê. Talvez por gratidão por alguém entender uma pequena parte do que eu vivera. Coloquei a chave na porta e abri todas as três fechaduras. Boba não estava do outro lado.

Molly olhou os livros nas minhas prateleiras enquanto eu ligava a chaleira elétrica.

Nós nos sentamos à mesa da cozinha, na frente da janelinha.

— Você está linda — eu disse a ela.

— Percebi que tinha ficado cansada e até deprimida. Toby e eu estamos fazendo terapia de casal. Ele está ajudando mais em casa e percebi que preciso começar a fazer coisas para mim. Vou vir visitá-la, garota.

— Bravo, bravo!

— Este é o seu lugar. — Ela fez um gesto para a cidade. — Estava certa em ir embora. Você é muito corajosa. Estou orgulhosa de você.

— Obrigada. — Coloquei duas colheradas de geleia de framboesa no meu chá e mexi vigorosamente, tentando reunir coragem para perguntar o que aconteceria a seguir. — Você acha que ele vai tentar me encontrar?

— Não. Acho que ele está pensando em outras coisas... — Depois de uma longa pausa, ela falou: — Eu devia ter lhe contado isso, mas ele nos fez prometer que não contaríamos. Você não foi a primeira garota que ele trouxe para cá.

Kino.

— Sinto muito — ela disse. — Quase lhe contei uma vez, mas ele me impediu... Eu devia ter tentado mais. O nome dela era Lena. Ela não durou tanto tempo quanto você.

Abri a boca, mas nenhuma palavra saiu.

— Por favor, não fique zangada.

— Não estou.

— Você está bem? — ela perguntou.

Eu assenti.

— De onde ela era?

— São Petersburgo.

— Quanto tempo ela ficou?

— Três meses.

— Ele foi até lá?

— Sim, foi a várias "sociais", como ele dizia.

— Ele me disse que pensara em ir, mas que havia "amarelado" no último minuto. Era tudo mentira. Ele me disse que era professor. Disse que nunca fora à Rússia. Eu fui tão idiota!

— Não se culpe, querida.

— Quem mais posso culpar? Eu devia ter visto. O pior é que a minha vida está nas mãos dele...

— Como assim? — ela perguntou.

— Mulheres como eu têm que ficar casadas com caras como ele por dois anos antes de recebermos visto permanente. Se eu não cumprir o acordo, ele só precisa notificar a Imigração. Vão achar que eu me casei com ele por causa do Green Card e serei deportada.

— Isso é horrível! Ninguém deveria ter que permanecer casada...

Pena se infiltrou na voz dela.

— É assim que acontece — falei alegremente. Eu não queria que ela sentisse pena de mim. Odessanos sabem que, mesmo que as cartas estejam contra, você continua a jogar. — Acha que ele vai me entregar?

— Não sei. — Ela mordeu o lábio.

— Ah, meu Deus. — Pressionei a minha mão contra o peito. O anel não estava mais lá, mas em seu lugar havia outra coisa, algo de valor infinito. Minha mão desceu pelo meu corpo até a barriga.

— Não se sinta mal. Qualquer um pode ver que... Não quero dizer que você seja boa demais para ele. Mas nós todos podíamos ver que ali não era o seu lugar. Ele era o único que não via.

— Ah, Molly. Parte de mim se sente culpada por tê-lo deixado. Isso é loucura?

— Não, querida. Mas você não tem que se preocupar com ele. Quando você foi embora, ele ficou bêbado mais ou menos por uma semana, como quando a Lena foi embora. Mas ele já superou. Você não vai acreditar, mas ele já está procurando outra noiva. Falou que vai tentar as Filipinas desta vez. Disse que ouviu dizer que as mulheres de lá são mais dóceis.

Eu ri. E ri. Os odessanos riem das coisas mais perversas. Molly se juntou a mim.

— É bem engraçado — ela admitiu. E então, começou a chorar. — Espero que você não me odeie.

Eu também comecei a chorar.

— Não estou zangada. De verdade. Você é uma amiga tão boa para mim. Nunca vou esquecer tudo o que fez. A despedida de solteira adorável que você organizou. O buquê para o meu casamento. A gentileza que você, Serenity e Anna tiveram comigo me fez querer ficar. Fez com que eu me apaixonasse pelos Estados Unidos. Sua amizade foi a melhor parte dessa viagem. Espero que ainda possamos ser amigas e que você venha me visitar de novo.

Ela assentiu.

— Eu não acabei de dizer que viria? Tem certeza de que não está zangada comigo?

— Não estou zangada. Estou aliviada.

E era verdade. Aquele capítulo da minha vida estava encerrado. Eu queria me concentrar no futuro. Eu estava livre. Podia conversar com Boba e com Jane durante horas, comer batatas três vezes por dia e me vestir toda de preto, se assim o desejasse. Escrevi para Anna e Serenity. Fiz blini para meus vizinhos; em troca, eles me convidaram para o brunch. Entrei em um clube de leitura. Pedi a uma colega de trabalho que trazia pão de canela todas as segundas-feiras para me ensinar a fazê-lo. Aos domingos, trabalhávamos na cozinha dela. Cada semana era uma receita nova. Esses atos me enchiam de prazer. Eu construí meu ninho, graveto a graveto.

David sugeriu que eu consultasse os advogados da firma. Expliquei a minha situação a eles; estavam confiantes de que podiam me ajudar a arrumar um visto de trabalho e, mais tarde, um Green Card. Também me informaram sobre um conceito maravilhoso na Califórnia chamado "pensão alimentícia". A forma como os advogados falaram sobre esse fenômeno me fez imaginar o que mais eu não sabia como uma estrangeira nos Estados Unidos. *Direitos, direitos*, Oksana dissera. *Quais são os nossos direitos?* Eu ia descobrir.

Eu não queria o dinheiro do Tristan, mas foi um prazer dizer à Oksana que, se ela se divorciasse do Jerry, não ficaria sem um tostão e impotente.

É claro que telefonei para Valentina. Ela havia vendido a Uniões Soviéticas* para um empresário norte-americano por um milhão de dólares em uma conta off-shore. Falou que quando havia começado seu negócio, o mercado estava na mão dos compradores — os homens tinham a vantagem. Agora, em apenas alguns anos, as cartas haviam virado e as mulheres de Odessa estavam por cima.

— O mercado está a favor do vendedor. Elas fazem os norte-americanos as levarem, com suas amigas, para fazer compras e para restaurantes elegantes. O novo proprietário instalou uma fileira de computadores e paga garotas para responderem as cartas. Os clientes pagam por e-mail enviado e recebido. As mulheres os enrolam para mandarem dinheiro para tudo, desde aulas de inglês a passagens de avião. Ele posta fotos indecentes de modelos para atrair os homens. Engenhoso! Por que não pensei nisso? — ela lamentou, com uma gota de veneno na voz.

Ela não mudara nada.

— Como estão as coisas em Odessa?

— Mudando para cá e para lá! Negócios estrangeiros invadiram a cidade. Um oligarca está restaurando o Convento Mikhaiovski, na Uspenskaya Street. Os muçulmanos estão se mudando para cá mais rápido do que se pode dizer "Alá". Há cada vez mais construções. Mais cafonas do que tudo. Estou pronta para uma mudança, se quer saber a verdade. Talvez eu possa visitá-la nos Estados Unidos. Essa velha comunista decidiu que o capitalismo não é tão ruim.

Ela marcou sua passagem de avião e até ajudou Boba a entrar com um pedido de passaporte para poder me ajudar com o bebê. Quando falei com Boba pelo telefone, ela pareceu feliz, como uma adolescente apaixonada. Acho que eu nunca soei assim em relação ao Tristan.

É claro que David ainda ligava uma vez por semana. Enquanto conversávamos, percebi que, em parte, minha nova vida se devia a ele. Ele me magoara, mas também havia trabalhado duro para se redimir. Havia se tornado um amigo de verdade.

— Obrigada.

— Pelo quê? Eu não fiz nada.

— Como preferir...

Ele disse que estava indo embora de Odessa.

— Por favor, não se ofenda. Há algo que quero perguntar — eu admiti. — É sobre algo que Vita e Vera disseram... É verdade que você foi enviado para Odessa como castigo?

— De certa forma.

— O que você fez?

— Você sabe que o meu avô fundou a transportadora? Bem, quando ele morreu, há pouco mais de dois anos, meu pai decidiu que cortaria o meu dinheiro se eu não provasse o meu valor. Ele bloqueou minha renda e me estabeleceu como diretor do escritório de Odessa. Achou que o desafio daria um jeito em mim. Disse que, se eu não mantivesse a filial fora do vermelho, ele e seus advogados se assegurariam de que o dinheiro da família pulasse uma geração e fosse direto para Melinda. Também falou várias outras coisas. São muito feias para repetir. Cheguei aqui irado com o mundo e pronto para beber até esquecer.

— Odessa certamente é o lugar certo para isso.

Ele riu.

— Eu sei. Durante a minha primeira semana, perdi 100 mil dólares no jogo.

— Não! Como pôde?

— Vai gritar comigo de novo? — ele perguntou.

— Não acredito nisso! Você tem tudo e joga fora!

— Vai continuar gritando comigo?

— Se eu tivesse tido as oportunidades que você teve, se tivesse um décimo do que tem...

— Você tem mais. Você tem Boba — ele retrucou.

Eu sorri. Ele estava certo. Eu era infinitamente mais rica. Não que fosse admitir isso para ele.

— E por falar na Boba, não me faça começar. Como ousa suborná-la com mangas?

— Algum interesse em ouvir o final da história?

Permaneci em silêncio.

— Muito bem, então. Felizmente, eu perdi o dinheiro para um gângster, que concordou em ficar com as minhas ações da firma como garantia.

— Que espírito esportivo.

— Havia um preço. Se eu não conseguisse pagá-lo, ele ficaria com as ações, que valiam muito mais do que 100 mil dólares.

— Ah.

— Vladimir Stanislávski achou que seria dinheiro fácil.

Vlad? É claro.

— Então era por isso que ele ia com tanta frequência ao escritório — falei, me sentindo decepcionada.

— Talvez no início. Mas eu paguei minha dívida e ele continuou vindo.

— O que vai fazer agora que a sua "pena" acabou? — perguntei.

— Não tenho certeza — ele disse.

Percebi que eu sentia saudade de me sentar na sala de reuniões, conversando sobre literatura e Odessa. Uma coisa estranha para sentir saudades.

A minha assistente não o anunciou. David simplesmente entrou pela minha porta. Ergui os olhos da mesa, esperando qualquer um — o Avô Gelo, até a Sininho — menos ele. Ele estava com boa aparência, muito boa. Havia raspado o bigode. Usava um blazer azul-marinho como todos os outros homens que trabalhavam no centro financeiro. O verde de sua gravata de seda realçava as pintinhas cor de âmbar em seus olhos. É claro que estava bronzeado, acabara de chegar de Odessa. Seu cabelo escuro fora cortado curto demais para o meu gosto. Não importa. Vai crescer.

Eu me levantei.

Ele veio até mim. O que seria apropriado? Um aperto de mãos? Formal demais. Um abraço? Talvez não. Eu acariciei seu braço, tocando-o para me fazer acreditar que ele realmente estava ali.

— O que está fazendo aqui? — perguntei, queixo projetado para a frente.

Ele olhou para mim de cima a baixo desapaixonadamente.

— Há algo diferente em você.

Ele conseguiu para si um cargo no conselho diretor e um escritório bem ao lado do meu. A primeira coisa que fez foi perguntar aos advogados da firma por que eu ainda estava casada. Eles explicaram que a papelada levava tempo. Através da parede do escritório, eu o ouvi gritar "Não quero ouvir desculpas! Ela precisa de um divórcio e de um visto de trabalho. E é melhor que tenha os dois dentro de um mês". Ele se assegurou de que as coisas acontecessem rapidamente. Apesar de ele negar, acredito que houve alguma boa vontade.

Boatos circulavam. Ele seria o novo diretor da filial de São Francisco? Quanto tempo ficaria? As mulheres na empresa bombardearam a secretária idosa dele atrás de informação. Ele era solteiro? Estava interessado em encontrar alguém? Quais eram seus planos? Ele disse à sua família e a seus colegas que queria se envolver com a ARGONAUT, mas precisava de uma folga das úlceras que tinham vindo com o gerenciamento de uma filial. Ele me contou que queria ficar ao meu lado, mesmo que significasse apenas no trabalho.

Debaixo do globo de neve no canto da minha mesa havia uma cópia dos documentos do meu divórcio. Eu sabia que Vlad esperava por um sinal, mas ainda assim hesitava em mandá-los. Pela primeira vez, eu estava feliz e livre. Queria desfrutar dessa independência, pelo menos por aquele momento. Eu era livre para sair com amigos — Jane, Jono, Tans e eu íamos a concertos, galerias e cafés. Tans e David se deram muito bem. Todos nós saíamos frequentemente para jantar.

É claro que Jane se vangloriava de que seria a madrinha.

— Se você me chamar para ser padrinho, eu ensino a ele como jogar basquete — Jono tentou me convencer.

— Se eu for o padrinho, pago a faculdade dele — Tans retrucou.

Olhei para David, que estava olhando para mim e fiquei imaginando o que ele ofereceria.

— E você?

— Tenho quase certeza de que você terá uma menina — ele falou — E de que ela vai ser linda como a mãe.

Meus olhos ficaram úmidos. Em Odessa, dizemos que Deus ama três, mas, olhando em volta da mesa, achei que ele devia gostar ainda mais de cinco.

* * *

As coisas não eram perfeitas. Meu conjugado era do tamanho de um quarto em uma *communalka*. Os preços em São Francisco eram ainda mais altos do que os de Moscou. Apesar de o meu trabalho ser mais direto do que era em Odessa, também era mais complicado. Tive que aprender novas leis e regulamentações e trabalhava muitas horas. Na maioria dos dias, eu não saía do escritório antes das 19h30. Eu sentia saudades de Odessa. Perguntem a Jane. Qualquer um que tenha morado lá é incapaz de esquecer o teatro da ópera (o terceiro mais bonito do mundo), a hospitalidade das pessoas, os monumentos, a arquitetura, o mar. Como eu sentia falta da minha cidade natal. Mas, como David me lembrou, depois que Anna Akhmátova deixou Odessa, ela a deixou para sempre. Não há por que olhar para trás, Boba disse. Só vai acabar com torcicolo.

Eu finalmente vivia a vida com que sonhara quando estava em Odessa desejando ir para os Estados Unidos. Quando eu queria tanto alguma coisa — apesar de não saber exatamente o quê. Uma sensação de contentamento me tomava. Eu morava em uma cidade perto do mar. Tinha bons amigos e um trabalho estimulante. Falava inglês todos os dias. Estava trazendo uma nova vida a este mundo. Nascimentos acontecem todos os dias, mas ainda me parecia um milagre. Eu embalava minha barriga e pensava na minha pequena maravilha. No quanto Boba e eu iríamos amá-la.

David entrou pela minha porta com uma bandeja com café e biscoitos. Olhei para o meu relógio.

— Você levou três minutos e 19 segundos. Melhor do que ontem. Pior do que no dia anterior.

Ele serviu uma xícara de descafeinado para cada um de nós. Eu dei um golinho e olhei pela janela.

— Nada mal — eu disse. — Realmente, nada mal.

Agradecimentos

Meu amor e gratidão a Barbara & Ed Skeslien e Eddy Charles por tornarem isso tudo possível.

Meus amigos Clydette e Charles de Groot me acompanharam nesta jornada e me ajudaram de muitas formas. Anca Metiu e eu nos encontramos uma vez por semana em um café para escrever e sua companhia e amizade significaram muito para mim. Sylvia Whitman, da Shakespeare & Company, tem sido uma grande fonte de encorajamento e inspiração. Este livro não poderia ter sido escrito sem o apoio que recebi da Fundação Soros e do Dr. Robert Hausmann.

Sou abençoada por ter o apoio e a amizade desses escritores, meus primeiros leitores: Emma Jane Kirby, Jack Kessler, Kathryn Clutz, Amanda Bouchet, Anna di Mattia, Carolyn Skelton, Laura Mason, Edward Carey e Elena Devos. Obrigada a Sapna Gupta, Susan Moreau, Katya Jezzard, Jim Branin, Lauren Sinclair e Josh Melvin. Meus agradecimentos a Penelope Le Masson, da Red Wheelbarrow, que foi tão gentil comigo esses anos todos. Ela tem as melhores histórias. Obrigada a Bridget Larson e Cindy Rogers, da Prairie Peddler, em Shelby, por sua hospitalidade enquanto eu trabalhava no meu romance. Obrigada aos meus professores, especialmente ao Sr. Goodan e à Srta. Hanson. Amor e gratidão a Kathy Skeslien, Madame Nathan, Sarah Andrews e Kris James, que sempre apoiaram o meu trabalho.

Agora o caminho para a publicação. Muito obrigada a Laurel Zuckerman por me encorajar a participar da Geneva Writers' Conference, que é organizada pela incrível Susan Tiberghien. Minha agente Laura

Longrigg tem sido uma fonte generosa e graciosa de perspicácia e sabedoria editorial. Ela e Stella Kane excederam minhas expectativas de todas as formas e eu agradeço a todos na MBA Literaty Agents pelo apoio e entusiasmo. Sinto-me muito sortuda por ter a Bloomsbury como minha editora. Dos dois lados do Atlântico, eles me apoiaram muito. Helen Garnons-Williams é uma editora sem igual e eu agradeço por seu discernimento e suas ideias. Foi um prazer trabalhar com Justine Taylor e Erica Jarnes e agradeço a elas por prestarem atenção em Daria e suas palavras. É claro que é um sonho trabalhar com Alexandra Pringle. Agradeço a Colin Dickerman por seu entusiasmo inicial e a Kathy Belden por defender a mim e ao meu livro. Amy King e Sarah Morris criaram uma linda arte de capa. Na Alemanha, eu gostaria de agradecer a Joachim Jessen, por ter apresentado este romance a Christian Rohr, da C. Bertelsmann. Foi adorável trabalhar com ele e Astrid Arz. Agradeço a todos vocês por sua fé neste romance.

Finalmente, gostaria de expressar minha gratidão aos subagentes e editores que acreditaram neste romance: Tassy Barham, Trine Licht, Milena Lukic, Vicki Satlow, Caroline van Gelderen, Martyn David, da Uitgeverij Mouria, na Holanda, Luciana Villas-Boas, da Record, no Brasil, Ornella Robbianti e Patrícia Chendi, da Sperling & Kupfer, na Itália, Vesna Virant, da Mladinska Bucuresti SRL, na Romênia, Jelka Jovanovic, da Mladinska Knijiga Beograd, na Sérvia, Sif Jóhannsdóttir, da Forlagid, na Islândia, e Marika Hemmel, da Dann Förlag, na Suécia.

Este livro foi composto na tipologia Minion Pro,
em corpo 11,5/15,6, e impresso em papel off-white 80g/m^2,
no Sistema Cameron da Divisão Gráfica
da Distribuidora Record.